二十五史藝文經籍志考補萃編

考補萃編

第十四卷

王承略　劉心明　主編

隋書經籍志考證

〔清〕章宗源　撰
項永琴
陳錦春　整理
鄭民令

清華大學出版社　北京

圖書在版編目（CIP）數據

二十五史藝文經籍志考補萃編.第 14 卷/王承略，劉心明主編.--北京：清華大學出版社，2012.5

ISBN 978-7-302-28508-3

Ⅰ.①二…　Ⅱ.①王…②劉…　Ⅲ.①中國歷史：古代史－紀傳體②二十五史－研究　Ⅳ.①K204.1

中國版本圖書館 CIP 數據核字（2012）第 065352 號

責任編輯：馬慶洲
封面設計：曲曉華
責任校對：王榮静
責任印製：楊　艷

出版發行：清華大學出版社
　　　　　網　　址：http://www.tup.com.cn，http://www.wqbook.com
　　　　　地　　址：北京清華大學學研大厦 A 座　郵　編：100084
　　　　　社總機：010-62770175　　　　郵　購：010-62786544
　　　　　投稿與讀者服務：010-62776969，c-service@tup.tsinghua.edu.cn
　　　　　質 量 反 饋：010-62772015，zhiliang@tup.tsinghua.edu.cn
印 刷 者：清華大學印刷廠
裝 訂 者：三河市金元印裝有限公司
經　　銷：全國新華書店
開　　本：148mm×210mm　　**印 張**：9　　**字　數**：189 千字
版　　次：2012 年 5 月第 1 版　　　　**印　次**：2012 年 5 月第 1 次印刷
印　　數：1～3000
定　　價：32.00 元

產品編號：043539-01

《二十五史藝文經籍志考補萃編》編纂委員會

目　　録

隋書經籍志考證

[清] 章宗源　撰

項永琴　陳錦春　鄭民令　整理

底本：清光緒三年湖北崇文書局刻本
校本：1955 年中華書局影印《二十五史補編》本

章宗源傳_{陽湖孫星衍《五松園文集》}

　　章宗源，字逢之，浙江山陰人。以兄編修宗瀛官京師，遂以大興籍中式乾隆丙午科舉人。少聰穎，不喜爲時文，以對策博贍發科，益好學，積十餘年，采獲經史羣籍傳注，輯錄唐宋以來亡佚古書，盈數笈。自言欲撰《隋書經籍志考證》，書成後，此皆糟粕，可鬻之。然編次成帙，悉枕中祕本也。又言輯書雖不由性靈，而學問日以進。吾爲此事久之，亦能爲古文，爲駢體文矣。又以今世所存古書版本，多經宋明人刪改，嘗恨曩時輯錄已佚之書，不錄見存諸書訂正異同文字，當補成之。其已輯各書，編次成帙，皆爲之叙，通知作者體例曲折，詞旨明暢。古書多亡於北宋，故輯書始於王應麟。近代惠徵君棟踵爲之，《四庫全書》用其法，多從《永樂大典》寫錄編次，刊布甚夥。至於宗源，則無書不具焉。時都門廣慧寺有妖僧明心者，誑人以符籙降鬼挾仙，凡言禍福，又賄客僕從，刺探隱事，面發之，示神驗。京朝官之佞佛者大爲扇惑，爭饋貽之。僧益豪橫，或占人墳塋作廟基，或權子母取重利。事敗，僧以罪遣歸南中。宗源等以事佛與牽連，罷斥，不能復與會試。僧人潛出，游齊魯間，就大吏之不潔者。網賄遺，易姓名，捐職丞倅，出入詭祕甚，而宗源等猶信之，持長齋，且寓書屬予去所爲《三教論》者。予著《三教論》時，京朝官惑於妖僧日甚，因以曉譬之。大吏某曾倚上官勢，屬予去其文，不得。及得宗源書，戲云：“君以生平輯錄書付我，我即去此文。君必祕愛不忍割，是色空之説不足恃也。”然宗源好學之志終不衰，性恬澹，不肯干謁，亦異乎世之所謂禪鑽者。以嘉慶五年月日疾,卒於京邸。撰《隋書經籍志》及雜文若干卷。

　　舊史氏曰：惜哉！章君之好學,而惑於釋氏也。既輯録三代、先秦古書,豈不知佛書出東漢、六朝之不足貴,并非西域浮屠之所秉筆耶？及爲妖僧詿誤,猶以素食終身,年未五十而溘逝,釋氏之效安在？或言章君死時,神清明,無所苦,此何益且反常也？孔子大聖,寢疾七日。曾子大賢,反簀未安。徂歿之痛,達人不諱。儒者身備四氣,哀樂反常,豈發皆中節之學乎？《傳》曰："未知生,焉知死？"又曰："大哉,死乎！君子息焉,小人休焉。"儒通天人,勿可尚已。

　　嘉慶戊寅,吾兄銜石自京師歸,篋中攜此書,謂鈔自何夢華元錫,藏書家未有也。余乃囑表兄懷豫堂鈔録副本,以期迫,金岱峰囑其友相助謄寫,逾月而畢。惜僅有史部,三十年來,訪求全書,無知之者。道光丁未冬日,朱述之明府假鈔一本,乃從述翁假孫氏《五松園文集》録《章君傳》於册首。此書名與王氏《漢書藝文志》同,而編次則異。然纂輯古書,實昉於王氏也。戊申三月既望,嘉禾甘泉鄉人錢泰吉識於海昌學舍。

隋經籍志考證卷一

史部

正史

史記一百三十卷 《目録》一卷,漢中書令司馬遷撰。

今存。

史記八十卷 宋南中郎外兵參軍裴駰注。

今本一百三十卷,非裴氏之舊,陳振孫所見已然。

史記音義一卷 後漢延篤撰。不著録。

史記章隱五卷 不著録。

司馬貞《索隱後序》曰:"後漢有延篤《音義》一卷,又別有《章隱》五卷,不記作者何人,近代鮮有二家之本。"愚按裴駰《集解》引有《史記音隱》,"章"乃"音"字之訛,小司馬未見二書,自是亡於隋代,非《隋志》之闕著也。

史記音義十二卷 宋中散大夫徐野民撰。

徐廣,字野民。裴駰《集解序》曰:"廣研核眾本,爲作音義。"張守節《正義》曰:"十三卷。《唐志》同十三。駰爲注,散入百三十篇。"《索隱後序》曰:"廣作音義一十卷,惟記諸家本異同,於義少有解釋。"

史記音義 宋裴駰撰。不著録。

《索隱後序》曰:"裴駰亦有音義,前代久已散亡。"

史記音三卷 梁輕車録事參軍鄒誕生撰。

《索隱後序》曰:"鄒誕生撰《音義》三卷,音則尚奇,義則罕説。"

釋玄應《一切經音義》引誕生《史記音》，《舊唐志》訛作邵鄒生。

古史考二十五卷　晉義陽亭侯譙周撰。

《蜀志・譙周傳》周所著有《古史考》。劉知幾《史通・模擬篇》曰："譙周撰《古史考》，其書李斯之棄市也，云'秦殺其大夫李斯'，以諸侯之大夫名天子之丞相，以此擬《春秋》，所謂貌同而心異也。"又《外篇・論古今正史》曰："周以遷書周秦以上，或采諸子，不專據正經，於是作《古史考》二十五篇，皆憑舊典，以糾其繆，今與《史記》並行於代焉。"愚按《文選》王元長《曲水詩序》注引公孫述竊位，蜀人任永託目盲一事，其書兼及東京，不徒糾遷史之謬，而《毛詩正義》引"伏羲作瑟"，杜佑《通典》注引"無句作磬"諸語，既與《世本・作篇》相類，至《史記索隱》所引《周紀》不窋、《秦紀》處父等事，詞意多主辯駁，體裁實異正史，《唐志》列諸雜史類，得之。

漢書一百一十五卷　漢護軍班固撰，太山太守應劭集解。

今存顏師古注本，較應劭本多五卷。《唐志》兩本並存，而脫"應劭集解"四字。

漢書集解音義二十四卷　應劭撰。

《唐志》同。

漢書音訓一卷　服虔撰。

《唐志》同。

漢書音義七卷　韋昭撰。

韋昭，《舊唐志》訛作"韓韋"。

漢書音二卷　夏侯詠撰。

《唐志》同。愚按應劭已下四書，劭與服虔、韋昭，《漢書》師古注皆引其語，惟夏侯詠未見。

漢書音義十二卷　國子博士蕭該撰。

《隋書・蕭該傳》："該撰《漢書音義》，爲當時所貴。"章懷《後漢書·隗囂傳》、《劉伯升傳》注引之。《唐志》同。

漢書音十二卷　廢太子勇命包愷等撰。

《唐志》同。

漢書集注十三卷　晉灼撰。

釋慧遠《華嚴經音義》引有《漢書集注》，而不題灼名，未知即灼
書否。《唐志》：“十四卷，又《音義》十七卷。”《隋志》不著録。

漢書注一卷　齊金紫光禄大夫陸澄撰。

《唐志》作《新注》。

漢書注一百二卷　陸澄撰。梁有，隋亡。

《史通·補注篇》曰：“陸澄注班史，多引遷書，此缺一言，彼增
半句。採摘成注，標爲異説。有昏耳目，難爲披覽。”

漢書續訓三卷　梁北平諮議參軍韋稜撰。錢宫詹《隋書考異》曰：“北平，當作
平北。”

《南史》、《隋·韋稜傳》：“稜著《漢書續訓》二卷。”《唐志》同，二卷。

漢書訓纂三十卷　陳吏部尚書姚察撰。

《陳書·姚察傳》：“察著《漢書訓纂》三十卷。”《華嚴經音義》
引“瑱，謂珠玉壓座爲飾也”，釋玄應《一切經音義》引“鱓，蛇
魚也”，杜佑《通典·州郡門》引“户、扈、鄠三字一也”，《史記正義》
亦引之。又“蕭何封沛之酇，夫人封南陽之鄧”，《太平寰宇記·
河南道》引“函道，地形如函也”。

論前漢事一卷　蜀丞相諸葛亮撰。

《唐志》：“又《音》一卷。”

漢書駁議二卷　晉安北將軍劉寶撰。

《唐志》“議”作“義”。

漢書叙傳五卷　項岱撰。

劉昭《續漢·祭祀志》注引項威《漢書注》，威、岱相似易訛。
《舊唐志》五卷，《新唐志》八卷。

漢書音九卷　孟康撰。梁有，隋亡。

《唐志》作《音義》。

漢書注一百一十五卷　梁元帝撰。梁有，隋亡。

《梁書·元帝紀》："帝注《漢書》一百一十五卷。"《金樓子·著書篇》曰："注《前漢書》十二帙。"①

漢書決疑十二卷　顏延年撰。不著録。

兩《唐志》皆載之，《新唐志》題顏游秦，據《顏師古傳》則《舊志》非是。

漢書音義二卷　崔浩撰。不著録。

見《新唐志》。

漢書後序十二卷　後漢司隸校尉應奉撰。

《後漢書·應奉傳》："奉著《漢書後序》，多所述載。"《隋志·子部·儒家》注云："梁有《後序》十二卷，應奉撰，亡。"當即范史所稱《漢書後序》。尋其名義，似宜列諸史部。

漢事十七卷　應奉撰。不著録。

章懷《應奉傳》注："袁山松《書》曰：'奉又刪《史記》、《漢書》及《漢紀》三百六十餘年，自漢興至其時，凡十七卷。'"《史記索隱·匈奴傳》引："應奉曰：'秦築長城，徒役之士亡出塞外，依鮮卑山，因以爲號。'"《通典·職官門》注："應奉曰：'高帝承秦，禮儀多闕，灌嬰服事七年，號大謁者。後人掌之，以姓灌章，列於《漢書》也。'"章懷《雷義傳注》亦引之。

東觀漢記一百四十三卷　起光武記注至靈帝。長水校尉劉珍等撰。

《唐志》一百二十六卷，《書録解題》八卷，《宋志》十卷。其書以新市、平林諸人列爲載記，房喬修《晉書》，劉淵等載記蓋仿其例。今《四庫》緝本二十四卷，有《天文志》、《地理志》。

---

① "帙"，原誤作"秩"，據《二十五史補編》本改正。

後漢書一百三十卷　無帝紀。吳武陵太守謝承撰。

《新唐志》同，又《錄》一卷。《舊唐志》三十三卷。史無帝紀，惟聞此書。《北堂書鈔·設官部》引承書有《風教傳》，亦創見也。《史通·論贊篇》："謝承曰詮。"愚按《文選》顏延年《北使洛詩》注引承書"徐淑戎車首路"，《永明九年策秀才文》注"陰修敷化二都，威教克平"，阮嗣宗《勸進表》注"黃他求沒將，①投骸邊廷"，②又"王龔幹事，遂陟鼎司"，《後漢二十八將論》注"申屠蟠英姿磊落"，張景陽《七命》注"士庶流宕他州異境"，③俱稱"序曰"，蓋承書《叙傳》中語。今存姚之駰緝本四卷。

後漢記六十五卷　本一百卷。梁有，隋殘缺。晉散騎常侍薛瑩撰。

《唐志》一百卷，今存姚氏緝本一卷。《太平御覽·皇王部》引光武、明帝、章帝、安帝、桓帝、靈帝六贊。

續漢書八十三卷　晉祕書監司馬彪撰。

《晉書·司馬彪傳》："彪討論眾書，綴其所聞，起於世祖，終於孝獻，為紀、志、傳凡八十篇，號曰《續漢書》。"《唐志》："八十三卷，又《錄》一卷。"今存姚氏緝本一卷。《魏志·武紀》注、《司馬朗傳》注引有司馬彪《序傳》，當是《續漢書》分篇。

漢後書十七卷　本九十七卷，今殘缺。晉少府卿華嶠撰。

《晉書·華嶠傳》："初，嶠以《漢紀》煩穢，有改作之志。會為臺郎，徧觀祕籍，遂就其緒，起於光武，終於孝獻，一百十五年，為《帝紀》十二卷、《皇后紀》二卷、十典九卷、傳十七卷，及三譜、序傳、目錄，凡九十七卷。嶠以皇后配天作合，前史作

---

①　"阮嗣宗"，《二十五史補編》本同，《文選》胡克家刻本（以下簡稱作"《文選》胡刻本"）著錄作"劉琨"。

②　"邊"，《二十五史補編》本同，《文選》胡刻本作"虜"。

③　"七"，原誤作"六"，《二十五史補編》本同，《文選》胡刻本作"七"，據改。

《外戚傳》以繼末編，非其義也，故易爲《皇后紀》，以次《帝紀》。又改志爲典，以有《堯典》故也。而改名《漢後書》，《隋》、《唐志》作《後漢書》，刊誤。奏之。嶠所撰十典，未成而終。何劭奏嶠中子徹，使踵成之，未竟而卒。繆播又奏嶠少子暢爲佐著作郎，克成十典。《史通·書志篇》：“華嶠曰典。”永嘉喪亂，經籍遺没，嶠書存者五十原注：“一作三十。”餘卷。”魏收《上後魏書十志啟》曰：“叔駿嶠字。删緝後劉，紹統司馬彪字。削撰季漢，十志實範遷、固，表蓋闕焉。”《史通·内篇》曰：“班固、華嶠，子長之流也。”又曰：“創紀傳者五家，推其所長，華氏居最。”又《外篇》曰：“嶠删《東觀記》爲《漢後書》。”愚按蔚宗撰史，實本華嶠，故亦易《外戚》爲《后紀》，而《肅宗紀論》、《二十八將論》、《桓譚馮衍傳論》、《袁安傳論》、《劉趙淳于江劉周趙傳序》、《史通·序例篇》曰：“華嶠《後漢》多同班氏，如劉平、江革等傳，其《序》先言孝道，次述毛義養親，此則《前漢·王貢傳》體，其篇以四皓爲始也。嶠言辭簡質，叙致温雅。味其宗旨，亦孟堅之亞歟？”《班彪傳論》，《通鑑》亦引之。章懷並注爲華嶠之辭。《王允傳論》章懷漏注，以《魏志·董卓傳》注參校，知亦嶠辭。若《袁安傳》言湯長子成早卒，嶠書作“長子平，平弟成”，見《魏志·袁紹傳》注。此可考范史之異。至《魏志·華歆傳》注、《世説·德行篇》、《方正篇》注並引嶠《譜叙》，《史通·外篇》省稱曰《譜》。其言皆華氏事。《世説》注引孫策略有揚州，盛兵徇豫章，官屬請出郊迎，華歆不聽一事，《通鑑考異》謂其所説不近人情。蓋即班、馬自叙之例。《唐志》三十一卷。

後漢書八十五卷　本一百二十二卷。晉祠部郎謝沈撰。

《唐志》一百二卷，今存姚氏緝本一卷。

後漢書外傳十卷　謝沈撰。不著録。

《晉書·謝沈傳》：“沈先著《後漢書》百卷，及《漢書外傳》，皆行於世。”愚按沈之《外傳》無逸篇可引，《舊唐志》稱《後漢書外傳》，《新唐志》祇稱《外傳》。以《隋志》注云"本一百二十二卷"，合《唐志》卷數計之，或《外傳》二十卷。梁《七錄》所載之本，《外傳》固附本書。至隋，而《外傳》軼。唐時《外傳》出，而闕十卷。

後漢南記四十五卷　本五十五卷，今殘缺。晉江州從事張瑩撰。

《世說·言語篇》注引："荀諝典籍文章無不涉，徵聘無所就。"《文學篇》注："服虔明《左氏傳》，作訓解。"《初學記·地部》："郭丹從武關出，謁更始。"《人事部》："和帝四歲，與兄慶出同車，入共室。"又："陰慶以園田錢財分與二弟。"《武功部》："魏應明《魯詩》，帝賜以劍玦。"《居處部》："馬援奏銅馬法，詔名金馬門。"《文選》干寶《晉紀總論》注："蜀有陽平、江關、白水，此爲三關。"《北堂書鈔·后妃部》："居危能重。"《政術部》："序曰：赤精漸微。"《太平御覽·地部》："樊重家素富，閉門成市。"①《職官部》："陳寵爲太守，任功曹王渙。"②《兵部》："陳蕃欲誅諸黃門，謀泄，被害。"《宗親部》："北海靖王興爲光武撫育，恩愛如子。"《珍寶部》："安帝見銅人，張陵對以秦始皇時所鑄。"共十五事，並題張瑩《漢南記》。《續漢·郡國志》注、《史記集解》並引"張瑩曰：勾亶，今江陵也"。《唐志》五十八卷。

後漢書九十五卷　本一百卷。晉秘書監袁山松撰。

《晉書·袁山松傳》："山松著《後漢書》百篇。"《舊唐志》"一百二卷"，《新唐志》"一百一卷，又《錄》一卷"，今存姚氏緝本一卷。愚按沈約《宋書·禮志》引山松《漢百官志》，《水經注》引山松《郡國志》，《史通·書志篇》言山松有《天文志》，《通志·校讎略》言有《藝文志》。《宏簡錄》載梁《七錄》內有《後漢書·

---

①　"成"，原誤作"城"，《二十五史補編》本同，據《太平御覽》改正。
②　此條《太平御覽·職官部》著錄作張璠《漢記》，而《人事部·友悌》記陰慶爲鮦陽侯，與其弟員及丹親睦事，著錄作張瑩《漢南記》。

藝文志》若干卷，不著名山松，證以《通志》，當即袁氏之志。

後漢書五十八卷　劉義慶撰。不著録。

見《唐志》。

後漢書九十七卷　宋太子詹事范蔚宗撰。

《唐志》九十二卷，今本帝、后紀十一卷，列傳八十八卷，共九十九卷。蔚宗所撰十志，沈約言宋時已闕。其篇名可見者，《百官志》見《后妃》，《禮樂》、《輿服志》見《東平王蒼傳》，《天文》、《五行志》見《蔡邕傳》。

後漢書一百二十五卷　范蔚宗本，梁剡令劉昭注。

《梁書・劉昭傳》："昭集《後漢》同異，以注范蔚宗書，世稱博悉。"愚按今本范史紀傳九十九卷，外附劉昭《補注續漢志》三十卷，志乃司馬彪撰，非蔚宗本。《史通・補注篇》曰："范氏删《後漢》，簡而且周，疏而不漏，亦云備矣。而劉昭採其所捐，以爲補注，言盡非要，事皆不急。"此與《梁書》、《隋志》皆言昭注范史，惟《梁書》作一百八十卷，與《隋志》卷數不合。《新唐志》有劉熙注蔚宗書一百二十二卷，"熙"乃"昭"字之訛。以《唐志》卷數計之，紀傳九十二卷，合《續志》三十卷，恰符百二十二卷之數。據《通志・選舉略》言唐以《後漢書》并劉昭所著《志》爲一史，是當時習范史者補習劉《志》，後人見其合本，遂誤認爲一書。陳振孫言《館閣書目》以百二十卷併稱蔚宗爲非是。姚察、劉知幾所見，已是唐時合併之本。

後漢書五十八卷　劉昭補注。不著録。

見《唐志》。愚按此稱"補注"，或即司馬彪之《志》，然卷數與今本不合。

後漢書音一卷　後魏太常劉芳撰。

《後魏書・劉芳傳》："芳撰蔚宗《後漢書》音一卷。"《唐志》同。

范漢音訓三卷　陳宗道先生臧兢撰。

《唐志》無"訓"字。

范漢音三卷 _{蕭該撰。}

《唐志》同。

後漢書讚論四卷 _{范蔚宗撰。}

《唐志》作《論讚》五卷。

漢書纘十八卷 _{范蔚宗撰。}

《唐志·雜史類》有蔚宗《後漢書纘》十三卷。

後漢書一百卷 _{蕭子顯撰。梁有，隋亡。}

《梁書·蕭子顯傳》："子顯著《後漢書》一百卷，据眾家《後漢》，考正同異，爲一家之言。"

魏略三十八卷 _{魏京兆魚豢撰。不著錄。}

見《舊唐志·正史類》。《新唐志》五十八卷，入雜史類。《史通·題目篇》曰："魚豢、姚察_{察，宜作"最"}。著魏、梁二史，巨細畢載，蕪累甚多，而俱牓之以'略'。"《稱謂篇》曰："魚豢、孫盛等沒吳、蜀號諡，呼權、備姓名。"又《外篇·論古今正史》曰："魏時，京兆魚豢私撰《魏略》，事止明帝。"愚按《魏略》有紀、志、列傳，自是正史之體。《文選·景福殿賦》注引《魏略·文紀》曰："靈龜出於神池。"《初學記·天部》引《五行志》曰："延康元年，大霖雨五十餘日，魏有天下，乃霽，將受大祚之應也。"_{《太平御覽·天部》同。}裴松之《魏志注》言《魏略》以秦朗與孔桂俱在《佞倖篇》，_{《明帝紀》注。}東里袞見《游説傳》，_{《三少帝紀》注。}以董遇、賈洪、邯鄲淳、薛夏、隗禧、蘇林、樂詳等爲儒宗，_{《王肅傳》注，其傳有《序》。}以脂習、王脩、龐淯、文聘、成公英、郭憲、單固七人爲《純固傳》，_{《王脩傳》注。}王思、薛悌、郤嘉見《苛吏傳》，_{《梁習傳》注。}以蘇林、吉茂、沐並、時苗四人爲《清介傳》，_{《劉劭傳》注。}以孫賓碩、祝公道、楊阿若、鮑出等四人在《勇俠傳》，賓碩雖漢人，而豢編之《魏書》，蓋以其人接魏，事義相類故也。_{《閻温傳》注。}列傳以賈逵、李孚、楊沛三人爲一卷。_{《溫恢傳》注。}以徐福、嚴幹、李義、張既、游楚、梁習、趙儼、裴潛、韓宣、黃朗十人共卷，《趙儼傳》注。陳壽《志》韓宣名都不見，惟《魏略》有傳。同上。《梁書·止足傳序》曰：“魚豢《魏略·知足傳》方田、徐於管、胡，則其道本異。”《世說·文學篇》注引天竺城中有臨兒國，《通典·邊防門》注西夜並屬疏勒，二事皆題《魏略·西戎傳》。《魏志·東夷傳》注引《魏略·西戎傳》七事。《太平御覽·人事部》引短人國事，《寰宇記》引莎車國事，則皆作《西域傳》。豢之論贊實稱曰“議”，裴注多引其詞，而《西戎傳議》尤可考見。《史通·雜說篇》注引豢叙遼東公孫之敗，《議》爲天意數語，是知王隱之稱，本於魚豢。《史通》：“王隱曰議。”

魏書四十八卷 晉司空王沈撰。

《晉書·王沈傳》：“沈與荀顗、阮籍共撰《魏書》，多爲時諱，未若陳壽之實録也。”《史通·曲筆篇》曰：“王沈魏録，濫述貶甄之詔。”《書事篇》曰：“若王沈、孫盛之伍，論王業，則黨悖逆而誣忠義。叙國家，則抑正順而褒篡奪。述風俗，則矜夷狄而陋華夏。”又《外篇》曰：“魏史黄初、太和中，始命衛顗、繆襲草創紀傳，又命韋誕、應璩、王沈、阮籍、孫該、傅玄等復共撰定。其後，王沈獨就其業，勒成四十卷。”《宋書·五行志》曰：“王沈《魏書》志篇闕，凡厥災異，但編《帝紀》而已。”《律志》曰：“自楊偉改創《景初》，而《魏書》闕志。”愚按《水經·渠水》、《遼水》、《淮水》注，並引《魏書·國志》。《潁水》注“宣王軍次邱頭，王凌面縛水次，故號武邱”一事，復題《魏書·郡國志》。疑沈書固有志篇，特闕《五行》、《律曆》也。裴松之《魏志·武紀》注所引，多述操令，若庚申、庚戌、丙戌、丁亥令，皆以日紀。又有襃賞令，載《祀橋玄文》，裴注不言《魏書》，以類推之，當亦是耳。《鄧哀王傳》注讖其“容貌姿美”一類之言，[1]而

---

[1] “之言”，原誤倒，《二十五史補編》本同，據百衲本《三國志》乙正。

分以爲三。"《史通·敘事篇》亦云。《蜀諸葛傳》注："臣松之以爲亮在渭濱，魏人躡跡而云嘔血，蓋因亮亡而自誇大也。夫以孔明之略，豈爲仲達嘔血乎?"《魏后妃傳》注引卞太后二事，又甄后表讓建長秋宮，三公奏文昭后諡法，郭后立謝表，青龍二年哀策，《太平御覽·皇親部》引卞后、甄后、毛后、郭后各一事，而《貶甄銘》未見。

吳書二十五卷　韋昭撰。本五十五卷，梁有，今殘缺。

《吳志·韋曜昭避晉諱稱"曜"。傳》："諸葛恪表曜爲太史令，撰《吳書》，華覈、薛瑩皆與參同。孫皓欲爲父和作紀，曜執以和不登帝位，宜名爲傳。"《史通·內篇》曰："宏嗣吳史，不紀孫和。"《步騭傳》："周昭與韋曜、華覈並述《吳書》。"《薛綜傳》："華覈上書曰：'大皇帝命丁孚、項峻始撰《吳書》，孚、峻俱非史才，其所撰作不足紀錄，至少帝時更差。韋曜、周昭、薛瑩、梁廣及臣五人，訪求往事，所共撰立，備有本末。昭、廣先亡，曜負恩蹈罪，瑩出爲將，復以過徙，其書遂委滯未撰。瑩涉學既博，文章尤妙，實欲使卒垂成之功，編於前史之末。'皓遂召瑩爲左國史。"《史通·外篇》曰："並作之中，曜、瑩爲首。"又曰："華覈表請召瑩續成前史，其後曜獨終其書，定爲五十五卷。"愚按昭書名"吳"，自以吳爲主。然裴松之注所引稱魏爲帝，堅、策、權、皓稱名，《文選》注、《後漢書》注皆然。惟"陸遜破曹休，上脫翠帽賜之"，《通典·禮門》注稱權爲上，《藝文類聚·服飾部》又言"上脫金帶賜遜"。《太平御覽·服章部》同。又《布帛部》："上賜遜丹繢。"《人事部》："馮熙使魏不屈，上嘉之，賜鹽米。""諸葛恪伐蜀，謝上賜蜀馬。"皆稱吳主爲上。　竊疑稱名之法，非昭原本。《通鑑考異》辨張松先見劉備事爲昭之誤，而《蜀先主傳》注載鄭泉使蜀，謂昭烈自名，未合天下之議，備甚慙惡，意在揚吳抑蜀，則備之稱名，自其史例。《唐志》卷數及《玉海》引《中興書目》，並與《史通》合。但《舊唐志》誤入編年類，《新志》依《隋志》。《吳志》言孫和爲傳，自是正史之體。

吳紀九卷　晉太學博士環濟撰。

《宋書·禮志》引環氏《吳紀》孫權追尊父堅爲吳始祖，《吳志·張紘傳》注引張尚對孫皓問詩，《御覽·羽族部》亦引嗣主問張尚"鳥之中，大者鶴，小者雀乎"數語。《世說·政事篇》注："賀邵祖、父並歷美官。"《雅量篇》注："顧劭爲豫章太守，風化大行。"《品藻篇》注："全琮有德行義概，爲大司馬。"《規箴篇》注："孫休夢乘龍上天，顧不見尾。"《排調篇》注："張昭有才義，仕吳爲輔將軍。"《初學記·地部》："孫權詔步騭，說北人欲以布囊盛土塞江。"又："赤烏八年夏，雷擊宮門柱。"《居處部》："天紀二年，衛尉岑昏表修百府。"《太平御覽·兵部》："大帝合肥之圍，谷利助渡津北。"《人事部》："上爲太子登選置師傅。"又："孟仁母爲仁作大被，以致學者。"《布帛部》："蜀遣使獻重錦千端。"《果部》："黃初三年，魏來求荳蔻。"並題環濟《吳紀》，孫權和休、皓皆稱名，惟《御覽》所引稱"大帝"、"皇太子"、"嗣主"。《唐志》十卷，入編年類。《通志·藝文略》從《唐志》。《校讎略》曰："《吳紀》九卷，《唐志》類於編年，是。《隋志》類於正史，非。"

吳録三十卷　張勃撰。梁有，隋亡。

《史記索隱》：《伍子胥傳》。"張勃，晉人吳鴻臚儼之子也，作《吳録》，裴駰注引之是矣。"《唐志》入雜史類，《通志略》入編年類。《史通·書志篇》："張勃曰録。"愚按《水經·浪水》注引："鮣魚子朝索食，暮還入母腹。"《左傳·宣公》正義："武陵沅南縣以南，皆有犀。"《文選·笙賦》注："湘東酃以爲酒有名。"謝靈運《登臨海嶠詩》注："剡縣有天姥峯。"張衡《七命》注："吳興烏程縣酒有名。"[1]《初學記·獸部》："九真郡都龐多象，

---

[1]　"張衡"，《二十五史補編》本同，《文選》胡刻本著録作張協，字景陽。當據改。

生山中，郡内及日南饒之。"並題《吳録·地理志》。《藝文類聚》、《太平御覽》、《寰宇記》所引，其題《地理志》者尤夥。是知《史通》之言悞以《吳録》總名相混，不知《録》內分篇實仍名"志"也。《世説·賞譽篇》注引"《吳録》士林曰'吳郡有顧、陸、朱、張，三國之間，四姓盛焉'"，"士林"二字未詳，或其列傳標目，如《魏略·儒宗》之稱。有志有傳，其體不似編年類。

三國志六十五卷 　《叙録》一卷。晉太子中庶子陳壽撰，宋中大夫裴松之注。

《舊唐志》分著，《魏》三十卷，《蜀》十五卷，《吳》二十一卷，惟《魏志》入正史，《蜀》、《吳》二志入編年，甚不可解也。今存。

論三國志九卷 　何常侍撰。

《晉書·何琦傳》："公車再徵琦散騎常侍，不行。恆以著作爲事，著《三國評論》。"

三國志評三卷 　徐爰撰。

裴松之注《臧洪傳》、《程昱傳》、《黃權傳》、《顧雍傳》、《全琮傳》、《周魴傳》、《鍾離牧傳》、《是儀傳》，並引徐衆《三國評》。《唐志·雜史類》有徐衆《三國評》三卷，"爰"疑"衆"字之訛。

三國志序評三卷 　晉著作佐郎王濤撰。梁有，隋亡。

《唐志》入雜史類。

晉書八十六卷 　本九十三卷，今殘缺。晉著作郎王隱撰。

《王隱傳》："父銓，歷陽令。少好學，有述作之志。每私録晉事及功臣行狀，未就而卒。隱博學多聞，受父遺業，西都舊事，多所諳究。太興初，召隱爲著作郎，令撰《晉史》。時虞預私撰《晉書》，而生長東南，不知中朝事。數訪於隱，並借隱所著書竊寫之，所聞漸廣。是後疾隱，形於顏色，隱竟以謗免，黜歸於家。貧無資用，書遂不就。乃依庾亮於武昌，供其紙筆，書乃得成，詣闕上之。隱雖好著述，而文辭蕪拙不倫。其書次第可觀者，皆其父所撰。文體混漫，義不可解者，隱之作

也。"《史通·外篇》："隱爲《晉書》八十九卷,咸康六年始詣闕奏上。"《史通·論
贊篇》曰："王隱曰議。"《書志篇》曰："王隱後來,加以瑞異。"
《稱謂篇》曰："時采新名,列成篇題。若王《晉》之十士寒儁,
沈《宋》之二凶索虜,即其事也。"《浮詞篇》曰："隱稱諸葛亮挑
戰,冀獲曹咎之利,其事相符,言之讖矣。"《曲筆篇》曰："其有
舞詞弄札,飾非文過,若王隱、虞預毀辱相凌。"《書事篇》曰：
"王隱、何法盛之徒,專訪州閭細事,委巷瑣言,聚而編之,目
爲鬼神傳録。"《人物篇》曰："當兩晉殊宅,若何楨、許詢,文雅
高於揚、豫,王隱廣列諸傳,而遺此不編,網漏吞舟。"《史記索
隱》曰："《外戚》紀后妃也,后族亦代有封爵故也。《漢書》編
之列傳之中,王隱則謂之爲紀,而在列傳之首也。"愚按《世
說·方正篇》注引"王隱《孫盛不與故君相聞議》",其體不似
史中論贊。《文選·謝修卞忠貞墓啟》注引徵士翟湯數語,則不
稱"議"而稱"述"。《北堂書鈔·設官部》引有《石瑞記》,《書鈔》
引此雖未明稱王隱,而《藝文部》補注引賈逵墓碑生金事,則題"王隱《石瑞記》",補注
乃明陳禹謨所撰,明人言固多不可信,而此似有所本。當即《史通》所謂"瑞
異"。其時《張掖玄石圖》指爲晉受魏祚之祥,故因以題篇。
《史通》以"王隱瑞異"與"魏收釋老"並言,文取相配,故改《石瑞》而稱"瑞異"也。沈
約《州郡志》、酈氏《水經注》復引隱書《地道記》,劉昭《續漢郡國志
注》引《晉書·地道記》尤多,①然不題名王隱,惟沈、酈稱隱名,故專舉之。是知
易志爲記,王隱所撰,非何氏所題。《史通·題目篇》曰："何氏中興,易
志爲記。"《太平御覽·人事部》"劉叔龍赤色大脣,少言語,有大
志,自縣小吏至雍州刺史"一事,題名《寒儁傳》。《文學部》
"王褒讀詩流涕"一事,題名《處士傳》。"處士"與"十士"異,
《史通》以"二凶"對言,取數相配,非"處士"之訛。《藝文類聚·

---

① "國",原誤作"圖",據《二十五史補編》本改正。

靈異部》："王矩至長沙，見一人自稱天上京兆杜靈之。"①《太平廣記》載蘇韶、夏侯愷亡後見鬼事，《御覽·人事部》亦引蘇韶事，而《廣記》似全篇。自是《鬼神傳》中之詞。其他逸篇徵引，眾家《晉史》，以王隱爲最多。《唐志》八十九卷。

又按《北齊書·宋顯傳》："顯從祖弟繪，依準裴松之注《國志》體，注王隱及《中興書》。"二注皆不見前《志》著錄。

晉書二十六卷　本四十四卷，訖明帝，今殘缺。晉散騎常侍虞預撰。

《虞預傳》："預雅好經史，憎疾玄虛。其論阮籍裸袒，比之伊川被髮。著書四十餘卷。"《史通·外篇》曰："若中朝之華嶠、陳壽、陸機、束晳，江左之王隱、虞預、干寶、孫盛，宋之徐爰、蘇寶生，梁之沈約、裴子野，斯並史官之尤美，著作之妙選也。"《魏志·王粲傳》注引預書曰："嵇康家本姓奚，先自會稽遷於譙之銍縣，改爲嵇氏，取稽字之上山以爲姓，蓋以志其本也。一曰銍有嵇山，家於其側，遂氏焉。"今《晉書·康傳》祇載"銍有嵇山"一說。《太平御覽·皇王部》"上雖服膺文藝，而雅有雄霸之量"數語，乃預《宣帝紀論》。其論阮籍裸袒，則《籍傳論》也。今《晉書》皆不取。《初學記·設官部》引："何楨爲弘農郡守，貢縣吏楊嚚於朝。"《北堂書鈔·設官部》："何楨爲尚書郎，參秘書右丞。右丞之置，自楨始也。"是知王隱所不編，預固有傳。《唐志》五十八卷。

晉書十卷　未成，本十四卷，今殘缺。晉中書郎朱鳳撰，訖元帝。

《北堂書鈔·設官部》："何法盛《中興書》曰：'華譚爲秘書監，時晉陵朱鳳、吳郡吳震二人，並有史才，譚薦補著作佐郎。'"今《晉書·華譚傳》同。《唐志》載鳳書十四卷。《世說·德行篇》注

---

① "杜"，原誤作"社"，《二十五史補編》本同，據《唐代四大類書》影印南宋紹興刻本《藝文類聚》改正。

引：“宣帝張夫人生梁孝王，柏夫人生趙王倫。”《言語篇》注：
“文王諱昭，宣帝次子。”又：“元帝，《謚法》：‘始建國都曰
元。’”《汰侈篇》注：“彭城穆王權，太始元年封。”《文選·關中
詩》注：“趙王倫請三萬人平齊萬年，朝議不許。”《安陸王碑》
注：“前後徙河北諸郡縣，居山間，謂之羯胡。”《北堂書鈔·車
部》：“咸寧中，詔賜齊王攸之朝車設旗。”《太平御覽·職官
部》：“詔以陳騫之子爲通置常侍。”又：“文帝立度支尚書，以
司馬孚爲之。”共引鳳書九事。

晉中興書七十八卷　起東晉，宋湘東太守何法盛撰。

《宋書》沈約《自叙》曰：“沈伯玉與謝超宗、何法盛校書東宮。”
《陳書》何之元《梁典序》曰：“法盛《晉書》變帝紀爲帝典，既云
師古，在理爲優。”《史通·論贊篇》：“法盛曰述。”《書志篇》：
“法盛曰說。”又曰：“《懸象》出於《天文》。”《題目篇》：“何氏
《中興》，易志爲記。”“記”乃“說”字之訛。《表曆篇》：“法盛改表爲
注，名目雖巧，蕪累亦多。”《因習篇》曰：“《中興書·劉隗録》
稱其議獄事具《刑法志》，依檢志内，了無其說。”《鑒識篇》曰：
“法盛《中興》荒莊原注：一作“拙”。少氣。”又《外篇》曰：“晉江左
史，自鄧粲、孫盛、檀道鸞、王韶之已下，相次繼作，遠則偏記
兩帝，近則惟叙八朝。至宋湘東太守何法盛，始勒成一家，首
尾該備。”又云：“東晉之史，作者多門。何氏《中興》，實居其
最。”愚按《藝文類聚》、《初學記》諸書，多引法盛《徵祥說》。
其載麟、鳳、騶虞、甘露、嘉禾等瑞，乃《符瑞志》體。其陰霖雷
震、天鳴山崩、豹尾忘設、鷗集太極等異，乃《五行志》體。《開
元占經》：“晉咸和二年，五月甲申朔，日有蝕之，在東井，女主
之象。明年，皇太后以憂崩。”見《占經》卷十“井，女主之象”句，又見卷六
十二，並題《懸象說》。題法盛《懸象說》，是則《天文志》體。《史通》
所稱《刑法志》，當作《刑法說》。《北堂書鈔·設官部》“齊王

攸爲司空，行太子太傅事”，題《百官公卿表注》，又《太子中舍人》“咸寧加名”、“治文書”三語，[1]題《百官公卿志注》，此易表爲注之證。《文選》殷仲文《桓公九井詩》注引《桓玄錄》，謝靈運《述祖德詩》、玄暉《八公山詩》、任彦昇《奏彈王源》，注並引《陳郡謝錄》。阮嗣宗《勸進表》注引《劉聰錄》，[2]庾元規《讓中書表》注引《潁川庾錄》，《謝修卞忠貞墓啟》注引《濟陰卞錄》。《北堂書鈔·設官部》所引有《會稽賀錄》、《瑯琊王錄》、《濟陽江錄》、《陳郡袁錄》、《太原王錄》、《順陽范錄》，《太原》、《瑯琊》二錄再見，共《書鈔》引八事。明陳禹謨補注所引，尚不止此，今俱不收。合《史通》所稱《劉隗錄》、《鬼神錄》，《書事篇》：“王隱、何法盛爲鬼神傳錄。”此又改傳爲錄之證。《書鈔·政術部》庾冰一事題《庾冰傳》，《設官部》謝沈一事題《謝沈傳》，“傳”字俱宜作“錄”。蓋典、注、説、錄四體，以易紀、表、志、傳也。《南史·徐廣傳》曰：“時高平郄紹亦作《中興書》，數以示法盛。法盛曰：‘卿名位貴達，不復俟此延譽。我寒士，無聞於時，宜以爲惠。’紹不與。至書成，在齋內廚中。法盛詣紹，紹不在，直入竊書。紹還，失之。無復兼本，於是遂行何書。”《唐志》八十卷。

晉書三十六卷 宋臨川内史謝靈運撰。

《宋書·謝靈運傳》：“太祖登祚，徵爲秘書監。使整理秘閣書，補足闕文，以晉氏一代，竟無一家之史，令靈運撰《晉書》，粗立條貫，書竟不就。”《梁書·止足傳序》曰：“靈運《晉書·止足傳》凡論晉世文士之避亂者，殆非其人。惟阮思曠遺榮好遁，殆遠辱矣。”《史通·論贊篇》曰：“靈運之虛張高論，玉

---

① “三語”，《二十五史補編》本同。案《北堂書鈔》孔廣陶刻本，“咸寧加名”下題“《晉中興書·百官公卿志注》云”，“治文書”下題“《晉中興書·百官公卿志》云”，又“顧榮秀望”下題“《晉中興書》云”。疑章氏此處有脫文。

② “阮嗣宗”，《二十五史補編》本同，《文選》胡刻本著錄作“劉琨”，當據改。

厄無當,曾何足云?"《唐志》:"三十五卷,又《録》一卷。"愚按
《文選·蕭揚州薦士表》注引《序》曰:"上品無寒門,下品無貴
族。"干寶《論武帝革命》注引《禪位表》曰:"夫唐虞内禪,無兵
戈之事,故曰文德。漢、晉外禪,有翦伐之事,故曰順名。以
名而言,安得不僭稱以爲禪代耶?"《禪位表》,未詳其義。《初
學記·職官部》引《志》曰:"總掌禁中書記,謂之中書。"又云:
"漢成帝以後,無復中書之職。"又云:"秦有太尉掌兵,漢仍修
之,或置或省,是古司馬之官,掌九伐之職。"又云:"古者重武
事,貴射御,取其捷。御如僕,各置一人。尚書六人,謂之八
座。"又云:"漢官尚書爲中臺,御史爲憲臺,謁者爲外臺,是謂
三臺。"杜佑《通典》亦引"三臺"之説。《器物部》:"孝武節奢飾,禁絹
扇。"《果木部》:"元康二年,巴西界竹生花紫色,結實如麥。"
《太平御覽·皇王部》引《世祖論》,《人事部》引愍懷妃義不受
辱事。

晉書一百一十卷　齊徐州主簿臧榮緒撰。

《南齊書·文學傳》:"臧榮緒括東西晉爲一書,紀、録、志、傳
百一十卷。司徒褚淵啟太祖曰:'榮緒深沈典素,追古著書,
撰《晉史》十袠。贊論雖無逸才,亦足彌綸一代。庶得補録渠
閣,採異甄善。'"《陳書·何之元傳》曰:"榮緒稱史無論斷,猶
起居注耳。"《史通·論贊篇》曰:"必擇其善者,臧榮緒亦其次
也。"《書志篇》曰:"司馬彪、臧榮緒相承載筆,競志五行。"愚
按《太平寰宇記·山南西道》引榮緒《地理志》曰:"漢陰縣屬
魏興郡。"《北堂書鈔·刑法部》引榮緒《刑德志》曰:"刑以正
刑。"此其志篇之可見者。又按今《晉書·李重傳》稱重議官
階見《百官志》,《司馬彪傳》稱彪議南郊見《郊祀志》,《張亢
傳》亢述曆贊見《律曆志》,《摯虞傳》表論封禪見《禮志》,議玉
輅兩社見《輿服志》,依檢志内,俱無其文,錢宮詹《晉書考異》

嘗辨之。然据《唐會要》言，貞觀修《晉書》，以臧榮緒爲本，則《百官》、《郊祀》諸志當是臧氏之志也。《書鈔·設官部》引"興寧二年，①省司農職，孝武寧康復置"，乃《百官志》語。《文選·籍田賦》注引"大駕鹵簿，有大輦"，又"鹵簿曰：青立車，青安車"，《北山移文》注"驂，六人"，《太平御覽·皇親部》"帝之姑姊妹皆爲長公主，加綠綬"，乃《輿服志》語。《初學記·歲時部》"熊遠議履端元日"，《御覽·時序部》"元會設白虎樽"事，乃《禮志》語。紀、傳之體，其詞易見，惟録體未詳。《唐志》卷同。

晉書十一卷　本一百二卷，梁有，今殘缺。蕭子雲撰。

《梁書·蕭子雲傳》："子雲以晉代竟無全書，弱冠便留心撰著。至年二十六，書成，表奏之，詔付祕閣。"又云："著晉史至《二王列傳》，欲作論語草隷，②言不盡意，遂不能成，略指論飛白一勢而已。所著一百一十卷。"《南史》同。唐貞觀修書詔曰："子雲學埏涸流。"愚按《顏氏家訓·雜藝篇》曰："蕭子雲每嘆曰：'吾著《晉書》，刊本作《齊書》，誤。勒成一典，文章宏義，自謂可觀。惟以筆跡得名，亦異事也。'"《太平御覽·人事部》："明帝以太常桓榮爲五更，躬軷其閒，親行養老之禮。"乃後漢事，而題蕭子雲《晉書》。《唐志》九卷。

晉史草三十卷　梁蕭子顯撰。

《唐志·編年類》有蕭景暢《晉史草》三十卷，子顯字景陽，"暢"乃"陽"字之訛。《太平御覽·兵部》引《晉史草》曰："姚略時有賀僧者，不知何人，自云游歷五郡，時人號爲'賀五郡'。齋戒奉道，爲百姓說吉凶。略死，泓立，僧謂泓曰：'宜

---

① "興寧"，原誤作"熙寧"，據《二十五史補編》本改正。
② "論語草隷"，《二十五史補編》本同，殿本《梁書》作"論草隷法"。

潔掃一馬廄，開屋設大柳，①有異馬其大非常，自遠所來矣。'"
題稱蕭子雲，與《隋志》不合。

晉書一百一十卷　梁沈約撰。梁有，隋亡。

《宋書·自叙》曰："約嘗以晉氏一代，竟無全書，年二十許，便
有撰述之意。泰始初，征西將軍蔡興宗爲啓，明帝有敕賜許
所撰之書，凡一百二十卷。《南史》曰一百餘卷。條流雖舉，而采掇
未周。永明初，遇盜，失第五帙。"《梁書·約傳》曰："約撰《晉
書》一百一十卷。"《史通·斷限篇》曰："沈録金行，上羈劉
主。"《採撰篇》曰："沈氏著書，好誣先代。於晉則故造奇説，
在宋則多出謗言。"又《外篇》曰："近者沈約《晉書》，喜造奇
説，稱元帝牛金之子，以應牛繼馬後之徵。"《世説·文學篇》注：
"康僧淵，氏族所出未詳。尚書令沈約撰《晉書》，稱其有義學。"
《品藻篇》注引約書"王敦憚周顗，見輒面熱"，《初學記·器物
部》引"王羲之在會稽山，爲老姥書竹扇"，《北堂書鈔·設官
部》"裴潛風神高邁，見者改容"，《藝文類聚·職官部》同。《太平御
覽·皇親部》引"夏殷以上内職，無聞姬氏之隆。婦官爲盛，
前漢列級十四。世祖受命，又有美人以比職焉"數語。

東晉新書七卷　梁庾銑撰。②梁有，隋亡。

《南齊書·王智深傳》："先是，陳郡袁炳有文學，著《晉書》未
成，卒。穎川庾銑善屬文，見賞豫章王，引至大司馬記室參
軍，卒。"

宋書六十五卷　宋中散大夫徐爰撰。

《徐爰傳》："先是，元嘉中，使何承天草創國史。世祖初，又詔

---

① "柳"，原誤作"柳"，《二十五史補編》本同，據《太平御覽》改正。
② "庾銑"，原誤作"庾詵"，《二十五史補編》本同，據殿本《隋書》、《南齊書》改正。
下"庾銑"同。

山謙之、蘇寶生踵成之。六年，又以爰領著作郎，使終其業。爰雖因前作，而專爲一家之書。上表曰：'皇宋剿定鯨鯢，天人仁屬。而恭服勤於三分，讓德邁於不嗣。宜依銜書改文，登舟變號，起元義熙爲王業之始，戰序宣力爲功臣之斷。其僞玄篡竊，同於新莽。雖靈武克殄，自詳之晉録。及犯命干紀，受戮霸朝，雖揖禪讓之前，皆著之宋策典。請外詳議，伏須遵承。'表語《南史》不載。於是江夏王義恭等三十五人同爰，議宜以義熙元年爲斷。王休若、檀道鸞二人，謂宜以元興二年爲始。虞龢謂宜以開國爲宋公元年。詔曰：'項籍聖公編録二《漢》，前史已有成例。《桓玄傳》宜在宋典，餘如爰議。'"沈約《自叙》曰："何承天始撰《宋書》，草立紀傳，止於武帝功臣。其所撰志，惟《天文》、《律曆》。自此外，悉委山謙之。謙之病亡，蘇寶生續造諸傳，元嘉名臣皆其所撰。大明中，徐爰因何、蘇所述，勒爲一史，起自義熙初，訖大明末。至於《臧質》、《魯爽》、《王僧達》諸傳，又皆孝武所造。自永光以來，至於禪讓，十餘年内，缺而不續。且事屬當時，多非實録。又立傳之方，取捨乖衷，垂之方來，難以取信。"《唐志》四十二卷。愚按《開元占經》引爰書"元嘉十三年，詔太史令錢樂之鑄渾天銅儀。十七年，又被敕作小渾天"一事，今見沈約《天文志》，而《州郡志》所稱何《志》、徐《志》甚多。《律曆志序》曰："《天文》、《五行》，徐《志》肇義熙之元。"《南齊書·百官志》引何、徐、宋《志》"州牧督軍起於魏武"語。《太平御覽·服章部》引《志》曰："武弁，世謂之龍冠也。"《偏霸部》載宋武帝始末，似屬《武紀》全篇，少帝則僅節引數十語。《人事部》："武帝登祚，加顏延之金章紫綬。"《初學記·人事部》。①"柳元景少便弓

---

① "部"下疑脱"同"字，此條並見於《太平御覽·人事部》與《初學記·人事部》。

馬，^①夙以勇稱。”《治道部》：“申恬拜殿中將軍，禁省八載不休。”《藝文類聚·帝王部》、《符命部》並引“武帝符瑞，生有神光”，《北堂書鈔·帝王部》引“一世之雄”句。

宋書六十五卷　齊冠軍錄事參軍孫嚴撰。

《唐志》五十八卷。《文選》袁陽源《傚白馬篇詩》注引袁淑一事，題作孫嚴《宋書》。《初學記·地部》：“高祖平關洛，致鐘虡舊器南還，一大鐘落水。”又：“漢中城固縣，漢水崩岸，有銅鐘十二枚，出自潛壤。”二事並同《選注》作孫嚴。又：“高祖表沙門竺法義於嵩廟壇下得玉璧、黄金。”“宗炳結宇衡山，欲懷尚平之志。”^②“高祖北伐沈田子，^③姚泓率眾奄至青泥關。”又《禮部》：“袁淑願上《封禪書》。”《太平御覽·兵部》：“柳元景北討，軍副柳元怙合戰。”《人事部》：“桓彥宗倜儻不拘小節。”“少帝烏喙嘶聲。”“宗愨任氣好勇，不爲鄉曲所知。”“劉宣曉天文，夢丸土服之。”“徐湛之室宇田園，貴游莫及。”“宋越父爲蠻所殺，越白日於市口刺之。”《宗親部》：“許照先諸父肇繫獄，照先饋餉七年。”已上共引十三事，同《隋志》作孫嚴。

宋書一百卷　梁尚書僕射沈約撰。

沈約《進書表》稱紀、傳合表、志七十卷，《史通》及《唐志》並稱一百卷，是此書自隋已改七十卷之舊。今存。

齊書六十卷　梁吏部尚書蕭子顯撰。

今本五十九卷。

齊紀十卷　劉陟撰。

《新唐志》作《齊書》十三卷，《舊唐志》八卷。《史通·外篇》

---

①　“柳”，原誤作“劉”，《二十五史補編》本同，據《太平御覽》與殿本《宋書》改正。

②　“尚”，原誤作“向”，《二十五史補編》本同，據孔廣陶刻《古香齋初學記》改正。

③　“田”，原誤作“由”，《二十五史補編》本同，據孔廣陶刻《古香齋初學記》改正。

曰：“齊梁二代置修史學士，陳氏因循，無所變革，若劉陟、謝
昊、顧野王、許善心之類是也。”

齊紀二十卷　沈約撰。

《梁書·沈約傳》：“約著《齊紀》二十卷。”曾鞏《南齊書序》曰：
“始江淹爲十志，沈約又爲《齊紀》。”《唐志》入編年類。《文
選·奏彈劉整》注引約《紀》曰：“劉整，宋吳興太守兄子，歷位
持節都督交、廣、越三州也。”《通鑑考異》昇明元年十二月，沈
攸之至夏口事，謂約《紀》誤。又引“桓崇擊魏，大破之”、“詔
李安民往迎桓標之衆”、“魏使李道固至齊”、“孔顗上言鑄
錢”、“張稷等議立湘東”，共五事。又黃蠻文勉德，約《紀》作
文施德，樊諧城作樊階城。《太平御覽·學部》引顧歡悲讀
《蓼莪》之篇，《菜茹部》引韓靈敏與兄靈珍種瓜事。

齊史十三卷　梁江淹撰。梁有，今亡。

《南齊書·檀超傳》：“建元二年初，置史官，超與江淹掌史職，
上表立條例，開元紀號，不取宋年，封爵各詳本傳。無假年
表，立十志，《律曆》、《禮樂》、《天文》、《五行》、《郊祀》、《刑
法》、《藝文》依班固，《朝會》、《輿服》依蔡邕、司馬彪，《州郡》
依徐爰，《百官》依范蔚宗。合州郡。班固五星載《天文》，日
蝕載《五行》，改日蝕入《天文志》。以建元爲始。帝女體自皇
宗，立傳以備甥舅之重。又立《處士》、《列女傳》。詔內外詳
議，王儉議：‘金粟之重，八政所先，食貨通，則國富民實，宜加
編錄，以崇務本，《朝會志》前史不書，乃蔡邕一家之言，宜立
《食貨》，省《朝會》。五行之本，先乎水、火之精，是爲日月五
行之宗也。宜憲章前軌，無所改革。又立《帝女傳》，亦非所
安。若有高德異行，自當載在《列女》。若止於常美，則仍舊
不書。’詔：‘日月災隸《天文》，餘如儉議。’”《梁書·江淹傳》：
“淹撰《齊書》十志。”《史通·外篇》曰：“《齊史》江淹受詔撰

述，以爲史之所難，無出於志，故先著十志，以見其才。"

梁書四十九卷 梁中書令謝吴撰，本一百卷。

《史通·外篇》曰："《梁書》，武帝時沈約與周興嗣、鮑行卿、謝
吴《隋志》作"吴"。相承撰録，已有百篇。值承聖淪没，並從焚
蕩。"《唐志》有謝昊、姚察《梁書》三十四卷，昊與姚察合著，恐
《唐志》有誤。《通志·藝文略》訛"謝"作"林"。

梁史五十三卷 陳領軍大著作郎許亨撰。

《陳史·許亨傳》："亨撰《梁史》，成者五十八卷。"《南史》同。《隋
書·許善心傳》："初，善心父亨撰著《梁史》，未就而殁。善心
述成父志，修續家書。其《序傳》末述著作之意，曰：'先君昔
在前代，早懷著作。《梁書》紀傳，隨事勒成。及闕而未就者，
《目録》注爲一百八卷。梁室交喪，所撰之書一時散亡。有陳
初建，詔爲史官。依舊《目録》更加修撰，且成百卷，已有六
帙，五十八卷，上秘閣訖。善心早嬰荼蓼，弗荷薪構。大建之
末，頻抗表聞。至德之初，蒙授史任，忝職郎署，兼撰《陳書》，
致此書延時未即成續。禎明二年，以臺郎入聘。值本邑淪
覆，一作"流覆"。家史舊書在後焚蕩，今止有六十八卷在，《北史》作
止有六卷獲存。又並缺落失次。自入京以來，隨見補茸，略成七
十卷：四《帝紀》八卷，《后妃》一卷，①《后妃》次《帝紀》下，《太子録》上，
《序》不言其名，未知是紀是録。三《太子録》一卷，太子稱録，亦許氏之標新。
爲一帙十卷。《宗室王侯列傳》一帙十卷，《具臣列傳》二帙二
十卷。《外戚傳》一卷，《孝德傳》一卷，《誠臣傳》一卷，《文苑
傳》一卷，《北史》二卷。《儒林傳》二卷，《逸民傳》一卷，《數術傳》
一卷，《藩臣傳》一卷，合一帙十卷。《止足傳》一卷，《列女傳》
一卷，《權倖傳》一卷，《羯賊傳》二卷，《逆臣傳》二卷，《逆臣》下，

---

① "一卷"，原誤作"八卷"，《二十五史補編》本同，據殿本《隋書》、《北史》改正。

《北史》有《叛臣傳》二卷。《叙傳論述》一卷，合一帙十卷。凡稱"史臣"者，皆先君所言。下稱名案者，並善心補闕。別爲《叙論》一篇，託於《叙傳》之末。'"《北史·善心傳》亦載此《序》。

梁書帝紀七卷　姚察撰。

《陳書·姚察傳》："察所撰梁、陳二史，雖未畢功，隋開皇時，遣虞世基索本具進上。"[①]今在内殿梁、陳二史本，多是察之所撰。

通史四百八十卷　梁武帝撰。起三皇，訖梁。

《梁書·武帝紀》："帝造《通史》，躬製《贊序》，凡六百卷。"《吳均傳》："敕使撰《通史》，均草本紀、世家功已畢，惟列傳未就，卒。"《史通·内篇》曰："梁武敕其羣臣，上自太初，下終齊室，撰成《通史》六百二十卷。其書自秦以上，皆以《史記》爲本，而別採他説，以廣異聞。至兩漢以還，則全録當時紀傳，而上下通達，臭味相依，又吳、蜀二主皆入世家，五胡及拓拔氏列於《夷狄傳》，大抵其體皆如《史記》。其所爲異者，惟無表而已。"又曰："魏有中夏，揚、益不賓，終亦受屈中朝，見稱僞主。爲史者必題之以紀，則上通帝王；牓之以傳，則下同臣妾。梁武《通史》定爲《吳蜀世家》，持彼僭君，比諸列國，去太去甚，其得折衷之規乎？"《因習篇》曰："何法盛《劉隗録》稱其議獄事具《刑法志》，依檢志内，了無其説。既而臧氏《晉書》、梁朝《通史》於大連之傳，並有斯言，志亦無文，傳仍虛述。"愚按《後漢書·禰衡傳》注引《通史志》曰："岑牟，鼓角士胄也。"《史記·五帝紀》正義引《通史》曰："瞽瞍使舜滌廪，舜告堯二女。二女曰：'時其焚汝，鵲汝衣裳，鳥工往。'舜既登廪，得免去也。舜穿井，又告二女。二女曰：'去汝裳衣，龍工往。'入

---

① "具"，《二十五史補編》本同，殿本《陳書》、《南史》並作"且"。

井,瞽瞍與象下土實井,舜從他井出也。"《金樓子·興王篇》
亦載堯二女鳥工往、龍工往語,當即襲用《通史》。《唐志》一
百七卷。

後魏書一百三十卷　<small>後齊僕射魏收撰。</small>

今本一百十四卷。

後魏書一百卷　<small>著作郎魏彥深撰。</small>

《北齊書·魏蘭根傳》:"彥卿弟澹,撰《後魏書》九十二卷,甚
得史體。"《隋書·魏澹傳》:"澹字彥深,高祖以魏收所撰書褒
貶失實,平繪爲《中興書》事不倫序,詔澹別成魏史。澹自道
武,下及恭帝,爲十二紀,七十八傳,別爲史論及《例》一卷,并
《目録》合九十二卷。澹之義例與魏收多所不同,其一曰諱皇
帝名,書太子字。其二曰昭成、道武、獻文三世稱諡。其三曰
太武、獻明,並皆非命,分明直書,不敢迴避。其四曰諸國凡
處華夏之地者,皆書曰卒。其五曰紀傳之體,出自《尚書》,不
學《春秋》。澹又以爲邱明發揚聖旨,言'君子曰'者,無非甚
泰。其間尋常,直書而已。今所撰史,竊有慕焉。可爲勸戒
者,論其得失。其無損益者,所不論也。澹書甚簡要,大矯
收、繪之失。"《史通·內篇》曰:"魏著作撰魏史,於諸帝篇或
雜載臣下,或直言他事,全爲傳體,有異紀文。"本注云:"如彥
淵《帝紀》載沙苑之捷是也。"《外篇》曰:"隋開皇敕魏澹與顏
之推、辛德源更撰《魏書》,矯正收失。澹以西魏爲真,東魏爲
僞,故文恭列紀,孝靜稱傳,合紀、傳、論例,總九十篇。"又曰:
"如彥淵之改魏收也,以非易非,彌見其失矣。"<small>彥淵,唐避諱作
"深"。</small>愚按今魏收書《太宗紀》,宋人稱此卷是魏澹史。《唐志》
一百七卷,《宋志》僅存紀一卷,注曰:"本七卷。"<small>"本七卷"語未詳。</small>
<small>澹《帝紀》十二卷。</small>

陳書三卷　<small>顧野王撰。不著録。</small>

陳書三卷　傅縡撰。不著録。

陳書四十二卷　訖宣帝。陳吏部尚書陸瓊撰。

《陸瓊傳》：“瓊領大著作，撰國史。”《史通・外篇》曰：“陳史初有吳郡顧野王、北地傅縡各爲撰史學士，其文武二帝紀，即顧、傅所修。太建初，中書郎陸瓊續撰諸篇，事傷煩雜。”《唐志》載顧、傅書各三卷。

周史十八卷　未成。吏部尚書牛弘撰。

《史通・浮詞篇》曰：“心挾愛憎，詞多出没，若魏收、牛弘是也。”又《外篇》曰：“宇文周史，大統有秘書丞柳虬兼領著作，直辭正色，事有可稱。至隋開皇中，秘書監牛弘追撰《周紀》十有八篇，略叙紀綱，仍皆牴牾。”又曰：“牛弘、王劭並掌策書，載齊言則淺俗如彼，載周言則文雅若此，此非兩邦有夷雅之殊，由二史有虛實之異也。”

齊書一百卷　王劭撰。不著録。

《隋書・王劭傳》：“劭初撰《齊誌》爲編年體二十卷，復爲《齊書》紀傳一百卷。或文辭鄙野，或不軌不物，駭人視聽，大爲有識所嗤鄙。”據此，則劭所著紀傳名《齊書》，編年名《齊誌》。《隋志》闕載其《齊書》，《唐志》則正史、古史兩類俱題《齊志》，無言旁。自是重出。《史通》惟稱《齊誌》。

隋經籍志考證卷二

古史《唐志》作編年。

紀年十二卷　《汲冢書並竹書同異》一卷。
　　《唐志》十四卷，今存本二卷。
漢紀三十卷　魏秘書監荀悦撰。
　　今存。
荀悦漢紀注三十卷　應劭等注。　不著録。
　　見《新唐志》。
漢紀音義三卷　崔浩撰。　不著録。
　　見《兩唐志》。
後漢紀三十卷　張璠撰。
　　《魏志·三少帝紀》注云：“張璠，晉之令史，撰《後漢紀》雖似未
　　成，辭藻可觀。”《史通·内篇》曰：“如張璠、孫盛、干寶、徐廣、裴
　　子野、吳均、何之元、王劭等，或謂之春秋，或謂之紀，或謂之略，
　　或謂之典，或謂之志，大抵皆依《左傳》以爲的準焉。”又曰：“荀
　　悦、張璠，邱明之黨也。”《世説》注、《後漢書》注俱引璠《紀》，《郡
　　齋讀書志》曰：“東京史籍，惟璠《紀》差詳。”《唐志》卷同。
獻帝春秋十卷　袁曄撰。
　　《吳志·陸瑁傳》注云：“袁迪孫曄，字思光，作《獻帝春秋》。”
　　《續漢·五行志》注引：“建安七年，五色大鳥集魏郡，衆鳥數
　　千隨之。”《百官志》注：“孫權以步騭行交州刺史。”《水經·濁
　　漳水》注：“司空圍鄴，引漳水以注之，遂拔鄴。”《文選·西征
　　賦》注：“興平二年，車駕東行。”又《與陳伯之書》注引臧洪《報

袁紹書》。《三國志》注、《後漢書》注、《太平御覽》共引數十事。
《通鑑考異》引"劉表上諸葛玄領豫章太守"一句,作袁暐《獻帝
春秋》。

魏氏春秋二十卷　孫盛撰。

《晉書·孫盛傳》:"盛著《魏氏春秋》。"《史通·題目篇》曰:
"孫盛有《魏氏春秋》,孔衍有《漢魏尚書》,陳壽、王劭曰志,何
之元、劉璠曰典。此又好奇厭俗,習舊捐新,雖得稽古之宜,
未達從時之義。"《模擬篇》曰:"孫盛《魏》、《晉》二《陽秋》,每
書年首,必云'某年春,帝正月'。夫年既編帝紀,而月又編帝
名,以此擬《春秋》,所謂貌同心異也。"《魏志·武紀》注引:
"劉備,人傑也,將生憂寡人。臣松之以爲,孫盛著書,多用
《左氏》以易舊文,後之學者,將何取信? 且魏武方以天下勵
志,而用夫差分死之言,尤非其類。"又《臧洪傳》注:"臣松之
案,酸棗之盟,止有劉岱等五人而已。《魏氏春秋》橫內劉表
等數人,皆非事實。"《陳泰傳》注:"臣松之案,孫盛言諸所改
易,非別有異聞,自以意製,多不如舊。凡紀言之體,當使若
出其口。辭勝而違實,固君子所不取。況復不勝,而徒長虛
妄哉?"愚按《袁紹傳》注引紹《檄州郡文》,與《文選》、《後漢
書》所載,詞句互有不同。《宋書·禮志》載景初元年,有司奏
以明帝爲烈祖論,《通鑑》亦取之。《太平御覽·皇親部》"明
帝天姿秀出,立髮委地"數語,乃《明帝紀論》。《唐志》作《魏
武春秋》,"武"字誤。

魏紀十二卷　左將軍陰澹撰。

《魏志·陳思王傳》注引植《銅雀臺賦》,題陰澹《魏紀》。愚按
《北堂書鈔·設官部》:"王隱《晉書》曰:'陰澹弱冠,州請爲治
中從事。'"又今《晉書·張軌傳》:"軌於永寧初爲涼州刺史,
以陰澹爲股肱謀主。"《隱逸傳》:"索襲不應州郡之命,太守陰

澹奇而造焉。"澹，晉代人，故所撰史見引於裴松之。兩《唐志》訛作隋魏澹，《通志‧藝文略》同誤。然《隋志》題左將軍官，《晉書》亦未詳。

漢魏春秋九卷　孔舒元撰。

《晉書‧孔衍傳》："衍字舒元。"《新唐志‧雜史類》有孔衍《漢春秋》十卷，《後漢春秋》六卷，《舊唐志》六卷。外又有《後漢尚書》十四卷[①]。《後魏春秋》九卷。《後漢書‧明帝紀》注引[②]"帝時升廟，立羣臣中庭，北面，皆再拜，帝進爵，而後坐。"《太平御覽‧兵部》："大駕公卿奉引，太僕執轡，大將軍陪乘。光武東京郊祀法駕，則河南尹奉引，奉車都尉執轡，侍中參乘。"二事並題《漢春秋》。《魏志‧武紀》注："天子命公得承制置諸侯守相詔。"《三少帝紀》注："詔王肅册命太傅爲丞相，上書辭讓，又加九錫禮，復辭不受。"《楚王彪傳》注："賜彪璽書。"《蜀志‧先主傳》注："劉琮乞降。"《黃權傳》注權答文帝語，《劉璋傳》注："許負明雌亭侯。"《文選‧三國名臣贊》注："魏帝討司馬昭。"《北堂書鈔‧武功部》："孫權以妹妻先主。"《御覽‧人事部》："許褚勇力絕人，號曰'癡虎'。"又："龐淯母娥爲父報讎。"《飲食部》："明帝殯郭后如甄后。"共十一事，題《漢魏春秋》，孔衍或作演。

晉紀四卷　陸機撰。

《唐志》作陸機《晉帝紀》。《文心雕龍‧史傳篇》曰："晉代之書，陸機肇始而未備。"《史通‧內篇》曰："陸機《晉書》，列紀三祖，直叙其事，竟不編年。年既不編，何紀之有？"《曲筆篇》曰："陸機晉史，虛張拒葛之鋒。"又《外篇》曰："晉史洛京時，

---

① "尚書"，原誤作"春秋"，據新舊《唐志》改。
② "後"字原脫，據補。

著作郎陸機始撰三祖紀。"《太平御覽·職官部》、《人事部》、《兵部》並引《武紀》曰:"王濬在巴郡,夢懸四刀於壁上,問主簿李毅。毅賀曰:'三刀爲州,而見四爲益,明府其臨益州乎?'後果爲益州刺史。"《藝文類聚·軍器部》、《靈異部》、《北堂書鈔·武功部》皆引之。《初學記·帝王部》云:"文帝勢崇乎三分,而身終乎北面,雖曰未暇王業,固已固矣。"[①]四語乃《文紀論》。又《文部》云"三祖實終爲臣,故書爲臣之事,不可不如傳,此實録之謂也。而名同帝王,故自帝王之籍,不可以不稱紀,則追王之義"數語,題陸機《限斷議》)。

晉紀二十三卷　干寶撰。訖愍帝。

《晉書·干寶傳》:"寶字令升,著《晉紀》,自宣帝訖於愍帝,五十三年,凡二十卷。其書簡略,直而能婉,咸稱良史。"《文心雕龍·史傳篇》曰:"干寶述《紀》,以審正得序。孫盛《陽秋》,以約舉爲能。"《史通·內篇·論二體》曰:"晉史有王、虞,副以干《紀》。"又曰:"干寶著書,盛譽邱明,而深抑子長,其義云能。以三十卷之約,囊括二百四十年之事,靡有遺也。"又《載言》曰:"干寶議撰晉史,以爲宜準邱明,其臣下委曲,仍爲譜注。"又《論贊篇》曰:"必擇其善者,干寶、范蔚宗、裴子野是其最也。"《序例篇》:"惟令升先覺,遠述邱明,重立凡例,勒成《晉紀》。鄧、孫已下,遂躡其蹤。必定其臧否,徵其善惡,干寶、蔚宗理切而多功,鄧粲、道鸞詞煩而寡要。"《補注篇》曰:"掇眾史之所長,補前書之所闕。若裴松之《國志注》,陸澄、劉昭兩《漢書》,劉肜《晉紀》之類是也。"《模擬篇》曰:"《春秋》書他邦皆顯其號,至於魯國,則云我而已。干寶撰《晉紀》,至天子既葬,必云'葬我某皇帝'?且無二君,何我之有?以此擬

---

① "已"上"固"字,《二十五史補編》本同,《古香齋初學記》無。

《春秋》，所謂貌同心異也。""《左傳》曰：'邢遷如歸，衛國忘亡。'言上下安堵，不失舊物也。如孫皓暴虐，晉師是討，而干寶《晉紀》云：'吳國既滅，江外忘亡。'豈江外被典午之善政，同歸命之未滅乎？以此擬《左氏》，所謂貌同心異也。""君父見害，義當略說，不忍斥言。《左傳》敘桓公遇害，云：'彭生乘公，薨於車。'如干寶敘愍帝殁於平陽，而云：'晉人見者多哭，賊懼，帝崩。'以此擬《左氏》，又所謂貌異心同也。"《書事篇》曰："干寶之釋五志也，體國經野之言，則書之；用兵征伐之權，則書之；忠臣、烈士、孝子、貞婦之節，則書之；文誥、專對之辭，則書之；才力、技藝殊異，則書之。"又《外篇·申左》曰："杜預申以注釋，干寶籍爲師範。"原注云："事具干寶《晉紀》中。"愚按干寶《論武帝革命》及《晉紀總論》，昭明列於《文選》，房喬修《晉書》全取《總論》，而微有刪節。《魏志·三少帝紀》注引成濟問賈充曰："事急矣，若之何？"《曹爽傳》注："宣王謂蔣濟曰：'智囊往矣。'"《陳泰傳》注："文王謂曰：'元伯卿何以處我？'"《世説·賢媛篇》注："王經正直，不忠於我，故誅之。"《文選·晉紀總論》注："諸葛誕貳於我。"皆其模擬《左氏》之辭。今《晉書·景紀》曰誅王經，爲其"貳於我也"。高貴鄉公之弑，《通鑑》從干寶，而著於《考異》。《世説·方正篇》注亦引之。《選注》所引，有《武紀》、《惠紀》、《懷紀》、《愍紀》，惟《北堂書鈔·設官部》"傅咸兼司隸數日，三奏免官"一事，題《晉總記》。《唐志》編年類有干寶《晉紀》四十卷，正史類又有干寶《晉書》二十二卷，自是重出。

干寶晉紀注六十卷　劉協撰。不著錄。

見《唐志》。愚按《梁書·劉昭傳》："昭伯父彤，集眾家《晉書》注干寶《晉紀》四十卷。"《史通》亦作劉彤。《太平御覽·設官部》引李允母喪，拜金紫光祿大夫，給吏卒門施行馬一事，題劉彤注。① 《唐志》作劉協，恐誤。

晉紀十卷 <small>晉前將軍諮議曹嘉之撰。</small>

《魏志・楚王彪傳》注：“王隱《晉書》曰：‘吏部郎中李重啟、東莞太守曹嘉，無“之”字。《北堂書鈔・設官部》亦引此事，作“曹嘉之”。良素修潔，先代之後，可以爲員外散騎侍郎。’”《世説・方正篇》注引曹嘉之《晉紀》“和嶠爲中書令，荀勗爲監，嶠專車而坐”事，《賞譽篇》注：“劉疇避亂塢壁，吹笳而羣胡散去。”又：“蔡謨稱劉王喬爲司徒美選。”《文選・思舊賦》注：“嵇康刑於東市，顧日影彈琴。”顏延年《五君詠》注：“山濤舉阮咸爲吏部郎，三上，武帝不能用。”阮嗣宗《勸進表》注：“劉琨封印表畢，對使者流涕，遣之。”張華《女史箴》注：“華懼后族之盛，作《女史箴》。”《初學記・職官部》：“荀勗遷尚書令，忞曰奪我鳳凰池。”《北堂書鈔・天部》：“諸葛誕霹靂震柱，讀書自若。”《設官部》：“詔荀勗守尚書令。”《藝文類聚・職官部》：“汝南史曜爲山濤所知。”《太平御覽・職官部》：“王戎再至司徒，見者不知是台司。”又：“羊暨爲刺史，牛産犢。及遷官，遺之而去。”《人事部》：“夏侯玄爲征西，賈充送玄，執手曰賈侯。”共十一事，並作曹嘉之。《唐志》卷同。

漢晉陽秋四十七卷 <small>訖愍帝。晉滎陽太守習鑿齒撰。</small>

《晉書・習鑿齒傳》：“是時桓温覬覦非望，鑿齒著《漢晉春秋》以裁正之。起漢光武，終晉愍帝。於三國之時，蜀以宗室爲正。魏武雖受漢禪，晉尚爲篡逆。至文帝平蜀，乃爲漢亡，而晉始興焉。引世祖諱炎興，而爲禪受，明天心不可以智力強也。凡五十四卷。”《唐志》卷同《晉書》。《世説・文學篇》曰：“鑿齒史才不常，爲衡陽郡，於病中作《漢晉春秋》，品評卓逸。”注引

---

① 案此條《太平御覽・職官部》、《北堂書鈔・設官部》俱不見著録。

檀道鸞《續晉陽秋》曰：“鑿齒著《漢晉春秋》，斥桓温覬覦之心也。”《史通·論贊篇》曰：“孫安國都無足採，習鑿齒時有可觀。”《稱謂篇》曰：“習談漢主，則謂昭烈爲玄德。”_{原注云：“習氏編目、敘事皆謂蜀先主爲昭烈皇帝，至於論中語，則呼爲玄德。”}《直書篇》曰：“當宣景開基，曹馬搆紛，或列營渭曲，見屈武侯。或發仗雲臺，取傷成濟。陳壽、王隱，咸杜口而無言。陸機、虞預，各栖毫而靡述。至鑿齒，乃申以死葛走達之説，抽戈犯蹕之言。歷代厚誣，一朝始雪。考斯人之書事，蓋古之遺直歟？”《探賾篇》曰：“鑿齒以魏爲僞國者，蓋定邪正之途，明順逆之理耳。而檀道鸞稱其當桓氏執政，故撰此書，欲以絶彼瞻烏，防兹逐鹿。歷觀古之學士爲文諷上，若豪士作賦，女史獻箴，斯皆短篇小什，可率爾而就。安有變三國之體統，改五行之正朔，勒成一史，傳諸千載，而藉以權濟物議，取誠當時？求之人情，理不當爾。”愚按《魏志·三少帝紀》注引成濟犯蹕事，“臣松之以爲，鑿齒書雖最後出，然述此事頗有次第”，惟高貴鄉公之葬，“松之以爲若但下車數乘，何以爲王禮葬乎”，斯蓋惡之過言，不如是之甚者。《蜀志·諸葛亮傳》注引“亮圍祁山，司馬畏蜀如虎”，_{《太平御覽·兵部》同引之。}“亮據武丈原，至數挑戰，賊不復出”與“死諸葛走生仲達”，_{《御覽·人事部》亦引之。}皆鑿齒直筆。《先主傳》注云：“先主雖顛沛險難，信義愈明。”《二主妃子傳》注云：“先主無權事之逼，而引前失以爲譬，先主從之，過矣。”二事皆鑿齒論，並稱“先主”，而《通鑑》引“顛沛險難”數語，則稱玄德。《魏·劉表傳》注：“太祖征柳城，劉備説表襲許。”《通鑑》：“建安十三年，劉備屯樊。”是其敘事亦稱備名。《劉璋傳》注：“曹操暫自矜伐，天下三分，君子知曹操之不能遂兼天下。”《藝文類聚·祥瑞部》：“青龍三年，曹叡崇華殿災。”《太平御覽·兵部》：“曹芳謁曹叡墓於大石山。”皆稱名。至"曹髦見威權日去,自討司馬昭",《世説·方正篇》、《賢媛篇》注所引稱名,《魏志》注語同。而於髦稱帝,於昭稱文王,此昔人徵引互有改易,不盡鑿齒原本。《御覽·人事部》引有《削周魯通諸葛論》,①《通鑑》未取。春秋,又作"陽秋",晉避簡文太后諱也。

晉紀十一卷 訖明帝。晉荆州別駕鄧粲撰。

《晉書·鄧粲傳》:"粲以父騫有忠信言,而世無知者,乃著《元明紀》十篇。"《文心雕龍·史傳篇》曰:"按《春秋》經傳,舉例發凡。自《史》、《漢》以下,莫有準的。至鄧粲《晉紀》,始立條例。又撮略漢魏,憲章殷周。雖湘州曲學,亦有心典謨。及安國立例,乃鄧氏之規焉。"《世説》注引粲《紀》二十餘事,《任誕篇》注劉伶裸袒事,今《晉書》不載。《太平御覽·人事部》:"滇陽令羊嗣貪而不治,縣功曹吏共逐嗣,以嗣饒鬚内羊闌中。始興太守尹虞手劍功曹。"原注:"尹虞,字壬卿,長沙人也。"此注未審撰人。羊嗣事,今《晉書》亦無考。又《世説·賞譽篇》注:"咸和中,貴游子弟慕王平子、謝幼輿爲達,卞壺欲奏治之。"按咸和,成帝年號。是粲所紀,不止訖於明帝。《御覽·人事部》:"張華多鬚,以帛纏之。陸雲見之,笑不能止。"華、雲皆卒於惠帝時,《元明紀》中不宜載之。《唐志》粲《紀》十一卷,外又有粲《晉陽秋》三十二卷,《舊唐志》二十二卷。粲不聞撰《晉陽秋》,當是誤增。朱氏《經義考》踵《唐志》之誤。

晉陽秋三十二卷 訖哀帝。孫盛撰。

《晉書·孫盛傳》:"盛字安國,著《晉陽秋》,詞直而理正,咸稱良史。既而桓温見之,怒謂盛子曰:'枋頭誠爲失利,何至乃如尊君所説?若此書遂行,自是關君門户事。'其子請删改

---

① "削",《二十五史補編》本同,《太平御覽》作"側"。

之，盛大怒，諸子遂私改之。盛寫兩定本，寄於慕容儁。太元中，孝武帝博求異聞，始於遼東得之。以相考校，多有不同，書遂兩存。"錢宮詹《考異》曰："枋頭之役在慕容暐時，儁已先死久矣。"《文心雕龍·才略篇》曰："孫盛、干寶，文盛爲史準的，所擬志乎典訓，户牖雖異，而筆彩略同。"《史通·採撰篇》曰："安國之述《陽秋》，梁益舊事，訪諸故老。夫以蒭蕘鄙説，列爲竹帛正言，而欲與五經方駕，三志競爽，斯亦難矣。"《直書篇》曰："孫盛不平，竊撰遼東之本。"愚按《蜀志·譙周傳》注引桓温平蜀《薦譙秀表》，與《文選》同。《吴志·孫皓傳》注："王濬收其圖籍户口，米穀二百八十萬斛，舟船五千餘艘。"今《晉書》闕載米穀、舟船。《世説·方正篇》注："諸葛亮遺高祖巾幗，欲以激怒，冀獲曹咎之利。"《史通·浮詞篇》止稱王隱讜言，而不及孫盛，自是所考未精。《水經·河水》注："杜預造河橋於富平津。"《元和郡縣志》亦引之。《通典·禮門》傅玄議正朔服色依前代、庾純奏父老不歸養，二事並取《晉陽秋論》。《太平御覽·皇王部》"懷帝天姿清劭，少有聲名"，乃《懷帝論》。"明帝初在東宫，敬禮賢士"，乃《明帝論》。今《晉書》惟取《懷帝論》。又《玄石圖》有"牛繼馬後，恭妃通小吏牛金，而生元帝"，孫盛先有此言。《史通》獨譏沈約，誤也。《唐志》二十二卷。《文選·求爲諸孫置守冢表》注引謝詢、張悛事，題《晉陽春秋》，"春"字誤增。《初學記·職官部》引《中興書》稱盛著《三國陽秋》，"三國"二字未詳。

晉記二十三卷 宋中散大夫劉謙之撰。

《宋書·劉康祖傳》："康祖弟謙之，好學，撰《晉紀》二十卷。"《世説·政事篇》注："許柳從祖約爲逆，後以逆誅。"《文學篇》注："謝安議簡文諡法。"《方正篇》注："王敦欲廢明帝，温嶠正言。"《賞譽篇》注："蕭掄有才學，善三《禮》，歷常侍、國子博士。"《汰侈篇》注："王獻之性甚整峻，不交非類。"《言語篇》注："桓玄欲復虎賁中郎將，劉簡之以《秋興賦序》對。"《文選·秋興賦》注引同。《文選》干寶《晉紀總論》注："應詹表曰：'元康以來，以儒術清儉爲羣俗。'[1]'以容放爲夷達。''望白署空，顯以台衡之量。尋文謹案，目以蘭薰之器。'"《北堂書鈔·藝文部》："王恭每讀《左氏傳》至'奉王命討不庭'，輒卷而歎。"《設官部》："中書令王獻之卒，以侍中王珉代之。"《太平御覽·飲食部》："王恭誅，[2]有'昔食麥屑，今食萱豆'童謠。"共十事，並引謙之《晉紀》。《唐志》卷同。

晉紀十卷 宋吳興太守王韶之撰。

《宋書·王韶之傳》："父偉之，少有志尚，當世詔命表奏，輒自書寫。泰元、隆安時事，小大悉撰録之。韶之因此私撰《晉安帝陽秋》，既成，時人謂宜居史職，即除著作佐郎，使續後事，訖義熙九年。善叙事，辭論可觀，爲後代嘉史。"又云："韶之爲晉史，序王珣貨殖，王廞作亂。"《文心雕龍·史傳篇》曰："王韶續末而不終。"《南史·蕭韶傳》曰："昔王韶之爲《隆安紀》十卷，説晉末之亂。"《史通·雜述篇》曰："若王韶《晉安陸記》，此之謂偏記者也。"愚按《世説》注、《初學記》所引，並題韶之《晉安帝紀》，《新》、《舊唐志》則稱韶之《崇安記》。《新志》入雜史，《舊志》入編年，皆十卷。今以《初學記·天部》"義熙二年，彩虹出西方蔽月"事，合他書徵引，大抵皆安帝事，故題《晉安帝記》。義熙改元隆安，《唐志》諱隆，故作"崇"，《史通》"安陸"當是"隆安"之訛。《世説·德行篇》注引"孫恩反，臨海太守

---

① "詹"，《二十五史補編》本同，《文選》胡刻本作"瞻"。
② "王恭"，《二十五史補編》本同，《太平御覽》、明梅鼎祚《古樂苑》並作"王莽"。

辛昺斬首送之"，今《晉書》恩傳作"恩窮蹙，赴海自沈"，①此足
考異。《藝文類聚·人部》："司馬休之敗，奔淮泗，從者作
歌。"《太平御覽·職官部》："李邈微時，爲姜顯所陵。"《獸
部》："司馬休之加騶馬號揚武。"《竹部》："司馬尚之將士多
飢，指筍曰：'且噉此，足解三日。'"《香部》："王鎮惡亡，郭
宣之畫見來叙舊。"此四事又題《續晉安帝紀》。騶馬一事，
吳淑《事類賦·獸部》注亦引之，題《續書林晉安帝紀》，"書
林"二字未詳。

崇安記二卷 周祗撰。不著錄。

見兩《唐志》，《舊志》入編年，《新志》入雜史。《世説·德行
篇》注："楊廣，弘農人楊震後也。""王恭祖濛，風流標望父
蘊，亦得世譽。"《文學篇》注："殷仲堪好學，有理思。""桓玄
善言理，與仲堪終日談論不輟。"《任誕篇》注："王廞叛，劉牢
之討廞，廞敗。"《排調篇》注："破冢，洲名，在華容縣。"《尤悔
篇》注："殷仲堪遣人齎寶物遺相王寵幸。"共七事，並引周祗
《隆安記》。

續晉陽秋二十卷 宋永嘉太守檀道鸞撰。

《南史·檀超傳》："超叔父道鸞，有文學，撰《續晉陽秋》二十
卷。"《史通·外篇·雜説》曰："王、檀著書，是晉史之尤劣者。
方諸前史，其陸賈、褚先生之流歟？道鸞不揆淺才，好出奇
語，所謂欲益反損，求妍更嗤者矣。"又云："劉遺民、曹纘，皆
於檀氏《春秋》有傳。至於今《晉書》，則了無其名。"愚按道鸞
編年書，不宜言有傳。劉遺民，即劉驎之，今《晉書》列《隱逸
傳》，《晉書·驎之傳》："字子驥。"《世説·任誕篇》注、《太平御覽·逸民部》："《中
興書》曰：'驎之，一字遺民。'"《史通》誤也。《世説·德行篇》：注"陳

_____
① "傳"上"恩"字，原誤作"息"，《二十五史補編》本同，據殿本《晉書》改正。

仲弓造荀淑，太史奏德星聚。"事在炎漢，而稱道鸞晉史，未詳其義。《開元占經》所引，則皆日蝕星移之徵。《舊唐志》作《注晉陽春秋》，"注"當作"續"，"春"字誤增。《新志》作《晉陽秋》，脱"續"字，卷同。

晉紀四十五卷 <small>宋中散大夫徐廣撰。</small>

《晉書·徐廣傳》："廣字行思，勒成《晉紀》，凡四十六卷。"《宋書》廣傳："義熙十二年，《晉紀》成，凡四十二卷。"《唐志》四十五卷。《貞觀修書詔》曰："榮緒煩而寡要，行思勞而少功。"《世説·政事篇》注"王導阿衡三世"數語，題徐廣《曆記》，"曆"乃"晉"字之訛。《雅量篇》注"泰元二十年，有蓬星如粉絮"，劉孝標謂"泰元末惟有此妖"，以證華林園杯勸長星之説爲不足信。《後魏書》載劉淵南移蒲子，《通鑑考異》譏《魏書》夸誕。据《水經·河水》注引，廣《紀》固云"劉淵自離石南移蒲子"，温公失考。《初學記·服食部》"建興元年，京城糧盡，屑麴爲粥，以供帝食"一事，題徐廣《晉志》，《太平御覽·飲食部》引作"紀"。

晉紀 <small>卷亡。裴松之撰。不著録。</small>

《宋書·裴松之傳》："松之著有《晉紀》。"《貞觀修書詔》曰："干、陸、曹、鄧，略紀帝王；鸞、盛、廣、松，纔編載紀。其文既野，其事罕有。"《北堂書鈔·設官部》："江彪三爲選官，少有薦舉。"題松之《晉紀》。

續晉紀五卷 <small>宋新興太守郭季産撰。</small>

《舊唐志》作郭秀彥《晉續紀》，《新志》作季産。

晉録五卷 <small>不著録。</small>

見《唐志》。《北堂書鈔·設官部》："魯芝清約儉嗇，上賜絹三百匹。""袁奥行誼優異，可從九卿崇重。""楊泉清操自然，詔拜郎中。""魯芝素無華宅，使軍兵作屋五十間。"《藝文類聚·

菓部》：“咸寧中，嘉瓜同蒂生於成都。”《白帖》卷十六：“咸寧二年，制故太保王祥、司空王基，①各賜絹五百匹。”共引《晉録》六事，無撰名。

宋略二十卷 梁通直郎裴子野撰。

《梁書·裴子野傳》：“初，子野曾祖松之，宋元嘉中，受詔續何承天《宋史》，未及成而卒，子野常欲繼成先業。及齊永明末，沈約所撰《宋書》既行，子野更删撰爲《宋略》二十卷，約見而歎曰：‘吾弗逮也。’”《史通·論贊篇》曰：“袁宏、裴子野，自顯姓名。”《載文篇》曰：“歷選衆作，求其穢累，裴子野、何之元，抑其次也。”《模擬篇》曰：“夫當時所記或未盡，則先舉其次，後詳其末，前後相會，隔越取同。若《左氏》‘成七年，鄭獲鍾儀獻晉。九年，晉歸鍾儀於楚求平’是也。至裴子野《宋略》叙索虜臨江，太子邵使力士排徐湛、江湛僵仆，於是始與邵有隙。其後三年，有徐江爲元凶所煞。凡列姓名，罕兼其字。前後互舉，觀者自知。如《左傳》上言羊斟，則下曰臧。前稱子產，則次是國僑是也。至裴子野《宋略》，上書桓玄，則下有敬道。後叙殷鐵，則先著景仁。以此擬《左氏》，所謂貌異心同也。《左氏》與《論語》，叙人酬對，非煩辭積句，但往復唯諾，則連續而説，去其‘對曰’、‘問曰’等字。如裴子野《宋略》云：‘李孝伯問張暢卿何姓，曰：“姓張。”“張長史乎？”’以此擬《左氏》、《論語》，又所謂貌異心同也。”《人物篇》曰：“裴幾原子野字。删略宋史，時稱簡要。至如張禕，陰受君命，戕賊零陵，乃守道不移，飲鴆而死。雖古之鉏麑，何以加諸？鮑昭文學宗府，馳名海内，方於漢代襃、朔之流。事皆闕如，何以申其

---

① “故”，原誤作“改”，《二十五史補編》本同，據《唐代四大類書》影宋本《白氏六帖》卷二十一改正。

褒獎？”又《外篇》曰：“裴刪宋史，爲二十篇，芟煩撮要，實有其力。而所錄文章，頗傷蕪穢。如文帝《除徐傅官詔》、顏延年《元后哀册文》、顏峻《討二凶檄》、孝武《擬李夫人賦》、裴松之《上注國志表》、孔熙先《罪許曜詞》，凡此諸文，是尤不宜載者。”愚按《通典・選舉門》引“鴻臚卿裴子野論”，是其論贊既自顯姓名，並書官爵。所言“宋明帝聰博，好文史，才思朗捷”一篇，《文苑英華》稱爲《雕蟲論》。又有《總論》，究詳宋代始終，至二千四百餘言，亦載於《文苑英華》，其體蓋仿干寶《晉紀總論》。《太平御覽・樂部》引“先王作樂崇德，以格神人”論，與《通典・樂門》所載同。《資治通鑑》取子野論十一事，《考異》中亦多取《宋略》。《史通》所譏不宜載之文，今逸篇中皆未之見。《唐志》卷同。

宋紀三十卷　<small>齊竟陵王司徒參軍王智深撰。不著錄。</small>

《南齊書・文學傳》：“世祖勅王智深撰《宋紀》，智深以貧告於豫章王，王曰：‘須卿書成，當相論以祿。’書成三十卷，世祖召見，令拜表奏上，表未奏，而世祖崩。隆昌元年，勅索其書。初，智深爲司徒袁粲所接。及撰《宋紀》，意常依依。粲幼孤，祖母名其爲愍孫。後慕荀粲，自改名。會稽賀喬譏之，智深於是著論。”愚按《水經・泗水》注：“劉義恭遣嵇元敬覘候魏軍。”《汝水》注：“汝南太守周矜起義於懸瓠。”《初學記・人部》：“詔徵士周勛立學於東陵。”又：“宋明帝姿貌與珪璧等質。”“孔淳之與釋法崇爲得意之交。”《居處部》：“氐人楊難，當居仇池。”《器物部》：“劉彦範舉兵，潜作艦艘。”《寶器部》：“江湛舉汪微爲吏部郎，不受。”《太平御覽・禮儀部》：“齊宣帝墳塋有雲氣。”《服章部》：“明帝用冕服詔。”《兵部》：“孝武使沈攸之伐劉誕，龍驤將軍卜天生推車塞塹。”《人事部》：“高祖召謝景仁，須至乃飱。”共引智深《宋紀》十二事。

宋春秋二十卷 <small>梁吳興令王琰撰。</small>

《初學記·器物部》:"明帝性多忌諱,亦惡白字,古來名文有
白字,輒加改易。"《太平御覽·兵部》:"龍驤將軍陳伯紹討劉
思道,會紹髻解兜鍪墜,退走見禽。"《木部》:"義熙八年,太社
櫟樹生於壇側。"此三事並引王琰《宋春秋》。《唐志》卷同。

宋春秋二十卷 <small>鮑衡卿撰。不著錄。</small>

見《唐志》。

齊春秋三十卷 <small>梁奉朝請吳均撰。</small>

《梁書·吳均傳》:"均表求撰《齊春秋》,書成三十卷,奏之。
高祖以其書不實,使劉之遴詰問數條,竟支離無對,勅付省焚
之。"《史通·外篇》曰:"梁時奉朝請吳均請撰齊史,乞給《起
居注》並《羣臣行狀》,有詔:齊氏故事,布在流俗,聞見既多,
可自搜訪也。均遂撰《齊春秋》三十篇。其書稱梁帝爲'齊明
佐命',帝惡其實,詔燔之。然其私本,竟能與蕭氏所撰並傳
於後。"又《編次篇》曰:"《春秋》嗣子諒闇,未逾年而廢者,既
不成君,故不別加篇目。而吳均《齊春秋》乃以鬱林爲紀,事
不師古,何滋章之甚歟?"《叙事篇》曰:"魏收代史,稱劉氏納
貢,則曰來獻百牢。吳均齊錄,叙元日臨軒,必云朝會萬國,
夫以吳徵魯賦,禹計塗山,持彼往事,用爲今説,置於文章則
可,施於簡册則否矣。"《模擬篇》曰:"《春秋》三《傳》,各釋經
義。如《公羊傳》屢云:'何以書?記其事也。'此則先引經語,
繼以釋辭,非史體也。如吳均《齊春秋》,每書災變,亦曰:'何
以書?記異也。'夫事無他議,言從己出,輒自問而自答,豈叙
事之理邪?以此擬《公羊》,所謂貌同心異也。"《初學記》引
"宜都王鏗屏風壓背,言談不輟"一事,《北堂書鈔·設官部》
引"柳世隆門三台不絕"一事,《文選》注十二事,《太平御覽》
二十四事。《唐志》卷同。

齊典五卷　王逸撰。

《唐志》四卷，入儀注類。

齊典十卷

《隋志》無撰人名。愚按《南齊書·檀超傳》：“時豫章熊襄著《齊典》，上起十代。其《序》云：‘《尚書·堯典》謂之《虞書》，則附所述，故通謂之齊，名爲《河洛金匱》。’”未知《隋志》所載，即襄所撰否。《唐志·雜史類》有熊襄《十代記》十卷。

三十國春秋三十一卷　梁湘東世子蕭方等撰。

《梁書·忠壯世子方等傳》：“方等撰《三十國春秋》。”《史通·稱謂篇》曰：“蕭方等存三十國名謚，僭帝者皆稱之以王，變通其理，事在合宜，小道可觀，見於蕭氏矣。”《模擬篇》曰：“《左傳》楚武王欲伐隨，熊率且比曰：‘季梁在，何益？’至蕭方等《三十國春秋》説朝廷聞慕容儁死，曰：‘中原可圖矣。’桓温曰：‘慕容恪在，其憂方大。’以此擬《左氏》，所謂貌異心同也。”《外篇·雜説》曰：“劉敬叔《異苑》稱晉武庫失火，高祖斬蛇劍穿屋而飛，其言不經，故梁武帝令殷芸編諸小説。及蕭方等撰《三十國春秋》，乃刊爲正言。”《郡齋讀書附志》杜延業云：“方等採削羣史，以晉爲主，附列二十九國。”愚按《太平御覽·時序部》：“燕王慕容熙后苻氏，季夏思凍魚膾。”《兵部》：“蜀王李雄攻譙登於涪城。”又：“秦王堅下書曰：‘朕將巡狩會稽。’”又：“夏王勃勃自號真興元年。”又：“吳王皓使劉恪守牛渚。”《人事部》：“秦王苻堅懸珠簾以朝羣臣。”其稱謂可與《史通》相証。若慕容垂遣其子寶伐魏，戰於參合陂，姚襄至滎陽，與李歷戰於麻田，石勒遣石虎率精騎掩李矩，三事皆見《御覽·兵部》。此皆直稱其名，乃徵引所削，非方等原本，故《通鑑問疑》亦曰：“今欲將諸國偏據者，皆依《三十國春秋》書爲某主也。”《初學記·文部》：“王隱始成《晉書》，家貧無紙，遂南投陶侃於荆州。又江州投庾亮，書始就焉。"今《晉書·隱傳》闕載其投陶侃。《居處部》："張華望氣，見氣起斗牛間，雷孔章曰：'其寶劍乎？'"其語與"武庫火，劍穿屋"相類，《新唐志》入僞史類，方等名誤削"等"字，《隋志》刊本又或誤作"萬等"。《宋志》編年、霸史兩類重出。

戰國春秋二十卷 <small>李槩撰。</small>

《北齊書·李公緒傳》："公緒弟槩，字季節，撰《戰國春秋》。"愚按《元和姓纂》曰："木，端木之後，①避仇改爲木氏。有木槩，著《戰國策春秋》，<small>"策"字誤增，《通志》同誤。</small>見《七錄》。"《通志·氏族略》依《姓纂》稱爲木氏，然他書皆稱李季節，<small>《廣韻序》有李季節《音譜》。</small>兩《唐志》並作李槩。《新志》列僞史類。

梁典三十卷 <small>劉璠撰。</small>

《周書·劉璠傳》："璠著《梁典》三十卷。子祥，字休徵，以字行。璠所撰《梁典》未及刊定，卒，臨終謂休徵曰：'能成我志，其此書乎？'休徵治定繕寫，勒成一家，行於世。"《北史》璠等傳論曰："梁氏據有江東五十餘載，挾筴紀事，蓋亦多人。劉璠學思通博，有著述之譽。雖傳信傳疑，頗有詳略，而屬辭比事，爲一家之言。"《通典·邊防門》注引劉璠《梁典》云："滑國姓嚥噠，後裔以姓爲國號，轉訛又謂之挹怛焉。"《太平御覽·兵部》引："韋叡將兵仁愛，被服必於儒者。"《人事部》："周捨舉徐摛爲晉安王侍讀。"《宗親部》："張充少不尚細行，一朝易操，鬱爲名士。"三事皆題劉璠《梁典》。②《文選》注引二十八事。《唐志》卷同。

---

① "端木"，《二十五史補編》本同，《四庫全書》本《元和姓纂》作"端木賜"。

② 案《太平御覽·文部》另著錄劉璠《梁典》記天監六年，祖暅治漏刻成，陸倕制銘事。

梁典三十卷 陳始興王諮議何之元撰。

《陳書·何之元傳》:"之元以爲梁氏肇自武皇,終於敬帝。其盛衰之跡,足以垂鑒。戒定褒貶,究其始終。起齊永元元年,迄於王琳遇獲,七十五年行事,草創爲三十卷,號曰《梁典》。其《序》曰:'案三皇之簡爲《三墳》,五帝之策爲《五典》,此典義所由矣。至乃《尚書》述唐帝爲《堯典》,虞帝爲《舜典》,斯又經文明据。若夫馬《史》班《漢》,述帝稱紀,自茲厥後,因相祖習,惟何法盛《晉書》變帝紀爲帝典,既云師古,在理爲優,故今之所作,稱爲《梁典》。梁有天下自中,大同以前,區寓寧晏。太清以後,寇盜交侵。首尾而言,未爲盡美。故開此一書,分爲六意。以高祖創基,因乎齊末,尋宗討本,起自永元,今以前如干卷爲追述。高祖生自布衣,長於弊俗,爰逮君臨,弘戡政術,[1]四紀之内,實云殷阜,今以如干卷爲太平。世不常夷,時無恒治,今以如干卷爲叙亂。高祖晏駕,太宗幽辱,撥亂反正,厥庸斯在,今以如干卷爲世祖。至於四海困窮,五德升替,敬皇紹立,仍以禪陳,今以如干卷爲敬帝。驃騎王琳崇立後嗣,雖不達天命,然是其忠節,今以如干卷爲後嗣主。至在太宗,雖加美謚,而太寶之號,世所不遵,蓋以拘於賊景故也。承聖繼曆,自接太清,神筆詔書,豈宜輒改?詳之後論,蓋有理焉。夫事有終始,人有業行,本末之間,實資詳悉,又編年而舉其歲次者,蓋以分明而易尋也。若夫獫狁孔熾,鯁我中原,始自一君,終爲二主。事有相涉,言成混漫。今以未分之前爲北魏,既分之後,高氏所輔爲東魏,宇文所挾爲西魏,所以相分別也。重以蓋彰殊體,繁省異文,其間損益,頗有凡例。'"《南史·何之元傳》所載《序》言甚略。《史通·雜説》注曰:

① "戡",《二十五史補編》本同,殿本《陳書》作"斯"。

"何之元《梁典》稱議納侯景，高祖曰：'文叔得尹遵之降而隗
囂滅，安世用羊祜之言而孫皓平。'夫漢晉之君，事殊僭盜，梁
主必不捨其諡號呼以字名，此由須對語儷詞故也。"愚按《文
選・宣德皇后令》注："高祖起家齊巴陵王法曹。"《百僚勸進
今上牋》注："高祖本蘭陵郡縣中都里人也。"《石闕銘》注："齊
明遺詔授高祖雍州刺史，永元二年，高祖擁南康王寶融以主
號令。三年，義旗發自襄陽以西，①檄京師。"此皆《追述篇》之
語。《太平御覽・人事部》引"劉許與阮籍、李緒築室鍾阜之
旁，共聽内義，鑽尋經典"一事，《地部》、《宗親部》、《樂部》亦
引《梁典》四事，而脱去撰名，未知爲劉爲何。《文苑英華》載
何之元《高祖事論》一篇，文近二千言，《目録》稱爲《高祖革命
論》。《唐志》卷同。

梁典二十九卷　謝昊撰。不著録。

見《新唐志》。

梁撮要三十卷　陳征南諮議陰僧仁撰。

《唐志》入雜史類。

梁後略十卷　姚最撰。

《周書・儒林傳》："姚最撰《梁後略》十卷。"《唐志》作《梁昭後
略》。《史通・題目篇》曰："魚豢、姚察著魏、梁二史，巨細畢
載，蕪累甚多，而俱榜之以略。"姚察，當作姚最。又《外篇》
曰："若姚最《梁昭後略》，此之謂偏記。"又曰："姚最《梁後略》
稱高祖曰：'得既在我，失亦在予。不及子孫，知復何恨。'夫
變我稱予，互文成句，求諸人語，理必不然。此由避平頭上尾
故也。"《太平御覽・兵部》："陸納襲巴陵，乘水攻城，驃騎方

---

①　"以西"，《二十五史補編》本同，《文選》胡刻本作"己酉"。

食甘蔗,曾無遽色。"①又:"太寶元年,與西魏結盟,送質,相約
爲兄弟之親。"②又:"河東王譽禦蕭方等兵,方等溺於江中。"
又:"上自長沙寺移住天居寺,北兵射書城内。"又:"褚羅率其
下五百人,乘大艦水戰。"《人事部》:"賀革因江革言夢湘東王
必當璧,遂往荆州。"共引《梁後略》七事。③ 又《兵部》君子曰:
"普通之末,邊疆告警,寇虜烽燭,擊柝相聞。皇上乃運籌帷
中,邁曹王之遠略,決勝千里,超光武之懸謀。故能師不疲
勞,獻捷相繼。"此乃姚最論贊。

梁太清紀十卷　梁長沙藩王蕭韶撰。

《南史·蕭韶傳》:"韶初封上甲縣都鄉侯。太清初,爲舍人。
城陷,奉詔西奔。及至,江陵人士多往尋覓,令韶説城内事。
韶不能人人爲説,乃疏爲一卷,客問者便示之。湘東王聞而
取看,謂曰:'昔王韶之爲《隆安記》十卷,説晉末之亂離。今
之蕭韶,亦可爲《太清紀》十卷矣。'韶乃更爲《太清紀》,其諸
議論多謝吳爲之。韶既承旨撰著,多非實録,湘東王德之。"
《史通·雜説》注曰:"王褒、庾信等事,多見於蕭韶《太清紀》、
蕭大圜《淮海亂離志》、裴政《太清實録》、杜臺卿《齊記》,而令
狐德棻了不兼採,④蓋以其中有鄙言,故致遺略。"《通鑑考異》
多引《太清記》。《太平御覽·宗親部》引"劉孝儀諸妹,文采
艷質,甚於神人"三句。《唐志》卷同。《宋志》入傳記類。

淮海亂離志四卷　蕭世怡撰。叙梁末侯景之亂。

《周書·蕭世怡傳》不載其著書,惟《蕭圓肅傳》《北史·圓肅傳》同。

---

① 案此條下《太平御覽》尚録《梁後略》記齊將寶泰趨潼關,太祖將襲秦,問策於宇
文深事。
② 案此條《太平御覽》著録作《後梁略》。
③ "七事",《二十五史補編》本同。案以上所録只六事。
④ "棻",原誤作"茶",據《二十五史補編》本改正。

稱圓肅撰《淮海亂離志》四卷,《新唐志》同四卷,入雜史類,而題名蕭大圜。劉知幾《史通》同。然大圜本傳亦不載。《通志·校讎略》曰:"《海宇亂離志》,《唐志》類於雜史是,《隋志》類於編年非。"《舊唐志》入編年,亦作"淮海",惟《通志》作"海宇"。

齊紀三十卷　紀後齊事,崔子發撰。

《史通·外篇》曰:"高齊史自武平後,史官陽休之、杜臺卿、祖崇儒、崔子發等相繼注記,逮於齊滅。"《文苑英華》蕭穎士《贈韋司業書》曰:"僕南遷士族,有梁支孫。隋代山陰第十一第,常侍君才標清俊,見崔子發《齊紀》。"《通鑑》:"隋高祖曰:'朕近覽齊書。'"胡三省音注曰:"是時李百藥所撰《齊書》未出,帝所覽者,乃崔子發《齊紀》也。"

齊紀二十卷　杜臺卿撰。不著録。

《北史·杜臺卿傳》:"臺卿著《齊紀》二十卷。"《隋書·臺卿傳》同。《史通·敘事篇》曰:"齊邱之犢彰於載識。"原注云:"臺卿《齊紀》載識云'首牛入西谷,逆犢上齊邱'也。"《唐志》編年類有《北齊紀》二十卷,無撰名,列於王劭《志》前,當即臺卿之書,脱載其名。

齊志十卷　後齊事。① 王劭撰。

《北史·王劭傳》:"劭字君懋,撰《齊志》爲編年體二十卷。"《唐志》十七卷。《史通·論贊篇》曰:"王劭意在簡直,言兼鄙野。"《題目篇》曰:"王邵曰志。"《載文篇》曰:"邵撰齊、隋二史,其所取也,文皆詣實,理多可信。至於悠悠飾詞,皆不之取。"《補注篇》曰:"有躬爲史臣,手自刊補,雖志存該博,而才闕倫叙。除煩則意有所恡,畢載則言有所妨。遂乃定彼榛楛,列爲子注。若蕭大圜《淮海亂離志》、羊衒之《洛陽伽藍

---

① "後"上,《二十五史補編》本有"紀"字,殿本《隋志》無。

記》、宋孝王《關東風俗傳》、王邵《齊志》之類是也。"又云："若
蕭、羊之瑣雜，王、宋之鄙碎，言殊鍊金，事同雞肋。"《言語篇》
曰："惟王、宋著書，叙元高時事，抗詞直筆，務存直道，方言世
語，由此畢彰。"《叙事篇》曰："近有裴子野《宋略》、王邵《齊
志》，並長於叙事，無愧古人，而世人議者，皆雷同譽裴，共詆
王氏。夫江左事雅，裴筆所以專工。中原跡穢，王文由其屢
鄙。且幾原務飾虛詞，君懋志存實録，此美惡所以爲異也。"
《曲筆篇》曰："王邵抗辭不撓，可以方駕古人。"《模擬篇》曰：
"《左傳》稱叔輒聞日蝕而哭，昭子曰：'叔其將死乎？'秋八月，
叔輒卒。至王劭《齊志》稱張伯德夢山上挂絲，占者曰：'其爲
幽州乎？'秋七月，拜爲幽州刺史。以此擬《左氏》，所謂貌異
心同也。邱明叙晉敗於邲，先濟者賞，而云'上軍下軍爭舟，
舟中之指可掬'，夫不言攀舟亂，以刃斷指，而但曰舟指可掬，
則讀者自覩其事矣。至王邵《齊志》述高季式破敵於韓陵，追
奔逐北，而云'夜半方歸，槊血滿袖'，夫不言奮槊深入，擊刺
甚多，而但稱槊血滿袖，則聞者亦知其義。以此擬《左氏》，又
所謂貌異心同也。"又《外篇》曰："隋王邵、李德林，並少仕鄴
中，多識故事。王乃憑述起居注，廣以異聞，造編年書，號曰
《齊志》，十有六卷。"原注："其《序》云'二十卷'，今世傳者惟十六卷。"[①]又
《雜説》曰："王劭國史，至於論戰爭，述紛擾，賈其餘勇，彌見
所長。至如叙文宣逼孝靖以受魏禪，二王殺楊燕以廢乾明，
雖《左氏》載季氏逐昭公，秦伯納重耳，欒盈起於曲沃，楚靈敗
於乾谿，殆可連類也。又叙高祖破宇文於邙山，周武自晉陽
而平鄴，雖《左氏》書城濮之役、鄢陵之戰，不是過也。或問
曰：'王邵《齊志》，多記當時鄙言，是乎？非乎？'對曰：'古往

---

①　"注"，原在"今"下"世"上，《二十五史補編》本同，據《四庫全書》本《史通》乙正。

今來，名目各異，區分壤隔，稱謂不同。如今之所謂者，若中
州名漢，關右稱羌。易臣以奴，呼母云姊。主上有大家之號，
師人致兒郎之説。凡如此例，其流甚多。必尋其本源，莫詳
所出。閲諸《齊志》，則了然可知。由斯而言，邵之所録，弘益
多矣。'”又曰：“如梁武居江陵，齊宣在晉陽。或文出荆州，假
言宣德之令。或書成并部，虚云孝靜之勅。凡此文誥，本不
施行，必載之起居，編之國史，豈所謂撮其機要，剪截浮詞者
哉？二蕭陳、隋諸史，通多此失。惟王邵《齊志》，獨無是焉。”
又曰：“如王邵、宋孝王之徒，喜論人帷薄不修，言貌鄙事，訐
以爲直，吾無取焉。”《忤時篇》曰：“王邵直書，見讎貴族。”劭惟
《史通》從邑，他多從力。《困學紀聞》謂“王劭直書”二語，据《唐文
粹》，“劭”當作“韶”。然以《曲筆篇》稱劭爲“抗辭不撓”，正與
“直書見讎”相類，則亦不得謂作“劭”者誤。

隋經籍志考證卷三

周書十卷　汲冢書。似仲尼刪書之餘。

《逸周書》稱"汲冢書"，其誤始於《隋志》。今存。

古文瑣語四卷　汲冢書。

《晉書·束皙傳》："汲郡人得竹書，其《瑣語》十一篇，諸國卜夢妖怪相書也。"《史通·內篇》曰："汲冢《瑣語》記太丁時事，目爲夏、殷《春秋》。"又云："《瑣語》有《晉春秋》，記獻公十七年事。"《水經·澮水》注："晉平公夢赤熊窺屏而病。"《御覽·獸部》引之尤詳。《藝文類聚·后妃部》："周宣王晏起，姜后脫簪珥待罪。"《人部》："師曠鼓瑟，知齊侯戲而傷臂。"《菓部》："邢史子臣自知死期，並吳亡、宋景之薨。"《北堂書鈔·后妃部》、《政術部》："楚矢箕服，是喪王國。"《太平御覽·皇王部》："宣王元妃生子不恒，朞月而生。"《人事部》："齊景伐宋，夢見盤庚，又夢見伊尹，遂不果伐。"《刑法部》："晉冶氏女徒，夢乘水如河汾，三馬當舞。"《服章部》："范獻子卜獵，遺其豹冠。"《獸部》："周太子宜臼叱虎，弭耳而服。"①《羽族部》："有鳥飛從西方來，白質，五色皆備，集平公之庭。"共引《瑣語》十三事。《唐志》卷同。

春秋時國語十卷　孔衍撰。不著錄。

見《新唐志》。

---

①　案此條不見於《太平御覽》，宋吳淑《事類賦·獸部》、明董斯張《廣博物志·鳥獸部》、清《淵鑑類函·獸部》著錄，並作《瑣語》。

春秋後國語十卷　孔衍撰。不著録。

見《新唐志》。《史通·内篇》曰：“孔衍以《戰國策》所書未爲盡善，乃引太史公所記，參其異同，刪彼二家，聚爲一録，號爲《春秋後語》。除二周及宋、衛、中山，其所留者七國秦、齊、燕、楚、三晉。而已。始自秦孝公，終於楚漢之際，比於《春秋》，亦盡二百三十餘年行事。始衍撰《春秋時國語》，復撰《春秋後語》，勒成二書，各爲十卷。今行於世者，惟《後語》存焉。其書《序》云：‘雖左氏莫能加，世人皆尤其不量力，不度德。’尋衍之此義，自比於邱明者，謂《國語》，非《春秋傳》也。必方以類聚，豈多嗤乎？”愚按《元和郡縣志·河東道》引《春秋後語》：“智伯決水灌晉陽，城中懸釜而炊。”《初學記·政理部》：“秦穆公將兄三人囚於内宫。”《州郡部》：“董安于之治晉陽，公宫之垣皆以荻蒿。”《御覽·州郡部》、《百卉部》、《寰宇記·河東道》引之尤詳。《白帖》卷十：“田嬰嬖妾五月五日生子文。”卷十四：“秦師臨周，以求九鼎，顏率請救於齊。”皆記戰國時事，秦穆公，當是秦襄王之訛。他書徵引，亦無一語涉及劉、項。《史記索隱·燕系家》鹿毛壽作眉毛壽，《魏系家》中尉馮栞作伏栞，《田敬仲系家》大弦濁以温作以春，《蘇秦列傳》合贖作合相，《滑稽列傳》冠纓索絶作盡絶。《太平御覽·州郡部》：“蘇秦説魏襄王曰：‘西有長蛇之城。’”原注曰：“《史記》作‘長城之地’。”《學部》：“蘇秦夜發書，得《周書陰符》。”原注：“《戰國策》云：‘得《太公陰符》之謀。’”《木部》：“夫樹楊，横之則生，折而樹之又生。”原注：“《戰國策》云：‘夫楊，横樹之亦生，側樹之亦生。’説不同，故存之也。”此其字句可考《國策》、《史記》之異。《御覽》共引六十餘事，其注文既徵同異，復釋詞義，如《州郡部》“殷殷軥軥”，注：“車馬聲也。軥，火寵切。”《服章部》“魏太子擊逢田子方於朝歌”，注：“朝歌，紂之所都，今衛州地。”《疾病部》“君有疾在腠理”，注：“腠理，皮膚

也。"《珍寶部》"醮而出不意",注:"醮,謂祭,盟誓之類也。"未
知此注爲衍本注,抑李昉等所增。《説文繫傳》引"牽受推軷,
儀不如秦"二語,《通鑑外紀》亦引此書。《宋志》入別史類。

春秋前傳十卷　何承天撰。

《唐志》同。

春秋前雜傳九卷　何承天撰。

《唐志》作《春秋前傳雜語》十卷。

春秋後傳三十一卷　晉著作郎樂資撰。

《史通·內篇》曰:"晉著作郎魯國樂資,追採《左傳》、《太史公
書》二史,撰爲《春秋後傳》。其書始以周貞王,續前傳魯哀公
後,至赧王入秦;又以秦文王之繼周,終於二世之滅,合成三
十卷。"《唐志》同。《水經·渭水》注、《後漢書·襄楷傳》注,並引
"秦使者鄭容見華山君,使託以一牘致滈池君"事。《史記·田
敬仲系家》索隱:"田午弒田侯及其孺子喜,而兼齊,是爲桓
侯。"《初學記·天部》:"魏唐雎對秦王曰:'專諸之刺王僚,彗
星襲月。'"《地部》:"赧王三十八年,秦始作浮橋於河。"又:
"趙襄子游於囿,至於梁,馬郤不肯進,青笋進視梁下,豫讓卻
寢。"《太平御覽·地部》:"作宮阿旁,故天下謂之阿旁宮。"
《兵部》:"魏武屬眾五年,秦師臨西河,魏士不待介胄,擊殺秦
人數萬。"又:"魯仲連曰:'齊閔王將之魯,夷維子執策而
從。'"《人事部》:"梁相張儀,齊、楚攻梁,雍沮説齊、楚解兵。"
又:"魏嘉問春申君,願以射譬。"共引《春秋後傳》十事。朱氏《經
義考》引秦穆公囚兄三人及張孟談謂趙襄子語,並誤以孔衍《後語》入《後傳》。

戰國策二十一卷　高誘撰注。

今本三十三卷。

戰國策論一卷　漢京兆尹延篤撰。

《史記索隱·高祖紀》:"商君告歸:告歸,今之歸寧也。"《魯鄒

列傳》："富比陶衛：陶，陶朱公。衛，衛公子荆。"《匈奴傳》：
"胡革帶鉤也。"《文選·求立太宰碑》注："爲王先用，填黃泉。
爲王作蓐，以御螻蟻。"《曹公與孫權書》注："尸，雞中主也。
從牛子也。"《史記索隱·蘇秦列傳》亦引之。《檄吳將校部曲》注："係
締，獸糾也。"[1]阮籍《詠懷詩》注："因是已復有是也。茹谿，谿
流所沃者美好也。"並引延篤《戰國策注》。《顏氏家訓·書證
篇》引"雞尸牛從"，謂"雞口牛後，俗寫之誤"，題稱延篤《戰國
策音義》。《唐志》作"論"，卷同。

楚漢春秋九卷 　陸賈撰。

《後漢書·班彪傳》："漢興，大中大夫陸賈記錄時功，作《楚漢
春秋》九篇。"《文心雕龍·史傳篇》曰："漢滅嬴、項，武功積
年，陸賈稽古，作《楚漢春秋》。"《史通·內篇》曰："晏子、虞
卿、呂氏、陸賈，其書篇第本無年月，而亦謂之《春秋》。"又曰：
"呂、陸二氏，乃子書雜記，而皆號曰《春秋》。"又《外篇》曰：
"劉氏初興，書惟陸賈而已。子長述楚漢之事，專據此書。譬
夫行不由徑，出不由户，未之聞也。然觀遷之所載，往往與舊
不同，如酈生之初謁沛公，高祖之長歌《鴻鵠》。非惟文句有
別，遂乃事理皆殊。又韓王名信都，而輒去都留信，用使稱其
名姓，全與淮陰不别。"《史記序》索隱云："《楚漢春秋》，陸賈
撰記項氏與漢高祖，及説惠文間事。"又云："《高祖功臣侯者
年表》，《楚漢春秋》與《史記》、《漢書》不同者，陸賈記事高祖
惠帝時，《漢書》是後定功臣等列，及陳平受呂后命而定，或已
改邑號，故人名亦别。"愚按《水經·渭水》注："項王在鴻門，
亞父曰：'吾使人望沛公，其氣衝天，五色采相謬，或似龍，或

---

[1] "係締，獸糾"，《二十五史補編》本同，《文選》胡刻本作"係蹄，獸絆"，《文選六臣
注》劉良曰："係蹄，禽獸之絆也。"

似雲，非人臣之氣，可誅之。’”《藝文類聚·地部》：“沛公遣將
軍閉函谷關，亞父至關，不得入，怒曰：‘沛公欲反耶？’即令家
發薪一束，欲燒關門，關門乃開。”《史記·劉敬叔孫通傳》索
隱：“蕭何云：‘臣三諫不從，請以身當之。’撫劍將自殺。上離
席，云：‘吾定計不易太子。’”《太平御覽·兵部》、《人事部》：
“上過陳留，酈生求見，使者入通，公方洗足，問何如人，曰：
‘狀類大儒。’上曰：‘吾方以天下爲事，未暇見大儒也。’使者
出告，酈生瞋目按劍，①曰：‘入言高陽酒徒，非儒者也。’”又
《兵部》：“高祖向咸陽，南趣宛，匿其旌旗，人銜枚，馬束口，龍
舉而翼奮，雞未鳴，圍宛城三匝，宛城降。”《史記·高祖紀》索隱語較
略。《人事部》：“薛人丁固追上，上被髮，顧曰：‘丁公何相急之
甚？’乃罵而去。上即位，欲陳功。上曰：‘使項王失天下，是
子也。爲人臣兩心，非忠也。’下吏笞之。”又曰：“項梁陰養
士，最高者多力，拔樹以擊地。”又云：“淮陰武王反，上自擊
之，張良居守。上體不安，臥輼車中，行三四里。留侯走，東
追上，簪墮被髮，及輼車，排户曰：‘陛下即棄天下，欲以王葬
乎？以布衣葬乎？’罵曰：‘若翁天子也，何故以王及布衣葬
乎？’良曰：‘淮南反於東，淮陰害於西，恐陛下倚溝壑而終
也。’”《刑法部》：“正疆數言事而當，上使參乘，解玉劍以佩
之。天下定，以爲守。有告之者，上曰：‘天下方急，汝何在？’
曰：‘亡。’上曰：‘正疆沐浴霜露，與我從事，而汝亡，告之何
也？’下廷尉劓。”《服章部》：“北郭先生獻帶於淮陰侯，曰：‘牛
爲人任用，力盡猶不置其革。’”《資産部》：“項梁陰養士九十
人，參木者，所與計謀者也。木佯疾，於室中鑄大錢，以具甲
兵。”此十一事，並引《楚漢春秋》，多班、馬所不載。亞父、酈

---

① “瞋”，原誤作“瞋”，據《二十五史補編》本改正。

生、丁公事,詞義相殊。《困學紀聞》所引四事,項羽美人和歌,見《史記·羽紀》正義。高祖封侯,賜丹書鐵券詞,見《御覽·治道部》。東陽侯諫呂太后爲惠帝高墳,見《藝文類聚·人部》《御覽·人事部》同。下蔡亭長晉淮南王,見《文選·五等論》注。惟《史通》所稱高祖《鴻鵠歌》未見徵引。《漢書》注引"韓申都作信都",《高惠高侯文功臣表》注。《史記·韓彭傳》索隱曰:"《楚漢春秋》韓王信都,恐謬也,諸書不言有韓信都。""擊項籍,孔將軍居左",同上表注。"高祖之臣別有絳灌",《禮樂志》注,《陳平傳》注。"舍人謝公得罪韓信",《韓彭列傳》注。《史記索隱》引晉灼言亦同。"齊人田生,字子春",《荆燕吳傳》注。"丁公,薛人,名固",《季布傳》注。"酈生,酈姓也",《張良傳》注。《史記》集解、索隱並同。"封緤爲憑城侯",《周緤傳》注。"叔孫通名何",《叔孫通傳》注。《史記索隱》同。"會稽假守通,姓殷",《項籍傳》注。《史記集解》同。"《史記索隱》樊噲請殺秦王",《高祖紀》。"解先生云:‘遣守函谷,無内項王。’"同上。"項燕爲王翦所殺",《項羽本紀》。"定侯王吸作清陽侯,王隆陽陵景侯作陰陵",《漢興諸侯王表》。"南宮侯張耳",《高祖功臣表》。"高祖封許負爲鳴雌亭侯",《絳侯周勃系家》。"幾是乎作豈是乎",《黥布傳》。"南昌亭長作新昌亭長",《淮陰侯傳》。"箄山作卑山",同上。"蒯成侯作憑成侯",《傅靳蒯成列傳》。"吳太子名賢,字德明"。《吳王濞傳》。又"韓生説項王居關中",裴駰《集解》案:"《楚漢春秋》云:‘説者是蔡生。’"皆足考異。《文選·移書讓太常博士》注引云:"漢定天下,論羣臣,破敵禽將,活死不衰,絳灌、樊噲是也。功成名立,臣爲爪牙,百世無邪,世世相屬,絳侯周勃是也。"此可作《漢書》注"高祖臣別有絳灌"之證。《唐志》卷同。

漢語　卷亡。後漢荀爽撰。不著錄。

《後漢書·荀爽傳》:"爽集漢事成敗可爲鑒戒者,謂之《漢語》。"《史記》:"文帝遺詔臨者無踐。"裴駰注:"晉灼曰:‘《漢語》作跋。’”《索隱》曰：“《漢語》，書名，荀爽所作。”《漢書·昭帝紀》注：“外人，字少君。”《宣帝紀》注：“馮殷，字子都。”《霍光傳》注：“光嫡妻東閭氏，生上官安夫人，昭后之母。”又云：“東閭氏亡，霍光妻顯以婢代立，素與馮殷姦也。”四事皆晉灼引《漢語》。

古今注八卷　伏無忌撰。

《後漢書·伏湛傳》：“子無忌，自採集古今，删著事要，號曰《伏侯注》。”章懷注云：“其書上自黃帝，下盡漢質帝，爲八卷，見行於今。”愚按劉昭《續漢志注》多引《伏侯古今注》，《禮儀志》載光武、明、章、和、殤、安、順、沖、質諸帝山陵，《祭祀志》載後漢災異，《郡國志》載户口、墾田之數，亦自光武訖質帝。又記後漢官制數事，前代採集，惟引“武帝元封六年五月，旱，女及巫丈夫不入市”，《禮儀志》注。“天漢四年，令諸侯王大國朱輪，特虎居前，左兕右麋。小國朱輪，畫特熊居前，寢麋居左右”，《輿服志》注。二事皆記西漢。《太平御覽·咎徵部》引“漢武帝元朔四年雨土”，“昭帝始元二年雨土晝昏”，“元帝建昭四年雨土”三事。《後漢書》注引光武諸帝諱：“秀之字曰茂，莊之字曰嚴，炟之字曰著，隆之字曰盛，祜之字曰福，保之字曰守，炳之字曰明，纘之字曰繼，志之字曰意，宏之字曰大，協之字曰合。”至章帝“肇之字曰始，音兆”，“臣賢按：許慎《説文》：‘肇，音大可反，上諱也。’伏侯、許慎並漢時人，而上諱不同，蓋應別有所據”。《初學記·服食部》、《鳥部》：“曾參鋤瓜，有三足鳥來萃其冠。”《御覽·器物部》同。《後漢·蔡邕傳》注：“黃帝與蚩尤戰於涿鹿之野，常有五色雲氣，金芝玉葉，因而作華蓋。”此則遠稽上古。故有《古今注》名。《唐志》三卷，入子部雜家。

越絕記十六卷　子貢撰。

今存十五卷。《四庫目録》曰：“漢袁康撰，其友吳平同定，舊稱子貢作，誤。”

吳越春秋十二卷　趙曄撰。①

今存十卷。

吳越春秋削繁五卷　楊方撰。

《晉書·楊方傳》：“方更撰《吳越春秋》。”《唐志》五卷。

吳越春秋十卷　皇甫遵撰。

《唐志》作《吳越春秋傳》。《崇文總目》曰：“遵合趙曄、②楊方二家之書，考定而注之。”《宋志》入別史類。

吳越記六卷

無撰名。《唐志》同。

南越志八卷　沈氏撰。

《宋書·沈懷文傳》：“懷文弟懷遠，撰《南越志》。”《玉海》引《中興書目》曰：“沈懷遠載三代至晉南越疆域事跡。”《唐志》五卷，入地理類。愚按《水經·泿水》注、《文選·西京賦》《吳都賦》注所引《南越志》，如鱠魚、鷦鷯、潛牛、江豚、璨珸、石蚨、蜛蝫、珠鼈諸類，多記異物。《太平御覽·羽族部》、《鱗介部》、《木部》、《竹部》、《菜茹部》、《百卉部》所引亦同。若《地部》、《州郡部》及《太平寰宇記》，則惟徵引疆域事跡。其言趙佗朝臺，始皇鑿馬鞍山，吳衡毅拒步騭於高安峽，毅投水死，晉陸允開菖蒲澗，孫權鑿趙佗及佗子嬰齊墓，馬援鑄銅船於朱鳶，此類皆足與正史相證。又《寰宇記·嶺南道》引有《續南越志》，言“唐天后時，增城縣何氏女，服雲母粉得道於羅浮山”一事，乃唐人續撰。

漢靈獻二帝紀三卷　漢侍中劉艾撰。殘缺，梁有六卷。

《唐志》六卷，入編年類。《魏志·董卓傳》注引《靈帝紀》中平

五年，徵卓爲少府，卓上書辭。六年，以卓爲并州牧，卓再違詔敕。范史爲少府，亦在六年，與艾《紀》異。《張楊傳》注引西園置八校尉，與《山陽公載記》相合。《蜀志·劉焉傳》注、《吳志·孫堅傳》注各引《靈帝紀》一事。《後漢書·靈紀》注："巴郡張修爲五斗米師。""中牟令落皓主簿潘業，臨陣被害。""洛陽上西門外劉蒼，生男兩頭共身。"三事並稱劉艾《紀》。以《靈紀》注中所引，故省"靈帝"二字。《魏志·武紀》注引《獻帝紀》建安元年，又領司隸校尉。《董卓傳》注載卓謀立陳留王，欲稱尚父數事。其言楊彪議天子不宜浮河東下，劉艾亦謂"臣前爲陝令，知其危險"，是艾之自紀也。《賈翊傳》注引李傕、郭汜事，與《後漢·獻紀》注、《董卓傳》注所引，互有詳略。《文選·登孫權故城詩》注引太史丞許芝，奏當塗高代漢一事。

獻帝傳　卷亡。不著録。

《魏志·武紀》注引建安二十一年詔詞、延康元年禪代眾儀。[①]《文紀》注"秦朗父宜禄"，《明紀》注"青龍二年，山陽公薨"，《袁紹傳》注"沮綬爲紹所辟"、"綬説紹迎天子"、"諫紹攻許"數事。《續漢禮儀志》注："興平元年正月，帝加元服。"《水經·渭水》注："董卓發卒築郿塢。"《後漢書·董卓傳》注："馬平取羌女，生騰。"《藝文類聚·服飾部》："尚書令王允與太史令王立，日爲帝誦《孝經》。"並引《獻帝傳》，無撰人名。惟《初學記·鳥部》引"興平元年，益州蠻夷獻嬰鵡，詔付安西將軍楊定，令歸本土"一事，題劉艾《漢帝傳》。愚按《漢志》有《高祖傳》、《孝文傳》，艾既爲獻作紀，又更爲傳，其名蓋仿於此。《太平御覽·車部》引《獻帝傳》："董卓以地動問蔡邕，邕言公乘青蓋車，遠近以爲非宜。"與《魏志》注所引《獻帝紀》同。

---

①　"康"，原誤作"安"，據殿本《三國志》改正。

山陽公載記十卷　樂資撰。

《史通·雜述篇》曰："若陸賈《楚漢春秋》、樂資《山陽公載記》，此之謂偏記者也。"《新唐志》十卷，入編年類。《舊唐志》作《山陽義紀》，無卷數。《魏志·袁紹傳》注引"審配戰敗，逃於井，獲之"，與《獻帝春秋》同。《蜀志·馬超傳》注："超與劉備言，嘗呼備字，張飛請示之以禮，超遂不復呼備字。臣松之按袁暐、樂資等諸所記載，穢雜虛謬。"愚按《後漢書·靈紀》注載西園八校尉，《獻紀》注："郭汜攻李傕，弓弩並發，矢及御所，止殿前帷簾。"其言可與劉艾《靈獻紀》互證。又侍中臺崇作壺崇，《馮異傳》注閶頓王作碻王，《董卓傳》注段珪作殷珪，可考范史之異。《太平御覽·儀飾部》："袁術聞孫堅得傳國璽，拘堅夫人而奪之。"《文選·藉田賦》、《恨賦》注："賈翊鳴鼓雷震，黃塵蔽天。"並稱《山陽公載記》。

漢末英雄記八卷　王粲撰。殘缺。梁有十卷。

《新唐志》："《漢書英雄記》十卷。"

九州春秋十卷　司馬彪撰。記漢末事。

《晉書·司馬彪傳》："彪作《九州春秋》。"《史通·內篇》曰："當漢氏失馭，英雄角力，司馬彪錄其行事，爲《九州春秋》，州爲一篇，合爲九卷。尋其體統，亦近代之《國語》也。"《書錄解題》曰："漢末州部之亂，司、冀、徐、兗、青、荊、揚、涼、益、幽，凡盜賊僭叛，皆書之。"以陳氏言，則不僅九州，司即《續漢志》首載之司隸，不在九州之數。《魏志·董卓傳》注："卓夜遣兵出西城門，明日，陳旌鼓而入，宣言云西兵復入。"《袁紹傳》注："紹勸何進誅黃門常侍。"《賈翊傳》注："閻忠說皇甫嵩。"《文選·辯命論》注引"將軍威德震本朝，風聲馳海外"二句。證以范蔚宗書，皆取《九州春秋》。惟彪言孔融"但能張磔網羅，其自理甚疏"諸語，《魏志·崔琰傳》注。過爲貶議，故蔚宗不取。若章懷注所載，平漢大計作大洪，司隸

捄哉作緣城，固苦晒作苦蜍，《朱雋傳》注。孔伷作孔冑，田儀作
田景，《董卓傳》注。《通鑑考異》耿武作耿或，嚴綱作劉綱，皆與
蔚宗異。《白帖》卷二十九引劉表攻西鄂事，題《魏九州春
秋》，"魏"字誤增。《唐志》九卷。《宋志》霸史類九卷，別史類
十卷，自是重出，而十卷之本，與《隋志》合。

九州春秋抄一卷　劉孝標注。不著錄。

見《通志略》。按《太平御覽·兵部》引《九州春秋》："袁紹遣
朱靈攻李雍。"注曰："靈字文專。"[1]又："公孫瓚曰：'今吾諸營
樓櫓千里。'"注曰："櫓，即櫓字，見《説文》。《釋名》曰：'櫓，
露也，上無覆屋也。'"此注未知即孝標撰否。

魏武本紀四卷　梁並《曆》五卷。

《藝文類聚·服飾部》："上儉率，茵縟取温，無有緣飾。"《太平
御覽·學部》："吾讀介推之避晉封，申包胥之逃楚賞，未嘗不
廢書而歎。"二事並引《魏武本紀》。《唐志》雜史類《魏武本紀
年曆》五卷，編年類又有《魏武本紀》四卷，《舊唐志》三卷。自是重
出。然《紀》並《曆》爲五卷，與梁《七錄》合。

魏陽秋異同八卷　孫壽撰。不著錄。

見《唐志》。按《魏志·武紀》注"太祖私人中常侍張讓室"一
事，題孫盛《異同雜語》。《北堂書鈔·武功部》亦作孫盛。《夏侯玄傳》
注："玄在囹圄，鍾會欲狎而友玄，玄正色曰：'鍾君何相逼如
此也？'"《吕虔傳》注王祥孝後母事，《蜀志·姜維傳》注："維
得母書，令求當歸。"《世説·識鑒篇》注："太祖問許子將，我
何如人。"《假譎篇》注："武王少好俠，放蕩不修行業，常私入
張讓宅。"三事並題孫盛《雜語》。省"異同"二字，然入張讓宅事與《武紀》
注同，自是一書。又《武紀》注引"寧我負人，無人負我"語，作孫盛《雜記》，"記"乃

① "專"，《二十五史補編》本同，《太平御覽》作"傳"。

"語"字之訛。又《魏志·武紀》注引孫盛《異同評》，言劉備先破公軍，孫權後攻合肥，謂《吳志》爲是。又孫盛《評》曰夏侯惇恥爲漢官，求受魏印。桓階方惇，有義直之節，郭頒《世語》階勸王正位之語妄也。《太平寰宇記·河北道》五郡孝子事，亦引孫盛《雜語》。《御覽·兵部》公孫瓚爲遼東屬國長史事，又稱《三國異同傳》。《唐志》孫壽，當是孫盛之訛。《通志略》入編年類。

吳歷六卷　胡沖撰。不著錄。

見《唐志》。《三國志》注引三十餘事。《後漢書·袁術傳》注引"孫堅執張咨，斬之"一事，《吳志·孫堅傳》注同。《文選·奏彈曹景宗》注引"諸葛恪作東關，丁奉等破北軍"，《辨亡論》注"曹公出濡須，孫權以水軍圍取"，《太平御覽·偏霸部》亦引濡須事。《通鑑考異》諸葛恪以張約、朱恩等密書示滕允事，從《吳歷》。又引太平元年正月，立太祖廟。《吳志·三嗣主傳》注亦引之。《通志略》入編年類。

删補蜀記七卷　王隱撰。不著錄。

見《唐志》。按《魏志注·龐德傳》、《蜀志注·後主傳》、《諸葛亮傳》、《關羽傳》、《許靖傳》、《秦宓傳》、《譙周傳》、《黃權傳》、《姜維傳》、《楊戲傳》，並引王隱《蜀記》郭沖五事，即此書所載。

蜀世譜　卷亡，孫盛撰。不著錄。

《蜀志注·二主妃子傳》、《費詩張嶷呂凱傳》並引盛《蜀世譜》。《後漢書·蠻夷傳》注引不韋縣一事，與《呂凱傳》注同。

魏世譜　卷亡。不著錄。

《文選》陸士衡《答賈長淵詩》注、《太平御覽·皇王部》引《魏世譜》，無撰人名。

晉世譜　卷亡。不著錄。

《世說注·言語篇》、《政事篇》引《晉世譜》，無撰名。

漢尚書十卷　孔衍撰。不著錄。

見《唐志》。

後漢尚書六卷　孔衍撰。不著録。

見《唐志》。

魏尚書八卷　孔衍撰。梁十卷。

《唐志》作《後魏尚書》十四卷，"後"字誤增。《史通·内篇》曰："晉廣陵相魯國孔衍，以爲國史所以表言行，昭法式，至於人理常事，不足備列。乃删漢魏諸事，取其美□典言足爲龜鏡者，[①]定以篇第，纂成一家。由是有《漢尚書》、《後漢尚書》、《魏尚書》，凡爲二十六卷。"愚按《隋志》注云："《魏尚書》，梁十卷。"合兩漢十六卷，與《史通》正符。《新唐志》十四卷，"四"字亦誤增。

後漢尚書十四卷　張温撰。不著録。

見《舊唐志》。按《新唐志》載《後魏尚書》十四卷，與孔衍卷數不符，而與張温合。或後魏乃後漢之訛，而脱著温名。

魏晉世語十卷　晉襄陽令郭頒撰。

《魏志·三少帝紀》注引"正元二年，大將軍奉天子征毋邱儉。至項，儉既破，天子先還"，"臣松之檢諸書，都無此事。郭頒撰《魏晉世語》蹇乏，全無宮商，最爲鄙劣。以時有異事，故頗行於世，干寶、孫盛等多採其言以爲《晉書》，其中虛錯如此者，往往有之"。《劉放傳》注引放與孫資勸帝召宣王至京師事，《通鑑考異》曰："依郭頒《世語》。"《諸葛誕傳》注"黄初末，吳人發長沙王芮冢"事，《水經·湘水》注亦引之。《世説·方正篇》注："夏侯玄至廷尉事，孝標按郭頒西晉人，時世相近，爲《魏晉世語》，事多詳覈。"《賢媛篇》注："王經正直不出，因沈、業申意。孝標按傅暢、干寶所記，經實忠貞於魏，而《世語》既謂其正直，復云因沈、業申意，何其相反乎？"《魏志·三少帝

---

①　□，《二十五史補編》本作"行"，《四庫全書》本《史通》作"詞"。

紀》注、《通鑑考異》並引“經因沈、業申意”句。《舊唐志》作《魏晉代語》，避唐“世”字諱，《新唐志》作《代説》，“説”字誤。

漢末傳　卷亡。不著錄。

《北堂書鈔·武功部》：“蜀丞相亮出軍圍祁山，糧盡引去，張郃追之，伏弩射郃死。”《衣冠部》：“先主取成都，大會作樂，取劉璋所藏金玉寶玦賜功臣。”二事並引《漢末傳》，無撰名。愚按《太平御覽·兵部》引袁希之《漢表傳》三事，郭典爲鉅鹿太守，與董卓攻黄巾賊，[①]又費褘持節誘納降附，歲首行酒，被刺薨，又丞相亮圍祁山事。其載丞相圍祁山，與《書鈔》同，疑《漢表傳》即《漢末傳》。《唐志》袁希之《漢表》十卷，脱“傳”字。

魏末傳二卷　梁又有《魏末傳並魏氏大事》六卷，亡。

無撰名。《魏志·明紀》注引“明帝從文帝獵，詔使射鹿子”事，《藝文類聚·獸部》、《御覽·皇王部》、《皇親部》、《資産部》、《世説·言語篇》注俱引之，大同小異。《曹爽傳》注：“何晏婦金鄉公主，即晏同母妹。臣松之按《魏末傳》，此搢紳所不忍言，雖楚王之妻嫂，不是過也。設令此言出於舊史，猶將莫之或信，況底下之書乎？案諸王公傳，沛王出自杜夫人所生，晏母姓尹，公主若與沛王同生，焉得與晏同母。”《初學記·帝戚部》、《藝文類聚·儲宮部》、《御覽·皇親部》皆引金鄉公主事。《諸葛誕傳》注：“誕殺樂綝，表曰‘聖朝明臣，臣即魏臣。不明臣，臣即吳臣’諸語，臣松之以爲《魏末傳》所言，率皆鄙陋。”

晉諸公讚二十一卷　晉秘書監傅暢撰。

《晉書·傅暢傳》：“暢作《晉諸公叙讚》。”《魏志·三少帝紀》注：“王沈、王業將出，呼王經，經不從，曰：‘吾子行矣。’”《世説·賢媛篇》注謂傅暢、干寶二家所記，深得之。干寶《晉記》：“王

---

①　案此條《太平御覽》作《江表傳》，不著撰人姓名，下二條俱題袁希之《漢表傳》。又《人事部》錄此條亦作《江表傳》。

經正直,不忠於我,故誅之。"《通典·職官門》注:"汝南王亮爲大司馬,正旦大會,乘車入殿。"又:"陳騫爲大司馬,賜衮冕之服。"二事皆今《晉書》所闕。《水經·穀水》注都水使者陳狼鑿運渠事,題傅暢《晉書》。《左傳·莊公》正義:"司隸傅祇於王愷家得鳩鳥,奏燒於都街。"題《晉語諸公讚》,"語"字誤增。他書徵引,或稱傅暢《晉讚》,省"諸公"二字。《唐志》二十二卷。

晉後略記五卷　晉下邳太守荀綽撰。

《晉書·荀綽傳》:"綽撰《晉後書》十五篇。"《舊唐志》作《晉後略記》,《新唐志》作《晉後略》,皆五卷。《世説·賞譽篇》注:"劉漢以清識爲名。"《術解篇》注:"杜夔、荀勖定鍾律。"《水經·穀水》注:"陸機爲都督,敗於鹿苑。"《太平御覽·地部》:"張方圍京邑,決千金堰。"《皇親部》:"賈后詣金墉城,食金屑而死。"又:"賈后殺楊庶人,信妖巫,殯之,施諸厭勝。"又:"張后於武帝受禪,追尊爲太后。"《職官部》:"武含以母誨,辭常侍,爲吏部郎。"《服用部》:"張方兵入洛,割御室流蘇帳爲馬鞍。"《布帛部》同。《資產部》:"成都王圍京邑,城中賣死驢馬肉,雜人肉賣之。"《菜茹部》:"成都王圍京邑,城中以陳韭菜爲御膳。"共引《晉後略》十一事。《宋志》史鈔類荀綽《晉略》九卷。

王閎本事　卷亡。不著錄。

《太平御覽·人事部》:"閎爲瑯琊太守,張步欲誅之,閎墮車折齒,移病歸,遂得免。"

徐江州本事　卷亡。不著錄。

《世説·賞譽篇》注:"徐寧,字安期,初爲輿縣令,桓彝與結交,謂庾亮曰:'爲卿得一佳吏部郎。'累遷江州刺史。"

石崇本事　卷亡。不著錄。

《藝文類聚·服飾部》:"崇有珊瑚如意,長三尺二寸。"

晉書鈔三十卷　梁豫章内史張緬撰。

《梁書·張緬傳》：“緬鈔《晉書》眾家異同，爲《晉鈔》三十卷。”
《北齊書·宋顯傳》曰：“後魏時，張緬《晉書》未入國史。”《史
通·雜説》曰：“臧氏《晉書》稱苻堅之僭號也，雖疆宇狹於石
虎，至於人物則過之。張勔"勔"字疑誤。抄撮晉史，不求異同，
而備揭此言，不從沙汰。”《唐志》卷同。

宋中興伐逆事二卷

無撰名。《唐志》入故事類。

宋拾遺十卷　梁少府卿謝綽撰。

《史通·書事篇》曰：“謝綽拾沈約之遺。”《忤時篇》曰：“休文
所缺，荀綽裁其拾遺。”荀綽乃謝綽之訛。又《書志篇》“《百官》、《輿
服》，謝拾孟堅之遺”，乃言謝承、謝沈《後漢書志》，非言謝綽也。《唐志》作《宋
拾遺錄》。《初學記·地部》引：“張永開玄武湖，得新威斗。”
《職官部》：“太祖稱王華、王曇首、殷景仁、劉湛一時之秀，同
管喉舌。”《禮部》：“桓溫葬姑孰青山，平墳不爲封域。”《器物
部》：“戴明寶兒爲五色珠簾。”《服食部》：“王悦爲吏部郎，鄰
省有會同者遺悦餅一甌，不受。”《北堂書鈔·武功部》：“檀道
濟白服在軍，爲虜所憚。”《太平御覽·人事部》：“何尚之、顏
延年並短小似猴。”《禮儀部》：“太祖召顏延年，訪覓在酒肆。”
《病疾部》：“宗慤表言貧賤時，疾病，夢見童子青衣與王母符，
服之。”共引九事，作《宋拾遺記》。《唐六典》注千牛刀一事，作
《宋拾遺錄》。

左史六卷　李槩撰。

《唐志》同。

魏國統二十卷　梁祚撰。

《後魏書·儒林傳》：“梁祚撰并陳壽《三國志》，名曰《國統》。”
《世説·容止篇》注：“劉伶肆意放蕩，以宇宙爲狹。”《初學
記·人部》：“曹公敗於張繡，典韋力戰，大罵而死。”又：“山濤

在總角中，耆老見者，箕裾斂衽。”《文部》：“孫權夢北面頓首
於天帝，見人以筆點其額。”《太平御覽·兵部》：“孫權賜甘寧
酒米，寧以米賜帳下，酌酒，飲其都督，銜枚出斫敵。”《人事
部》：“顧雍諫孫權，以公孫淵未可信。”又：“黃權對文帝曰：
‘臣降吳不可，歸蜀無路，是以歸命。’”又：“太祖過故人伯奢，
道逢二人笑曰：‘觀君有奔懼之色。’”又：“崔州平兄元平，爲
議曹，以忠直稱。”又：“王昶戒兄子曰：‘救寒無如重裘，止謗
莫若自修。’”《四夷部》：“西夷有異犀，三角，以爲簪，消除凶
逆。”又：“西南夷有大湖名禁水，水中有物噴噴作聲，名曰鬼
彈。”又：“西南有夷名曰濮，重譯乃通。”共引梁祚《魏國統》十
三事。《新唐志》作《魏書國紀》，“書”字誤增，“紀”宜作“統”；
《舊唐志》作《國紀》，脱“魏”字，皆十卷，入編年類。《通志略》
作《魏國紀》，誤認爲後魏，遂與盧彦卿《後魏紀》、元行沖《魏
典》並列。

梁帝紀七卷

無撰名。按正史類有姚察《梁帝紀》七卷，此恐重出。

梁太清録八卷

《史通·雜説》注曰：“王褒、庾信等，事多見於裴政《梁太清實
録》。”《太平御覽·人事部》：“《梁太清實録》曰：‘中宗諱繹，
字世誠，聲若撞鍾，辯如河瀉。’”《舊唐志》：“《梁太清實録》八
卷。”《新唐志》十卷。並入實録類，無撰名。

梁末代記一卷

無撰名。《唐志》入編年類。

梁皇帝實録三卷　周興嗣撰。記武帝事。

《梁書·周興嗣傳》：“興嗣撰《皇帝實録》。”《唐志》二卷，入實
録類。

梁皇帝實録五卷　梁中書郎謝吳撰。記武帝事。

《唐志》入實録類。

棲鳳春秋五卷　臧嚴撰。

《唐志》入編年類。

史要十卷　漢桂陽太守魏颯撰。約《史記》要言，以類相從。

《唐志》作《史記要傳》，魏作衛。

典略八十九卷　魏郎中魚豢撰。

《舊唐志》五十卷。愚按魚豢《魏略》祇記曹魏，故以魏名。若《典略》所載，惟裴松之《國志注》、章懷《後漢書注》專引漢末及三國事，至《史記索隱》《蘇秦傳》。言蘇氏兄弟有蘇辟、蘇鵠，《初學記·地部》：“湯東觀洛，黄魚躍於壇。”《文部》：“端木賜對齊景公曰師仲尼。”《獸部》：“神馬河之精，代馬陰之精。”《藝文類聚·禮部》：“孔子習禮樹下，桓魋使人拔其樹。”《職官部》：“契爲司徒，百姓親和，夔主賓客，遠人畢至。”《雜文部》：“張儀爲檄，告楚相曰：‘吾不盗汝璧，我且盗汝城。’”《鳥部》：“鷰鳥者，神靈之精。”《北堂書鈔·帝王部》：“子陵俱卧耳。”又：“帝堯駕白馬。”《政術部》：“西門豹治鄴，董安于治晉陽。”《設官部》：“禹爲司空，定九州。”《文選·魏都賦》注：“浪井者，弗鑿而成。”《別賦》注：“衛夫人南子在錦帷中。”《太平御覽·地部》：“蘇秦下在窟中，説鬼谷泣下。”《兵部》：“蘇秦説韓王曰：‘韓強弓勁弩，皆射六百步外。’”《人事部》：“蘇秦説秦王，書十上而説不行。”《禮儀部》：“建武二十年，有司奏封禪，詔曰污七十二代編録。”又：“秦襄王母别葬杜東，漢有天下，宣帝於旁起陵邑。”《樂部》：“百里奚妻鼓瑟，爲搋伏雞之歌。”《服章部》：“項羽與沛公飲，范增舉佩玉示羽。”《工藝部》：“荆軻與魯句踐博爭道。”《布帛部》：“孔子至衛見南子。”《資産部》：“荆軻與高漸離爲友。”《獸部》：“兔者，明月之精。”《藥部》：“白丹者，山陵之精。”此類紀載既廣，體裁亦雜，與

《魏略》斷代爲書者，一爲正史，一爲雜史。《隋志》闕著《魏略》，《新唐志》闕著《典略》，惟《舊唐志》兼載之。明人《續太平廣記》誤以唐邱悦《三國典略》邱悦三國乃關中、鄴都、江南，非魏、蜀、吳三國也。合之魚豢，近杭大宗《諸史然疑》又誤以《魏略》、《典略》爲一書。

史漢　一本作《史記》。**要集二卷**　晉祠部郎王蔑撰。抄《史記》，入《春秋》者不録。

《唐志》同。

三史略二十九卷　吳太子太傅張温撰。

《唐志》作《三史要略》三十卷。

史記正傳九卷　張瑩撰。

《唐志》同。

後漢略二十五卷　張緬撰。

《唐志》作《後漢書略》二十五卷，編年類又有緬《後漢略》二十七卷，自是重出。《太平御覽・州郡部》："閬州古有隆城堅險，因置隆州。尋又立盤龍郡，以郡中盤龍山爲名。"此題《後漢要略》，一作"後魏"，"魏"字疑誤。① 《人事部》："馬騰，扶風馬援後也。長八尺餘，身體洪大，而性質厚，人多敬之。"此題《後漢典略》，皆不著張緬名。

漢皇德記三十卷　漢有道徵士侯瑾撰。起光武，至沖帝。

《後漢書・文苑傳》："侯瑾案《漢記》，撰中興以後行事，爲《皇德傳》三十篇。"《宋書・大且渠傳》："元嘉十四年，茂虔表獻《漢皇德傳》二十五卷。"《太平御覽・皇王部》："安帝崩，北鄉侯即尊位。十月，北鄉薨。未即帝位，不成君，故以王禮葬。"《人事部》："蓋晉，敦煌人。天性皎潔，自小不過人飯，傭書得錢，足供而已，不取其餘。"《禮儀部》："章帝遣使者奉太牢，祠

---

①　"誤"，原脱，據《二十五史補編》本補。

唐堯於陽城雲臺。"《獸部》:"世祖遣鄧禹西征,送之於道,既返,因於野田獵。路見二老翁,即禽並西,指言此中多虎,大王勿往也。"四事引《漢皇德傳》。又《資産部》:"侯瑾,字子瑜,敦煌人。少孤貧,恒傭作爲資,暮輒燕薪讀書。"此稱《漢皇德頌》。《唐志》入編年類。

洞記四卷　韋昭撰。記庖羲以來,至漢建安二十七年。

《吳志·韋曜傳》:"曜上辭曰:'昔見世間有《古曆注》,其所紀載,既多虛無,在書籍者,亦復錯謬,因尋按傳記,考合異同,採摭耳目所及,以作《洞紀》,起於庖羲,至於秦漢,凡爲三卷。當起黃武以來,別作一卷,事尚未成。'"《史通·內篇》曰:"若諸子小説、編年雜記,如韋昭《洞紀》,陶弘景《帝代年曆》,皆因表而作,用成其書。"陸德明《莊子·説劍篇》釋文周赧王十七年、趙惠王之元年,《初學記·樂部》、《北堂書鈔·樂部》:"紂無道,比干極諫,知必死,作秣馬金闕之歌。"《太平御覽·皇王部》:"自天地剖判,君人宰世,可得而言者,惟庖犧畫卦,神農作稼,黃帝輿服,最爲昭顯,其餘非書記所述,難可紀焉。"又:"天皇十二頭,一姓十二人。古人質,以頭爲數,猶鳥獸以頭計也。"[1]"地皇十二頭。"並引韋昭《洞記》又作《洞曆記》。《開元占經》引十八事,皆紀周漢日蝕、星變事。《唐志》卷同。

帝王年曆五卷　陶弘景撰。不著錄。

見《唐志》。

帝王世紀十卷　皇甫謐撰。起三皇,盡漢魏。

《晉書·皇甫謐傳》:"謐撰《帝王世紀》。"《尚書·堯典》正義曰:"《晉書·皇甫謐傳》云:'姑子外弟梁柳得《古文尚書》,故作《帝王世紀》,往往載孔傳五十八篇之《書》。'"今《晉書·謐傳》無

---

[1]　案此條《太平御覽》作《洞真記》,不著撰人姓名。

此語,當是《逸晉書》。《玉海》書目曰:"晉正始初安定,皇甫謐以《漢紀》殘缺,博案經傳,旁觀百家,著《帝王世紀》並《年曆》,合十二篇。起太昊帝,訖漢獻帝。"①《史通·論贊篇》曰:"皇甫謐、葛洪,列具所號。"《續漢志注》云:"蔡邕分星次與皇甫謐不同,謐所列在《郡國志》。"《史記索隱》《五帝紀》。云:"皇甫謐號玄晏先生,今所引者,是其所作《帝王代紀》也。"又云:《補三皇紀》。"按神農之後,凡八代事,見《帝王代記》及《古史》。②然古典亡矣,譙、謂譙周。皇二氏,皆前代博聞君子,考按古書,而爲此説,豈至今鑿空乎?"愚按《周易·繫辭》正義引謐《紀》太皞、神農、黃帝、少皞、帝嚳、堯、舜事,《禮記正義》、《初學記·帝王部》、《藝文類聚·帝王部》並引之,而《太平御覽·皇王部》所引尤詳。《左傳·昭公》正義引窮桑少皞之號神農本起烈山。其言放勳、重華、文命爲堯、舜、禹名,《尚書正義》從之。惟取《易》卦以制象九事,謐皆以爲黃帝之功。《易正義》云:"若如所論,則堯、舜無事《易繫》,何須連言?則皇甫之言未可用也。"《藝文類聚·職官部》:"穆王命伯冏,冏,古冏字。爲太僕,今《尚書·君牙》《伯冏》二篇是也。"此與《書序》不同。《書序》:"命君牙爲大司徒,作《君牙》。命伯冏爲周大僕正,作《冏命》。"《後漢書·野王二老傳》注:"鳴條之地,謐謂孔安國《書注》之説爲近。"《御覽·州郡部》載謐所記都邑,其書徵引《春秋傳》、《世本》、《戰國策》、《國語》、《秦本紀》、《漢地理志》,體裁主於考證。若仲丁徙囂、河亶甲居相、祖乙圮於耿,謐皆用《書序》至葛伯仇餉,初征自葛,則稱"古文《仲虺之誥》"。又謐言封帝摯於高辛氏,本於東海衛宏所傳。二語見《御覽·皇親部》。衛宏從杜林受

---

① 案此條著録於《玉海·藝文》。

② "古史",《二十五史補編》本同,《四庫全書》本《史記索隱》作"古史考"。

《古文尚書》，謐得其傳，則不徒資諸梁柳矣。篇終論贊稱：玄晏先生曰"羈勒英雄，鞭驅天下"，乃《漢高論贊》。"平暴反正，遂建中興"，乃《光武論贊》。二事見《御覽·皇王部》，列玄晏號。是可與《史通》相證。《初學記·帝王部》引魏武進爵，魏文受禪，《御覽·皇王部》引高貴鄉公爲成濟所害，陳留王就國治鄴，正符《隋志》"盡漢魏"之語。宋人書目謂訖漢獻帝，誤也。《唐志》卷同。《宋志》九卷，入編年類。考《御覽》諸書所引，似謐《記》乃分類爲篇，體裁惟在博考，故《隋》、《唐志》並入雜史，《宋志》恐誤。《後魏書·元延明傳》稱延明注《帝王世紀》，前《志》未見著録。

年曆六卷　皇甫謐撰。不著録。

見《唐志》。《藝文類聚·天部》："日者，眾陽之宗，陽精外發，故日以晝明，名曰曜靈。""月，羣陰之宗，光内日影以宵曜，名曰夜光。"二事引皇甫謐《年曆》。《太平御覽·天部》同。

帝王本紀十卷　來奧撰。

《唐志》同。按《玉海》引沈約《謐例序》曰："吳興人乘奧，撰《帝王世紀》，其一篇是《謐法》。"今代所異者，又曰"采乘奧《帝王世紀·謐法篇》之異者"以爲書。《隋》、《唐志》皆作來奧《本紀》，未識孰是。奧書有《謐法篇》，則亦分類爲篇也。

續帝王世紀十卷　何茂材撰。

《舊唐志》作何集，《新唐志》作何茂林。《太平御覽·兵部》："慕容超與晉人戰於臨洺，大敗，其將封融奔晉。"《人事部》："張天錫疾篤，二姬自殺，錫葬以夫人禮。"二事引何集《續帝王世紀》。

帝王要略十二卷　環濟撰。紀帝王及天官、地理、喪服。

《唐志》同。按《文選·別賦》注："間色有五：紺、紅、縹、紫、流黃也。"《御覽·布帛部》引此二句。上又有"正色有五，青、赤、黃、白、黑也"。潘安仁《爲賈謐贈陸機詩》注："韠以象裳色。"《御覽·服章部》云："凡韍以韋爲之，以象裳色，增以畫文。夏山取仁可依，殷火取其光明，周龍章取其變化。"《陳太邱碑》注："侍中，古官。風后爲黄帝侍中，周時號曰常伯，秦復古。"《左傳·昭公》正義："自營爲厶，八厶爲公，言正無私也。大夫者，夫之言扶也，大能扶成人也。士者事也，言能理庶事也。"並引環濟《要略》。無"帝王"二字。《初學記·職官部》、《武功部》、《北堂書鈔·封爵部》、《設官部》，諸書徵引，皆記官爵、服章。至帝王、地理所紀，未見逸句。又按《隋志》經部禮類有環濟《喪服要略》一卷，雖此書分篇，必别有單行本，故入經部，非重出也。

周載八卷　東晉臨賀太守孟儀撰。略記前代，下至秦。本三十卷，今亡。

《唐志》作孟儀《注周載》三十卷，陸游《南唐書》曰："後主嘗得《周載》，江東初無此書，人無知者，以訪徐鍇，一一條對，無所遺忘。"《初學記·人事部》："衛靈公與夫人夜坐，有車當闕無聲，夫人曰：'必蘧伯玉也。'公使問之，果是。"《太平御覽·人事部》："薄疑者，衛之居士也。衛嗣君延之以爲相，辭曰：'疑之母與疑議家事，既定，又決之所幸蔡嫗，故事多不就。今人主皆有蔡嫗，安得不敗？'君曰：'寡人聞命。'遂相之，委以政事。"又："悼公時，晉智伯欲謀襲衛，乃遺衛君野馬四、白璧一，以結好。"共引孟儀《周載》三事。

漢書鈔三十卷　晉散騎常侍葛洪撰。

《唐志》同。《西京雜記序》曰："洪家世有劉子駿《漢書》一百卷，無首尾，題目但以甲乙丙丁紀其卷數。"

史記鈔十四卷　葛洪撰。不著録。

見《唐志》。

後漢書鈔三十卷　葛洪撰。不著録。

見《唐志》。

拾遺録三卷　僞秦姚萇方士王子年撰。

《唐志》同。

王子年拾遺記十卷 _{蕭綺撰。}

《唐志》作蕭綺録。今存。

華夷帝王世紀三十卷 _{楊曄撰。}

《唐志》三十七卷。

正史削繁九十四卷 _{阮孝緒撰。}

《顏氏家訓·書證篇》曰:"《正史削繁音義》音蒜顆爲苦戈反。"《唐志》惟十四卷。

童悟十二卷

無撰名。《唐志》十三卷,入儀注類。

合史二十卷 _{蕭肅撰。不著録。}

見《新唐志》,又《録》一卷。《舊唐志》脱撰名。

關東風俗傳六十三卷 _{宋孝王撰。不著録。}

見《唐志》。《北齊書·循吏傳》:"宋世良從子孝王,求入文林館,不遂,因非毁朝士,撰《別録》二十卷。會齊平,改爲《關東風俗傳》,更廣見聞,勒成三十卷,上之。言多妄謬,篇第冗雜,無著述體。"《史通·書志篇》曰:"宋孝王《關東風俗傳》有《墳籍志》,其所録,皆鄴下文儒之士,讎校之司。所列書名,惟取當時撰著。"《通典·食貨門》載"北齊時,授田無法,宋世良天保中獻書,請以富家牛地先給貧人",又"豪族種類不同,心意亦異,宋世良獻書,請令散配郡國無士族之處"二事。《唐六典》注"宋孝王問先達司馬膺之後魏、北齊赦日建金雞事"。並引《關東風俗傳》。

先聖本紀十卷 _{劉綰撰。}

《南史·劉昭傳》:"昭子綰著《先聖本紀》十卷。"《太平御覽·

人事部》：“伊尹耕於有莘之野，王馳往見之。彭氏子諫曰：
‘君無辱車乘。’王黜彭氏子。”又《木部》：“許由欲觀帝意，曰
余坐華堂，森然有松生於户，雲生於牖。”《藝文類聚·木部》亦見。
並引《先聖本紀》。《文選·王文憲集序》、《馬汧督誄》、《竟陵
王行狀》，注引“子産治鄭三十年，[1]卒，國人哭於巷，婦人哭於
機”一事，作劉紹《聖賢本紀》。

年曆帝紀三十卷　姚恭撰。

《唐志》二十六卷。

帝録十卷　諸葛耽撰。不著録。

見《新唐志》。《舊志》作諸葛忱。

乘輿飛龍記二卷　鮑衡卿撰。不著録。

見《唐志》。《南史·梁鮑泉傳》：“時有鮑行卿，以博學大才，
稱撰《乘輿飛龍記》二卷。”《舊唐志》入編年類，《新唐志》入雜
史類，並作鮑衡卿。

歷代記三十二卷

無撰名。《唐志》作庾和之撰，三十卷。《北堂書鈔·天部》：
“石遵襲位，鄴中暴風震雷，雨雹如斗，金石皆消。”《御覽·天部》、
《咎徵部》同。《太平御覽·地部》：“吳建衡二年，有神人乘白鹿，
從山出，因名神人山。”二事並引《歷代記》。

隋書六十卷　未成。秘書監王劭撰。

《北史·王劭傳》：“劭在著作將二十年，專典國史，撰《隋書》
八十卷，多録口勅，又採迂怪不經之語，及委巷之言，以類相
從。爲其題目詞義繁雜，無足稱者，遂使隋代文武名臣列將

_____

① “三十”，《二十五史補編》本同，《文選》胡刻本《王文憲集序》與《齊竟陵文宣王
行狀》注俱作“二十”，《文選六臣注》同，當據改。

善惡之迹湮没無聞。"《隋書·王劭傳》同。《史通·內篇》曰："劭録
開皇、仁壽時事，編而次之，以類相從，各爲其目，勒成《隋書》
八十卷。尋其義例，皆準《尚書》。"又曰："君懋《隋書》雖欲祖
述商、周，憲章虞夏，觀其體制，乃似孔氏《家語》、臨川《世
説》，可謂畫虎不成反類犬也。"宋天聖二年《校隋書序》曰：
"《隋書》自王劭以類爲篇，至於編年紀傳，並闕其傳。"

隋經籍志考證卷四

霸史《唐志》作僞史。　《史通·因習篇》曰："當晉宅江淮，實膺正朔，嫉彼羣雄，稱爲僭盜，故阮氏《七錄》，以田、范、裴、段諸史，劉、石、苻、姚等書，別創一名，題爲《僞史》。及隋氏受命，海內爲家，國靡愛憎，人無彼我，而世有撰《隋書·經籍志》者，其流別羣書，還同阮《錄》。按國之有僞，其來尚矣。如杜宇作帝，勾踐稱王。孫權建鼎峙之業，蕭詧爲附庸之主。而揚雄撰《蜀記》，子貢著《越絕》。虞裁《江表傳》，蔡述《後梁史》。考斯眾作，咸是僞書，自可類聚相從，合成一部。何止取東晉，十有六家而已乎？"

趙書十卷　一曰《二石集》，記石勒事。僞燕太傅長史田融撰。

《史通·外篇》曰："後趙石勒，命其臣徐光、宗曆、傅暢、鄭愔等撰《上黨國記》、《起居注》，《晉書·石勒載記》曰："命記室佐明楷、程機撰《上黨國記》，中大夫傅彪、賈蒲、江軌撰《大將軍起居注》，石泰、石同、石謙、孔隆撰《大單于志》。"趙書其後。又令王蘭、陳晏、程陰、徐機等相次撰述。至石虎，並令刊削，使勒功業不傳。其後燕太傅長史田融、宋尚書庫部郎郭仲產、北中郎參軍王度，追撰二石事，集爲《鄴都記》、《趙記》等書。"又《雜說》注曰："田融趙史謂勒爲前石，虎爲後石。"愚按《開元占經》載："前石時，有星隕魏郡鄴縣。"又："前石時，臨涇縣馬生角。"又："前石時，安定太守上言，蛇與鼠鬭於郡門。"《北堂書鈔·禮儀部》："前石有佛圖澄，號曰大和尚，道法大行。"《太平御覽·人事部》："前石數游獵，每亟馳騁。主簿程琅諫，前石馳逐自若。草間有瓦木，馳馬逐之，馬即死，前石亦危殆。"又云："石肇，前石之昆弟也。前石既貴，肇在軍中，人送詣前石，前石哀之，拜建威將軍。"《刑法部》："後石率精騎五千襲趙續，一戰擒續。"又《車部》："後石遠獵，車千乘，轅長三尺。"《布帛部》："前石死，大

臣子弟六十人爲挽郎,引錦一疋。"《咎徵部》:"前石時,有婦
人震死,瘞之三日,霹靂重出之。"《虫豸部》:"前石時,白羌婦
産卵大如盂。"並引《趙書》,皆稱前石、後石。其稱石勒、石虎者,當
是徵引所改,今不採。《一切經音義》曰:"麥麨,諸書所無,惟《趙
書》有人姓姚名麨,作此字也。"《唐志》作田融《趙石記》二十
卷,又《二石記》二十卷。《舊唐志》入編年類。

二石傳二卷 晉北中郎參軍王度撰。

《新唐志》:"王度、隨翩《二石僞事》六卷、《二石書》十卷。"

二石僞治時事二卷 王度撰。

《開元占經》:"石混説,建武時,有馬四目録著殿中,[1]十餘日
哭去,[2]不知所在。"《太平御覽·兵部》:"郭權降石虎,虎曰:
'卿健將也。'因與共言事。"又:"劉曜攻金墉城,石勒軍卒至,
交戰擒曜。"又:"石虎攻中山,得鄭略之妹爲妾,鄭讒崔氏,虎
射崔,中腰而覆。"《禮儀部》:"佛圖澄死終年,冉閔開棺視之,
惟杖鉢存焉。"《服用部》、《器物部》同。《羽族部》:"石混降,説鄴中
有鳳凰將九雛,[3]在延明門外石西道。"共六事,作《二石僞
事》。省"治時"二字。《北堂書鈔·儀飾部》:"石虎二年,遷都鄴,
宮照一大鏡,不見頭。"又:"佛圖澄死後,開棺惟見金杖。"二
事作《二石遺事》。

漢之書十卷 常璩撰。

《顔氏家訓·書證篇》曰:"《蜀李書》一名《漢之書》。"《史通·
外篇》曰:"蜀初號曰成,後改稱漢。李勢散騎常侍常璩撰《漢
書》十卷,後入晉祕閣,改爲《蜀李書》。"陸氏《經典釋文·序

---

① "録",《二十五史補編》本同,《四庫全書》本《開元占經》作"緊"。

② "哭",《二十五史補編》本同,《四庫全書》本《開元占經》作"突"。

③ "石混降説",《太平御覽》無此四字,宋吴淑《事類賦·禽部》同。

録》：“蜀才姓范，名長生，一名賢。隱居青城山，自號蜀才。李雄以爲丞相。”《藝文類聚·鳥部》：“武皇帝雄泰成三年，白烏赤足來翔，范賢曰：‘必有遠人懷惠。’果關中流民請降。”《太平御覽·人事部》：“賈夷，字景叔，梓潼人。少仕晉，中原喪亂，歸國。武帝素聞夷名重，皇子雅生，因名賈夷。”又：“武帝雄，字仲雋，相工相之曰：‘位必過三公不疑。’有劉化者，道術士也。每語鄉里，李仲雋有大貴之表，終爲人主也。”又：“武帝母方娠，夢雙蛇自門升天，一蛇斷。”《珍寶部》：“武帝諸將進金銀，或以得官，楊褒諫，帝謝之。”《咎徵部》：“哀帝即位，有白氣一道帶天，望氣者言宮中有伏兵。”共七事，皆稱《蜀李書》。《新唐志》有《蜀李書》九卷，《舊志》入編年類。又有《漢之書》十卷，重出。

華陽國志十二卷　常璩撰。

今存。

燕書二十卷　記慕容儁事。僞燕尚書范亨撰。

《史通·外篇》曰：“前燕有《起居注》，杜輔全錄以爲《燕紀》。後燕建興元年，董統受詔草創《後書》，著本紀，並佐命功臣王公列傳，合三十卷。慕容垂稱其叙事富贍，足成一家之言。但褒述過美，有愧董史之直。其後申秀、范亨各取前、後二《燕》，合成一史。”《水經·河水》注引《燕書》：“太子寶自河西還師參合，三軍奔潰。”《濁漳水》注：“王猛與慕容評相遇於潞川，評障固山泉，鬻水軍，入絹匹，水一石。”《灅水》注：“建興十年，慕容垂自河西還，築燕昌城。”共三事。《通鑑考異》所引《燕書》有《武宣記》、《文明記》、《征虜仁傳》、《慕容翰傳》，《太平御覽·天部》所引有《烈祖後記》，此其分篇之可見者。其不題紀傳者不取。又《御覽·人事部》云：“烈祖崩，晉人喜曰：‘中原可圖矣。’桓溫曰：‘慕容恪尚在，其憂方重耳。’”《史通》

稱《三十國春秋》載此言,不知《燕書》同載之。《唐志》、《宋志》皆二十卷。《舊唐志》入編年類,誤。

南燕録五卷　記慕容德事。僞燕尚書郎張詮撰。

《北堂書鈔·地理部》:"慕容德時,王瓚得古銅鐘四枚,獻之,賜爵關內侯。"《太平寰宇記·河南道》:"慕容德以潘聰爲徐州刺史,鎮莒城。又以桓遵爲徐州刺史,亦理此。宋武北伐,遵舉城降。"二事並引《南燕録》。《初學記·職官部》:"慕容德以封嵩、韓諑爲僕射,以嵩弟融、諑弟軌爲中郎將。"《御覽·人事部》:"慕容納沈靜深邃,外訥內敏。"二事並作張詮《南燕書》。《唐志》作張銓《南燕書》十卷,《舊唐志》入編年類。

南燕録六卷　記慕容德事。僞燕中書郎王景暉撰。

《初學記·地部》:"王景暉《南燕書》曰:'姚秦皇初三年,歲在丁酉,於長安渭濱得赤璽,上有文字,曰天命燕德。'"《新唐志》作景暉《南燕録》,《舊唐志》作景暄,入編年類。《史通·外篇》曰:"南燕有趙郡王景暉,嘗事德超,撰二燕《起居注》。超亡,事於馮氏,官至中書令,乃撰《南燕録》六卷。"

燕志十卷　記馮跋事。魏侍中高閭撰。

《初學記·居處部》:"慕容熙造逍遥宮。"《太平御覽·天部》:"太平十五年,自春不雨,至於五月,有司奏右部王苟妻產妖,乃暴苟妻於社,大雨普洽。"《兵部》:"光始五年,慕容熙與苻后征高麗,爲衝車馳道以攻之。"《人事部》:"李陵君長谷之東,[1]先生與高雲遊謙往來,[2]每憩其家,陵與妻王氏每夜自齎酒饌而至。"三事引高閭《燕志》。《新唐志》同。《舊唐志》編

---

① "君",《二十五史補編》本同,《太平御覽》作"居"。

② "生",《二十五史補編》本同,《太平御覽》作"主"。

年類有《燕志》十卷，無撰名。

秦記十一卷　宋殿中將軍裴景仁撰，梁雍州主簿席惠明注。

《宋書·沈曇慶傳》：“裴景仁助戍彭城，本偓人，多悉戎荒事，曇慶使撰《秦記》十卷，敘苻氏本末，其書傳於世。”《史通·叙事篇》曰：“按裴景仁《秦記》稱苻堅方食，撫盤而詬。王劭《齊志》述受紇洛干感恩，脫帽而謝。及彥鸞撰以新史，重規刪其舊録，乃易撫盤以推案，變脫帽爲免冠。夫近世通無案食，羌俗不施冠冕，直以事不類古，改從雅言，欲學者何以考時俗之不同，察古今之有異？”又《外篇》曰：“河東裴景仁正車頻《秦書》訛僻，刪爲《秦記》十一篇。”《世説·排調篇》注：“苻朗降謝玄，用爲散騎侍郎，善識味，著《苻子》數十篇，蓋老、莊之流也。”《太平御覽·人事部》：“姚萇圍苻堅，遣僕射尹緯詣闕陳事，堅曰：‘卿宰相才也。’”二事題裴景仁《秦書》。《初學記·地部》：“苻健至長安，賈元等上尊號，設壇城南渭水之陽。”又：“苻健皇始四年，山雞來入人家栖宿，養子而去。”《御覽·地部》：“皇始五年，鳳凰降渭濱。”三事題裴景仁《苻書》。《御覽·人事部》：“苻堅幸太學，博士盧壼曰：[①]‘韋逞母宋傳其父業，得《周官音義》，可授後生。’於是就宋立講室，隔紗幔而授業焉。”《初學記·人部》同。此作景仁《前秦記》。《藝文類聚·人部》：“苻堅祖洪見堅狀貌，欲令頭堅腹軟，字之曰堅頭。”《草部》：“苻洪之先居武都，家生蒲，長五丈，狀如竹，咸異之，謂之蒲家，因以氏焉。洪後以讖文改姓苻氏。”《木部》：“初，長安謠云：‘鳳凰止阿房。’至慕容冲入阿房而居焉，冲小字鳳凰。”《服飾部》韋逞母授經事，並題《秦記》，不著景仁名。《御覽·人事部》：“邵宏言稱名稱字之法。”又：“司馬勳殺趙琨而

---

① “盧壼”，原誤作“盧壺”，據《二十五史補編》本改正。

棄其尸，琨子瓊求父尸不得，有羣鳥悲鳴，尋鳥向山而得父尸。”又：“姚萇大破苻登，置酒高會，曰：‘吾不如王兄者四。’”又：“桓溫問楊亮曰：‘姚襄何如人？’答曰：‘天下傑也。’”《服章部》：“皇始四年，新平縣有長人見。”《工藝部》：“呂光破龜茲，獲鳩摩羅什。”《飲食部》：“苻朗善別味。”共七事，亦引《秦記》，不著撰名。姚和都亦撰《秦紀》，字從“系”，景仁《記》從“言”。諸書徵引不著景仁名者，皆作《記》。自係景仁之書，且韋逞母授經、苻朗別味二事，與著景仁名所紀正同。《舊唐志》“席惠明”作“杜惠明”，入編年類。《新唐志》亦作“杜”，入偽史類。

秦紀十卷　記姚萇事。魏左民尚書姚和都撰。

《史通·外篇》曰：“後秦扶風馬僧虔、河東衛隆景並著《秦史》。及姚氏之滅，殘缺者多。泓從弟和都，仕魏爲左民尚書，又追撰《秦紀》十卷。”

涼記八卷　記張軌事。偽燕右僕射張諮撰。

《唐志》十卷。《舊志》“張諮”作“張證”。《史通·外篇》曰：“前涼張駿十五年，命其西曹邊瀏集内外事，以付秀才索綏，作《涼國春秋》五十卷。又張重華護軍參軍劉慶在東莞專修國史二十餘年，著《涼記》十二卷。”《世說·言語篇》注引張天錫二事，作張資《涼州記》。愚按《涼國春秋》，《隋》、《唐志》皆不著録；張諮《涼記》，《史通》亦闕載。

涼書十卷　記張軌事。偽涼大將軍從事中郎劉景撰。

《後魏書·劉昞傳》：“昞著《涼書》十卷。”昞，《隋志》作“景”，避唐嫌名。《史通·外篇》曰：“建康太守索暉、從事中郎劉昞各著《涼書》。”

西河記二卷　記張重華事。晉侍御史喻歸撰。

《元和姓纂》曰：“東晉有喻歸撰《西河記》三卷。”《廣韻》作“二卷”，“喻”作“諭”。《唐志》闕撰名。《初學記·州郡部》：“姑藏匈奴，故曰蓋臧城也。城不方有頭尾兩翅，名蓋烏城。"《太平御覽‧州郡部》："洪洞縣地固重複，控據要險，故曰洪洞焉。"《羽族部》："涼州罪人將刑，有白雉鳩飛於人邊，長鳴伏地，刺史張義免其坐。"《鱗介部》："張駿立謙光殿，成，後池水中有五龍見，水通變綠色。"《布帛部》："西河無蠶桑，婦女著碧襴裙上加細布裳。"《北堂書鈔‧衣冠部》亦引之。

秦書三卷　秦馮翊車頻撰。不著錄。

《史通‧外篇》曰："前秦史官初有趙淵、車敬、梁熙、韋譚相繼著述，苻堅嘗取而觀之，見苟太后幸孝威事，怒而焚之，滅其本。後著作郎董誼追錄舊語，十不一存。及宋武帝入關，曾訪秦國事，又命梁州刺史吉翰訪諸仇池，並無所獲。先是秦祕書郎趙整參撰國史，值秦滅，隱於商洛山，著書不輟。有馮翊車頻助其經費，整卒，翰乃啟頻纂成其書，以元嘉九年起至二十八年方罷，定爲三卷。而年月失次，首尾不倫。"《世說‧識鑒篇》注引"苻堅本姓蒲，祖父洪詐稱讖文，改曰苻"，與裴景仁《秦記》同，而增"詐稱"。《書法》："苻堅背赤色，隱起若篆文。《御覽‧人事部》亦引之。堅六歲戲於路，司隸徐正見而異焉。"《御覽‧人事部》作"徐統"。《賞譽篇》注："釋道安爲慕容晉所掠，竺法汰渡江至揚土。"《水經‧渭水》注："苻堅建元十四年，高陸縣民穿井得龜，大二尺六寸。"《濟水》注："苻堅時沙門築僧朗從隱士張巨和遊。"《北堂書鈔‧武功部》："苻登刻兜鍪作死休字，示士必死爲度，故戰所向無前。"又："苻萇圍襄陽，作飛雲車攻城，克之。"二事《御覽‧兵部》引同。"苻堅立有黃雲五色迴繞臺觀，時以爲景雲。"《御覽‧天部》曰："時以爲瑞，賜民酺五日。"《初學記‧武功部》："苻堅使熊邈造金銀細縷鎧金，爲縱以縲之。"《藝文類聚‧山部》："慕容評拒王猛，恒賣水與軍人，眾思爲亂，猛因敗之。"《人部》："苻堅時，民歌曰：'長安大街,兩邊種槐。'"《開元占經》載苻生壽光三年,苻堅建元八年、九年星變,並引車頻《秦書》。"頻"或作"穎"。《太平御覽》引十九事。

涼記十卷 _{記呂光事。僞涼著作佐郎段龜龍撰。}

《史通·外篇》曰:"段龜龍記呂氏。"《唐志》十卷。《初學記·人部》:"呂纂遊獵,侍御史王回控馬諫。"《政理部》:"呂光時,敦煌太守獻同心梨。"《武部》:"咸寧三年,發張駿陵,得鞭,飾以珊瑚。"引段龜龍《涼記》三事。或作《西涼記》,或作《涼州記》。《藝文類聚》諸書所引亦或作《涼州記》。

涼書十卷 _{高道讓撰。}

《後魏書·高謙之傳》:"謙之字道讓,以父舅氏沮渠蒙遜曾據涼土,國書漏闕,謙之乃修《涼書》十卷。"

涼書十卷 _{沮渠國史。}

《宋書·大且渠傳》:"元嘉十四年,茂虔表獻《涼書》十卷。"《史通·外篇》曰:"宗欽記沮渠氏。"

拓拔涼錄十卷

無撰名。《舊唐志》入編年類,《史通·外篇》曰:"失名記秃髮氏。"

敦煌實錄十卷 _{劉景撰。}

《宋書·大且渠傳》:"元嘉十四年,茂虔表獻《敦煌實錄》十卷。"《後魏書·劉昞傳》:"昞著《敦煌實錄》二十卷。"《史通·論贊篇》曰:"劉昞曰奏。"《雜述篇》曰:"郡書如常璩之詳審,劉昞之該博,能傳不朽,見美來裔。"又《外篇》曰:"敦煌僻處西域,求諸人物,自古闕載。既而劉昞裁書,則磊落英才,粲然盈矚。"《續漢·五行志》注:"張衡《對策》曰:'水者,五行之首,滯而逆流者,君恩不下逮而教逆也。'"又:"嘉平元年,蛇長六尺,夜於御前當軒而坐。"《白帖》卷三十一:"有盜發王禁家,見禁與人樗蒲,賜盜者飲。"《太平寰宇記》:"涼州牧李暠微服出城,逢一虎在道邊,遙呼暠爲西涼君。"《太平御覽·兵部》:"宋質直破虜,有威名,兒啼,恐之即止。"《人事部》:"汜洔博學善屬文,弱冠,屢陳損益。"又:"董巽有才,太守京兆諒舉巽功曹。諒卒,巽送喪遇寇,叩頭救請。"又:"索苞征伐克敵,勇冠三軍。"《宗親部》:"汜固推家財百萬與寡弟婦,二百萬與兄子。"《樂部》:"索承宗、伯夷成善鼓瑟悲歌,時人號曰'雍門周'。"《資産部》:"張存善針,存有奴好逃亡,存宿行針縮奴腳,欲使則針解之。"《羽族部》:"侯瑾字子瑜,解鳥語。"《太平廣記·夢類》載:"張駿夢一人鬢眉皓白,自稱子瑜。""索充夢一虜脫上衣來詣充。""宋桶夢一人著衣桶,一手把兩杖,極打之。"共引《敦煌實錄》十六事。《唐志》二十卷,《舊唐志》入雜傳類。

十六國春秋一百卷　魏崔鴻撰。

今存明人輯本,卷數同。

戰國春秋二十卷　李槩撰。

古史類已見,此重出。

漢趙記十卷　和苞撰。

《史通·外篇》曰:"前趙劉聰時,領左國史公師淵撰《高祖本紀》及功臣傳二十人,甚得良史之體。凌修譖其訕謗先帝,聰怒而誅之。劉曜時,平輿子和苞撰《漢趙記》十篇,事止當年,不終曜滅。"又《忤時篇》曰:"劉、石僭號,方策委於和、張。"張名未詳。《初學記·居處部》:"劉聰嘉平三年,陳元達極諫,聰怒,將斬之,元達叫曰:'臣所言者,社稷之計。'聰免之。於是易李中堂爲愧賢堂。"《太平御覽·兵部》:"麟嘉三年,太子粲討趙同、郭默於洛陽。光初二年,石勒造攻車飛梯攻平陽小城,今上擊之,勒師潰。"《人事部》:"今上殺梁緯,緯妻辛氏乞

就辟有司，以事地下舅姑，上曰貞婦也。”又：“王廣女爲父報
讎，自殺。”又：“隴上語曰：‘隴上壯士有陳安。’”《禮儀部》：
“盜發上洛男子張盧冢，盧得蘇。”共引和苞《漢趙記》七事。
愚按苞稱劉聰名，稱曜爲今上，粲爲太子，是其史例。《唐志》
十四卷。《舊唐志》入編年類。

天啟紀十卷　記梁元帝子諝據湘州事。

《唐志》作守節先生《天啟記》。《舊唐志》入編年類。

鄴洛鼎峙記十卷　不著録。

見《唐志》，無撰名。《舊唐志》入編年類。《太平御覽·宗親
部》：“盧道虔後妻元氏升堂講老子《道德經》，虔弟元明隔紗
帷以聽之。”此引《鄴洛鼎峙記》。

苻朝雜記一卷　田融撰。不著録。

見《新唐志》。

隋經籍志考證卷五

起居注

穆天子傳六卷 <small>汲冢書，郭璞注。</small>

今存。

漢獻帝起居注五卷

無撰名。《魏志·武紀》注、《文紀》注、《董卓傳》、《邴原傳》注，《蜀志·先主傳》注，《續漢·禮儀》、《祭祀》、《五行》、《百官》、《輿服志》注，《後漢書·獻紀》、《董卓傳》注，《初學記·職官部》，並引《獻帝起居注》，共數十事。"王允奏侍中黃門比尚書，不得出入，不通賓客"一事，《太平御覽·職官部》亦引之，《通典·禮門》注"舊典市長執雁，建安八年始執雉"一事，與《續漢》注合，《唐志》卷同。

晉泰始起居注二十卷 <small>李軌撰。</small>

《蜀志·諸葛瞻傳》注："詔曰：'諸葛亮在蜀盡其心力，其子瞻臨難死義，天下之善一也。'其孫京，隨才署吏，後爲郿令。"《藝文類聚·菓部》、《太平御覽·果部》："泰始二年六月，嘉柰一蒂十五實，或七實，生於酒泉。"並引《晉泰始起居注》。《唐志》同。

晉咸寧起居注十卷 <small>李軌撰。</small>

《藝文類聚·服飾部》、《鳥部》："太醫司馬程據上雉頭裘一領，詔曰：'此裘非常衣服，消費功用，其於殿前燒之，敕內外有造異服，依律治罪。'"此題《晉咸寧起居注》。《初學記·服食部》、《北堂書鈔·衣冠部》、《太平御覽·服章部》並引之，"太醫司馬"脫"醫"字。《唐志》二十二卷。

晉泰康起居注二十一卷 李軌撰。

《南齊書·州郡志》：“北徐州，鎮鍾離。《晉太康二年起居注》：‘置淮南鍾離。’”《初學記·職官部》：“祕書丞桓石綏啟校定四部書目，詔遣郎中四人各掌一部。”《藝文類聚·食物部》：“詔曰：‘尚書令荀勖既久疾羸毀，可賜乳酪，太官隨日給之。’”《北堂書鈔·飲食部》“賜石蜜五升”。《太平御覽·職官部》：“詔故司空王基夙爲先帝授任，基子沖尚書郎，雖在清途，猶未免楚撻，其以沖爲治書侍御史。”《兵部》：“詔曰：‘諸王中尉及諸軍，皆典兵以備不虞，乃有著甲戰衣木履持長矛者，此爲兒戲，而無相彈憚也。’”《車部》：“齊王歸藩，詔賜衣香輦一乘。齊王出鎮，詔賜青油雲母犢車。”《器物部》：“齊王出藩，詔賜榼槩杯盤各有差。”《飲食部》：“尚書郭奕有疾，日賜酒米猪羊肉。石崇母疾，日賜清酒粳米猪羊肉。”並引《太康起居注》。“泰”俱作“太”。《唐志》二十二卷。

永平元康永寧起居注六卷 梁有，今亡。

《唐志》有《永平起居注》一卷。

晉惠帝起居注二卷 梁有，今亡。

《宋書·蔡廓傳》：“式乾殿集諸皇子悉在三司上。”《魏志·張燕傳》注：“門下令史張林飛與趙王倫爲亂，位至尚書令，封郡公，尋爲倫所殺。”並題陸機《晉惠帝起居注》。《魏志·趙儼傳》注：“裴頠雅有遠量，當朝名士，民之望也。”《世説·言語篇》注：“裴頠字逸民，河東聞喜人，司空秀之少子也。”《文學篇》注：“頠著二論以規虛誕之弊，文詞精富，爲世名論。”《賞譽篇》注：“頠理甚淵博，贍於論難。”《北堂書鈔·儀飾部》：“愍懷太子賜典兵中郎將，複紵襪一緉。”《武功部》：“王浚乘勝追石超軍於斥邱，超持重不與戰，以鹿角爲營。”一云以鹿角步安爲營。《太平御覽·皇親部》：“拜皇孫臧爲臨淮王，尚爲襄陽王。"又:"詔臧爲太孫,臧廢,到銅馳街,宫人皆哽咽,路人拉淚焉。桑復生於兩廂,長丈餘,太孫廢乃枯。"又:"惠帝詔以太常成粲爲太孫太傅,前城門校尉梁柳爲太孫少傅。"又:"惠帝使使持節,策命愍懷太子前妃爲皇太孫太妃。是日也,告於太廟。"《服章部》:"愍懷以體上白絹單衣一領,因士寄與妃。"又:"帝至温謁陵,无履,取左右履著,下拜。"《服用部》:"有雲母幌。"《廣韻》亦引此句。又:"帝至朝歌,無被,中黄門以兩幅布被寄帝。"共引《惠帝起居注》十三事,不著撰名。

晉武帝起居注 卷亡。不著録。

《北堂書鈔·設官部》:"司馬璞貞固和祥,有識見才幹,以爲冗從僕射。"《太平御覽·皇親部》:"詔曰:'今出掖庭、才人、妓女、保林已下二百七十餘人。'"《職官部》:"豫州刺史胡威忠素質直,思謀深沈,其以威爲監軍刺史如故。"又:"東安王世子瑾貞固和祥,有識見才幹,以爲冗從僕射。"此事與《書鈔》當是一事,《書鈔》作名"璞",須考。並引《晉武帝起居注》。

晉康帝起居注 卷亡。不著録。

《北堂書鈔·設官部》、《太平御覽·職官部》:"《晉康帝起居注》曰:'尚書,萬事之本,朕所責成也。而廩秩儉薄,甚非治體。今雖軍國多費,不爲元凱惜禄,其依令僕給尚書各親信五十人廩賜。'"

晉孝武起居注 卷亡。不著録。

《藝文類聚·儲宫部》:"上臨軒,設懸而不樂,遣司空謝琰,納太子妃王氏,《御覽·皇親部》引有詔語。賜文武布絹,百官詣上東門上禮。"《太平御覽·皇親部》:"納采,聘太子妃,百官會於新安公主第,秘書監王操之爲主人。"並引《晉孝武起居注》。

晉永安起居注 卷亡。不著録。

《初學記·服食部》:"《晉永安起居注》曰:'太康四年,有司奏

鄯善國遣子元英入侍，以英爲騎都尉，佩假歸義侯印、青紫綬
各一具。'"愚按《隋》、《唐志》無《晉永安起居注》所記，又太康
事恐誤。

晉建武大興永昌起居注九卷 <small>梁有二十卷。</small>

《唐志》二十二卷。《太平御覽·服用部》："《晉建武起居注》
曰：'立敬后廟，薦席不用綠緣。'"《職官部》："《晉大興起居
注》曰：'元年置通直散騎侍郎四人。'"又："元帝依故事召陳
郡王隱待詔著作，單衣介幘，朔望朝著作之省。"《儀飾部》：
"《晉永昌起居注》曰：'元帝使司空王導拒王敦，詔曰：吾征
東時節給司空。'"

晉咸和起居注十六卷 <small>李軌撰。</small>

《唐志》十八卷。《藝文類聚·菓部》："六年，寧州上言甘露降
城北園奈桃樹等。"《太平御覽·器物部》："有司奏魏氏故事，
正旦賀，公卿上殿，虎賁六人隨上，以斧柄柱衣裾，上令宜依
舊爲儀注，謂曰：'此非前代善制，其除之。'"《羽族部》："二年
正旦，饗萬國，有五鷗集太極殿前。"並引《晉咸和起居注》。

晉咸康起居注二十二卷

《唐志》同。《藝文類聚·歲時部》："十二月庚子，詔曰：'正會
日，百僚增祿，賜醴酒，人二升。'"《布帛部》："詔臨邑王范柳
所貢絲綾，是其所珍，可籌量增賜。"《器物部》："詔賜遼東使
段遼等琉璃盌。"《御覽·器物部》又引："詔賜鸚鵡杯。"《木部》："侍御史
秦武奏，平陵前道東杉樹一株萎死，請收陵令推劾。"並引《晉
咸康起居注》。

晉建元起居注四卷

《唐志》同。

晉永和起居注十七卷 <small>梁有二十四卷。</small>

《唐志》二十四卷。《初學記·樂部》："詔太史解土非祠典，可

給琵琶箜篌也。"《白帖》同。《寶器部》:"廬江太守路永表言,於
穀城北見水岸紫赤光,得金一枚,狀如印齒。"《御覽·珍寶部》同。
並引《晉永和起居注》。

晉升平起居注十卷

《新唐志》同,《舊唐志》闕著録。

晉隆和興寧起居注五卷

《唐志》同。

晉咸安起居注三卷

《唐志》同。

晉泰和起居注六卷　梁十卷。

《唐志》同。

晉寧康起居注六卷

《唐志》同。

晉泰元起居注二十五卷　梁五十四卷。

《唐志》五十二卷。《世説·賞譽篇》注:"法汰卒,烈宗詔曰:
'法汰師喪逝,哀痛傷懷,可贈錢十萬。'"《太平御覽·車部》:
"司隸校尉劉毅奏護軍羊琇私角弩四張,又乘羊車,①請免官
治罪,詔如所奏。"並引《晉泰元起居注》。

晉隆安起居注十卷

《太平御覽·果部》:"《晉隆安起居注》曰:'武陵臨沅縣安石
榴子大如碗,其味不酸,一蒂六實。'"

晉元興起居注九卷

《唐志》同。

晉義熙起居注十七卷　梁三十四卷。

---

① "角弩四張又"五字,原誤作"用四宏文",今據《太平御覽》卷七七五《車部
四》改。

《唐志》三十四卷。《藝文類聚·舟車部》、《北堂書鈔·舟
部》："盧循新作八槽艦九枚，起四層，高十餘丈。"《太平御
覽·天部》："十四年，相國表曰：'間者平長安，獲張衡所作渾
儀土圭、歷代寶器，謹遣奉送，歸之天府。'"《服章部》："安帝
自荆州至新亭，詔曰：'諸侍官戎行之時，不備朱服，悉令袴褶
從也。'"《器物部》："詔林邑王范明達獻金盌一副，蓋百副。"
《果部》："二年正月，吳令顧修期上言西鄉有柹樹，殊本合條，
依舊集賀，詔停之。"《菜茹部》："十年，有司奏太常謝澹遣四
人還家種蔥菜，免官。"《香部》："倭國獻貂皮、人參等，詔賜細
笙、麝香。"並引《晉義熙起居注》。《書鈔·衣冠部》："百官衣袴褶事在
義熙元年。"又《藝文部》："何無忌在祕閣，求賜祕書，詔與一十卷。"《儀飾部》："兼黄
門郎徐應楨出爲散騎，著展出省閣，有司奏免官。"

晉元熙起居注二卷

《唐志》同。

晉起居注三百一十七卷　宋北徐州主簿劉道會撰。梁有三百二十二卷。

《唐志》"道會"作"道薈"，三百二十卷。愚按：昔人徵引晉代
起居注，其不著年號而統稱晉者，逸篇最多，證以《隋》、《唐
志》所載，蓋原本卷數至三百餘卷，宜徵引之多也。《北堂書
鈔》、《太平御覽》尤多引之，其書自武帝至安帝，總記兩晉，當
是合諸家而成一書，如大醫司馬上雉頭裘事，《白帖》卷十一。與
《咸寧起居注》同；荀勗羸毀賜乳酪事，《白帖》卷十六。王沖爲治
書御史，《書鈔·設官部》。桓石綏啟校定四部書，《書鈔》同上。與
《太康起居注》同；正旦饗萬國有鷗鳥五集殿，《御覽·時序部》。
寧州上言甘露降，《藝文類聚·菓部》。與《咸和起居注》同；相國
表獲張衡渾儀土圭，歸之天府，《書鈔·儀飾部》。與《義熙起居
注》同；若泰始元年太常諸葛緒、博士祭酒劉熹議郊祀，《御覽·
宗親部》。《晉書·禮志》闕載；泰始三年拜崇陽園妾李琰爲修

華，王宣爲修容，徐琰爲修儀，吳淑爲婕妤，趙琰爲充華，《御覽·皇親部》。《晉書·后妃傳》闕載；太康元年以廬陵縣都尉之陽都縣來入，《太平寰宇記》江南西道。《晉書·地理志》不載；咸和元年詔曰"作瑯邪王大車斧六十枚，侍臣劍八枚，將軍手擊四枚"，《御覽·兵部》。《晉書·諸王傳》不載；咸和八年有司奏庭燎，舊在端門内，依舊門内施，《藝文類聚·火部》、《御覽·火部》。《晉書·成帝紀》及《禮志》俱不載；永和中廷尉王彪之與揚州刺史殷浩書，論元日合朔不可廢，《御覽·時序部》。較《晉書·禮志》爲詳；殿中將軍孝武太元中募選名家以參顧問，始用瑯邪王茂之奏也，《書鈔·設官部》。《晉書·職官志》無殿中將軍，《孝武紀》亦不載；廷尉監陸鸞上表求增築訊堂，圖先賢像，詔許之，《通典·職官門》注、《御覽·職官部》。《晉書·刑法志》不載；至於命官詔詞，房喬史例多從删削；而荀顗爲司徒，曹志闈宏胄子，《書鈔·設官部》。鄭袤爲司空，皇甫謐爲中庶子，《御覽·職官部》。本傳所載詔詞當即資於此書，惟泰始八年詔曰"議郎山濤志爲簡靜，凌虛篤素，立身行己，足以勵俗，其以濤爲吏部尚書"，《書鈔·設官部》。《晉書·濤傳》與此詔不同；《元和姓纂》有尚書令浦選，此人名《晉書》未見。

流別起居注三十七卷

《唐志》四十七卷。

晉崇寧起居注十卷　不著錄。

見《唐志》。

晉宋起居注鈔五十一卷　梁有，隋亡。

《唐志》有何始真《晉起居無"注"字。鈔》五十一卷，《晉起居注鈔》二十四卷。二書俱不言宋。

宋永初起居注三卷

《唐志》六卷。

宋景平起居注三卷

《唐志》同。

宋元嘉起居注五十五卷 梁六十卷。

《文苑英華》："裴子野《宋略》總論曰：'曾祖宋中大夫西鄉侯以文帝之十二年受詔撰《元嘉起居注》。'"《初學記·職官部》："尚書左丞袁瑓啟領曹郎中荀萬秋每設事緣私遊，肆其所之，請免萬秋官。"《武部》："御史中丞劉楨奏前廣州刺史韋朗於所部作牛皮鎧六領，請免朗官。"《器物部》："以日出入定晝夜，今減夜限，日出前日入後各二刻半以益晝。"又："劉楨奏韋朗作銀塗漆屏風二十三牀，綠沈屏風一牀，新白莞席三百二十二領，銅鏡臺一具，請免朗官。"《藝文類聚·舟車部》："有司奏餘姚令何玢之造作平牀一乘，舴艋一艘，精麗過常，請免玢之官。"《內典部》："師子國遣使奉獻詔答曰：'此小乘經甚少，彼國所有皆可悉爲寫送之。'《御覽·四夷部》又云："聞彼鄰多有師子，此獻未覩，可悉致之。"又阿羅單國王遣使云：'雪山雪水流注百川，一切眾生咸得受用。'"《祥瑞部》："元年七月，有白鷰集於齊郡。九月乃去。"《北堂書鈔·天部》："盱胎王彭兄弟三人，欲葬二親，天旱，穿井無水，彭號天無計，竈前忽然生水。"《歲時部》："尚書郎樂詢以爲治曆之官當覈晷度。"《政術部》："王韶之奏彈著作郎王爕，御史中丞劉武之奏彈強弩將軍陶文朗。"《太平御覽·兵部》載謝靈運《自理表》，《服章部》："治書侍御史朱興啟彈朝請向騰之。"《四夷部》："天竺國毗迦梨國王遣使上表"，"阿羅單國王遣使奉獻"。並引《宋元嘉起居注》。《人事部》："汝陽太守王道標作木人二枚，高八尺，著郡門，有犯事者，使拳擊木人，倒者免罪。"此題《文帝元嘉起居注》。《服用部》："御史中丞荀伯子奏左衛將軍何尚之公事每罩笠，有虧體制。"此題《宋元嘉十年起居注》。又"阿羅單國奉孔

雀蓋一具”，題《元嘉二十九年起居注》。《書鈔·儀飾部》亦引之，無“二
十九年”字。《唐志》七十一卷。

宋孝建起居注十二卷

《通典·樂門》皇帝出入奏《永》，送神奏《肆夏》，並引《孝建起
居注》。《唐志》十七卷。

宋大明起居注十五卷　梁三十四卷。

《唐志》十五卷。

宋景和起居注四卷　梁有，隋亡。

《唐志》有《宋景平起居注》三卷。

宋泰始起居注十九卷　梁二十三卷。

《初學記·職官部》、《太平御覽·職官部》：“《宋泰始起居注》
二年詔曰：‘王言之職總司清要，中將軍丹陽尹王景文風尚宏
簡，情度淹粹，忠規茂績，實宣國道，宜兼管內樞，以重其任，
可中書令。’”

宋起居注　不著錄。

《初學記·禮部》云：“今太廟太極，既以隨時；明堂之制，國學
之南，地實京邑，爽塏平暢，足以營建。”《服食部》：“泰始二
年，御史中丞羊希奏山陰令謝沈親憂未除，常著青絳褶衫，請
免沈官。”《寶器部》：“泰始二年，嘉蓮一雙，駢花并實，合跗同
莖。”《鳥部》：“元嘉十三年，陽羨縣民送白烏，皓質潔映，有若
輝璧。”《太平御覽·職官部》：“元嘉中以散騎常侍荀伯子爲
太子僕。永初中以徐珮爲太子後衛率。”《兵部》：“劉道符露
布曰：‘七月二十五日，部率衆軍虎士攻城，逆賊程天祚等窮
迫乞降。’”又：“泰始二年，有司奏賊帥劉胡等從南城蘭道來
攻營。”《服用部》：“河西王沮渠蒙遜獻青雀頭黛百斤。”《四夷
部》：“孝建二年七月二十日，盤盤國王遣使奉獻金銀琉璃諸
香藥等物。八月二十日，陁利國王遣使表獻方物。”《果部》：

“元嘉十八年,有司奏揚州刺史王濬州治後池有兩蓮騈生。十六年,華林有雙蓮同榦。”並引《宋起居注》。愚按:此書不著年號,總記宋事,似仿劉道會《晉起居注》之例,然《隋》、《唐志》皆不著錄,無從考其卷數。《御覽·服用部》又引劉楨奏韋朗事,與《元嘉起居注》同。

齊永明起居注二十五卷　梁有三十四卷。

《南齊書·文學傳》:“王逡之兼著作,撰《永明起居注》。”《唐志》二十五卷。

梁大同起居注十卷

《太平御覽·休徵部》:“九年,金芝二十八莖生平水,署少府卿蕭介以聞。”《寰宇記·江南西道》:“九年,鴻臚卿上表傳詔往姑熟翰辟山,採石墨於大石之內,獲錢四枚。”並引《梁大同起居注》,皆紀九年事。《唐志》有《大同七年起居注》十卷。

梁天監起居注　卷亡。不著錄。

《太平御覽·地部》:“廬陵太守王希聃於玉笥山獲劍二口。”《寰宇記·劍南西道》:“十六年,連理竹生益州郫縣王家園外。”《江南西道》:“五年,王希聃於高昌縣獲龍泉光劍二口。”《嶺南道》:“交州刺史表言,林邑王范纘云晝觀望天風,知中國有聖主,乞內附爲臣,兼獻白猴一頭。”並引《梁天監起居注》。

梁起居注　卷亡。不著錄。

《太平御覽·休徵部》:“《梁起居注》曰:‘大同六年九月,始平獻嘉禾,一莖七穗。’”

別起居注六百卷　梁徐勉撰。不著錄。

《梁書·徐勉傳》:“勉常以《起居注》煩雜,乃加删爲《別起居注》六百卷。”《南史·勉傳》:“勉作《流別起居注》六百六十卷。”《隋志》“《流別起居注》三十七卷”,列於《宋起居注》前,且卷數懸殊,自與勉撰各爲一書，但《梁書》去“流”字，當是脱落。《金樓子·聚書篇》曰：“爲揚州刺史時，就吴中諸士大夫寫得《起居注》，又得徐勉《起居注》。”

後魏起居注三百三十六卷

《後魏書·高祖紀》：“太和十四年二月戊寅，初詔定《起居注》。”《王遵業傳》：“遵業與崔鴻同撰《起居注》。”《李伯尚傳》：“伯尚撰《太和起居注》。”《房景先傳》：“景先撰《世宗起居注》。”《周道和傳》：“道和修《起居注》。”《北齊書·魏收傳》：“陽休之父固，爲北平太守，以貪虐爲李平所彈，獲罪，載在《魏起居注》。”《唐志》二百七十六卷。

陳永定起居注八卷

《陳書·劉師知傳》：“初，世祖敕師知撰《起居注》，自永寧_寧，《南史》作“定”。二年秋至天嘉元年冬爲十卷。”

陳起居注四十一卷　不著録。

見《唐志》。

後周太祖號令三卷

《周書·文帝紀》：“大統七年，太祖奏行十二條制，恐百官不勉於職事，又下令申明之。”愚按：《張軌》、《柳蝍》、《薛寘列傳》並言修《起居注》，而《隋》、《唐志》皆不著録，此號令三卷似宜列諸律令，而入起居注類，未詳其義。

隋開皇起居注六十卷

《唐六典》注曰：“漢獻帝及西晉以後諸帝皆有《起居注》，並史官所録。自隋置爲職員，列爲侍臣，專掌其事，每季爲卷，送付史官。”《唐志》：“《隋開皇元年起居注》六卷。”

南燕起居注一卷

《隋志》曰：“僞國起居，惟《南燕》一卷，不可別出，故附之於此。”《史通·外篇》曰：“南燕有趙郡王景暉，嘗事德、超，撰二燕起居注。”

漢武帝有禁中起居注

《西京雜記》序曰：“葛洪家有《漢武帝禁中起居注》一卷。”

後漢明德馬后撰明帝起居注

《文選·赭白馬賦》注：“案《漢明帝起居注》云：‘帝向太山，至
滎陽，有鳥鳴軛，中郎將王吉引弓射殺之，將以示帝。曰：“鳥
鳴軛，彎弓射，洞胸腋，陛下壽萬歲，臣受二千石。”乃賜帛二
百匹。’”

漢時《起居注》似在宮中，爲女史之職。

《通典·職官門》曰：“王莽時又置柱下五史，秩如御史，聽事
侍傍，記其言行，此又起居之職。”

今存者，有漢獻帝及晉代已來《起居注》，皆近侍之臣所録。

《通典》曰：“自魏至晉，《起居注》則著作掌之，其後起居皆近
侍之臣録記也。録其言行與其勳伐，有其職而無其官。”《唐六
典》引《魏起居注》“青龍中議秘書丞郎宜居三臺上”。

近代以來，別有其職。

《通典》曰：“後魏始置起居令史，每行幸宴會，則在御左右，記
録帝言及宴賓客訓答。後又別置修起居注二人，以他官領
之。北齊有起居省，後周有外史，掌書王言及動作之事，以爲
國志，即起居之職。又有著作二人，掌綴國録，則起居注著作
之任，自此而分也。”

隋經籍志考證卷六

地理

山海經二十三卷　郭璞撰。

今存。

水經三卷　郭璞注。

《舊唐志》"郭璞撰"，《新唐志》作"桑欽"。

黃圖一卷　記三輔宮觀陵廟明堂辟雍郊畤等事。

今本六卷。

地理風俗記　卷亡。應劭撰。不著錄。

《水經‧河水》注："敦，大也。煌，盛也。酒泉，其水甘若酒味故也。張掖，言張國臂掖以威羌狄。"《溫水》注："鬱，芳草也。鬱人所貢，因氏郡矣。"《御覽‧香部》同。《太平寰宇記‧河北道》："中人城西北有左人亭，鮮虞故邑。"並引應劭《地理風俗記》。

洛陽記四卷

無撰名。《水經‧穀水》注："千金堨，魏時更修。"《文選‧東京賦》注："太谷，舊名通谷。"《後漢書‧堅鐔傳》注："建始殿東有太倉，倉東有武庫。"《通典‧職官門》注："千金堤，陳勰所置。"《初學記‧地部》："漢洛陽四關：東城皋關、南伊闕關、西函谷關、北孟津關。"《北堂書鈔‧酒食部》："乾脯山，於上曝脯，因以爲名。"《太平御覽‧地部》："關塞在河南縣。"並引《洛陽記》，不著撰名。

洛陽記一卷　陸機撰。

機，《唐志》作"璣"。《水經·穀水》注："九江直作圓水，水中作圓壇三破之，夾水得相逕通。"《文選·閒居賦》注："洛陽三市：大市、馬市、縣市。"《後漢書·光武紀》注："太學在開陽門外，講堂長十丈，廣三丈。"《藝文類聚·居處部》："洛陽城，周公所制，東西十里，南北十三里。"《太平御覽·居處部》："洛陽南宮有承風觀，北宮有曾喜觀，城外有宣陽、千秋、鴻地等觀。"《寰宇記·河南道》："宮牆西有二銅井。"並引陸機《洛陽記》。

洛陽宮殿簿一卷

《唐志》三卷。《世說·巧藝篇》注："陵雲臺上壁方十三丈，高九尺。"《文選·東京賦》注："北宮有雲龍門、神虎門。"《藝文類聚·居處部》："明光、徽音、式乾、暉章、含章、建始、仁壽、宣光、嘉福、百福、芙蓉、九華、流圃、華光、崇光並殿名。"《初學記·居處部》："有魏太極、九龍、芙蓉、九華、承光諸殿。"《後漢書·劉寬傳》注："華光殿在華林園內。"《寰宇記·河南道》："西宮臨章殿有瓊華池。"並引《洛陽宮殿簿》。此書徵引尚多，今約舉各書一事，以從大略，後倣此。

洛陽宮舍記　卷亡。不著錄。

《文選·東都賦》注洛陽有雲龍門，有端門，《耤田賦》注有閶闔門，《初學記·居處部》有萬春、千秋門，並引《洛陽宮舍記》。《太平御覽·珍寶部》："宮中有林同等觀，皆雲母置窗裏，日照之，煒煒有光。"此稱《洛陽宮殿記》。

洛陽故宮名　卷亡。不著錄。

《水經·穀水》注："有朱雀闕、白虎闕、蒼龍闕、北闕、南宮闕，又南宮有謻臺、臨照臺。"《文選·求爲諸孫置守冢人》注："馬市在城東，吳披門。"《初學記·居處部》："洛陽南宮有玉堂前殿、黃龍殿、翔平殿、竹殿。"《藝文類聚·居處部》："侍中廬在南宮中。"《太平御覽‧居處部》："有卻非殿、銅馬殿、敬法殿、清涼殿,有飛兔門、含章門、建禮門、廣懷門。"並引《洛陽故宮名》。《續漢‧禮儀志》注："洛陽宮陽殿南北行七丈,東西行三十七丈四尺。"此稱《洛陽宮閣傳》。《百官志》注："爲蒼龍闕門。"引《洛陽宮門名》。《後漢書‧光武紀》注："有卻非殿。"《初學記‧居處部》："洛陽宮有嘉德殿。"《藝文類聚‧居處部》："洛陽有望舒涼室。"並稱《洛陽宮殿名》。《後漢書‧安帝紀》注："南宮有東觀。"引《洛陽宮閣名》。

洛陽圖一卷　晉懷州刺史楊佺期撰。錢氏《考異》曰:"按晉無懷州,當是雍州之譌。"

《新唐志》作《洛城圖》,《舊唐志》作《洛陽圖》。《文選‧閒居賦》注："城南七里名洛水,洛水之南名曰伊水。"《續漢‧郡國志》注："鹽池,水氣紫色。有別御鹽,四面刻如印齒文章,字妙不可述。"《寰宇記‧河南道》："北山連嶺修亘四百餘里,實古今東洛九原之地也。"並引楊佺期《洛陽記》。《後漢書‧儒林傳》序注："石經碑高一丈許,廣四尺,駢羅相接。"《藝文類聚‧居處部》："凌雲臺,登之見孟津。"並稱楊龍驤《洛陽記》。據《晉書》,佺期嘗爲龍驤將軍,故有此稱。又《文選‧東京賦》注："濯龍,池名。"應貞《華林園集詩》注："華林園,魏明帝起名。"此引《洛陽圖經》。《太平御覽‧居處部》："羣在洛水之間。"《寰宇記‧河南道》："金鏞城內有百尺樓。"此引《洛陽地圖》,皆不著撰名。張彥遠《歷代名畫記》曰:"楊佺期撰《洛陽圖》,一名《楊宮圖狀》。"

洛陽記　卷亡。華延儁撰。不著錄。

《北堂書鈔‧樂部》："端門內有大鍾,正朝大會擊之,聲聞二十里。"《初學記‧橋部》："城西車馬橋,去城三十里。"《後漢書‧皇后紀》注："城內有奉常亭。"《太平御覽‧服用部》："城十八觀皆籠雲母幌。"《寰宇記‧河南道》："諼門即漢之東門。"並引華延儁《洛陽記》。

洛陽記一卷　戴延之撰。不著錄。

見《唐志》。

後魏洛陽記五卷　不著錄。

見《唐志》。

漢宮閣簿三卷　不著錄。

見《唐志》。《文選·上林賦》注："長安有東陂池、西陂池。"引《漢宮殿簿》。

漢宮殿名　卷亡。不著錄。

《後漢書·鍾離意傳》注："北宮中有德陽殿。"《逢萌傳》注："東都城，今名青門也。"《太平御覽·居處部》："長安有宣平、覆盎、萬秋、宣德、元城、青綺、仁壽等門，《藝文類聚》、《初學記·居處部》並引之。洛陽有泰夏、閶闔、西華、萬春、蒼龍、長秋、景福、丙舍、鴻都、濯龍等門。"又："神明臺高五十丈，上有九室。"並引《漢宮殿名》。《文選·西都賦》注："長安有合歡殿、披香殿、鴛鸞殿、飛翔殿。"《後漢書·班固傳》注作《漢宮閣名》。《藝文類聚·居處部》："洛陽故北宮有九子坊。"並稱《漢宮闕名》。《初學記·居處部》："長安有馺婆宮、宜春宮，有玉堂殿、銅柱殿。"並稱《漢宮閣名》。《三輔黃圖》："未央宮有宣明、長年、溫室、昆德四殿。"又："溫室殿在未央宮。"並引《漢宮閣記》。

漢宮闕疏　卷亡。不著錄。

《文選·西都賦》注："長安立九市，其六市在道西，三市在道東。"《三輔黃圖》："長安城第二門名城東門。"《史記·吕太后紀》索隱："四年築城東面，五年築北面。"並引《漢宮闕疏》。《漢書·郊祀志》注："神明臺高五十丈，上有九室。"《史記·孝武紀》索隱作《漢宮闕疏》。《後漢書·光武紀》注："靈臺高三丈，十二門。"並稱《漢宮閣疏》。《史記·高祖紀》索隱："枳道亭東去

霸城觀四里。"稱《漢宮殿疏》。《藝文類聚》、《初學記·居處部》所引亦稱
《漢宮殿疏》。《北堂書鈔·舟部》:"武帝昆明池作豫章大船。"稱
《漢宮室疏》。

晉宮閣名　<small>卷亡。不著錄。</small>

《水經·穀水》注:"金鏞有崇天堂","開陽門,故建陽門也。"
《詩·豳風》正義:"華林園中有車下李三百一十四株,奠李一
株。"《文選·靈光賦》注:"華林園萬年樹十四株。"<small>謝玄暉《直中書
省詩》注同,按此書多記華林園樹木,《藝文類聚·菓部》、《木部》、《御覽·木部》、《菓
部》所引多類此。</small>《初學記·居處部》:"有堯母堂、永光堂、長壽
堂,洛陽有承明門、崇禮門。"<small>《御覽·居處部》所引多類此。</small>並引《晉
宮閣名》。<small>閣,或作"閾",又《選》注"名"或作"銘",乃字誤。</small>《北堂書鈔·舟
部》:"靈芝池内有鳴鶴舟、指南舟。"《藝文類聚·舟車部》:
"天淵池中有紫宮、升進、躍陽、飛龍等舟。"<small>《初學記·器物部》、《御
覽·舟部》同。</small>並引《晉宮閣記》。《太平寰宇記·河南道》:"宣武
觀在大夏門内東北上。"此稱《晉宮闕簿》。

河南十二縣境簿　<small>卷亡。不著錄。</small>

《水經·穀水》注:"河南縣城東十五里有千金堨。"又:"九曲
瀆在河南鞏縣西,西至洛陽。"《伊水》注:"廣成澤在新城縣界
黃阜西北。"《初學記·居處部》:"晉有平樂、鹿子、桑梓諸
苑。"<small>原注《晉宮閣名》並列。</small>又:"曰洛陽城西有桑梓苑。"<small>《御覽·居處
部》句上有"曰河南縣有鹿子苑"一句。</small>《太平寰宇記·河南道》:"繭觀
在廣陽門。"並引《河南十二縣境簿》。《文選·閒居賦》注:
"城南五里,浴水浮橋。"阮嗣宗《詠懷詩》注:"城東首陽山,上
有首陽祠。"《宋孝武宣貴妃誄》注:"洛陽縣東城第一建春
門。"並引《河南郡縣境界簿》。

三輔宮殿名　<small>卷亡。不著錄。</small>

《藝文類聚·居處部》、《太平御覽·居處部》:"未央宮有麒麟

殿、椒房殿。”又：“長樂宮前殿、宣德殿、通光殿、高明殿。”並引
《三輔宮殿名》，又：“長樂宮有臨華臺、神仙臺。”並引《三輔宮殿
簿》。

建康宮殿簿　卷亡。不著錄。

《史通·雜述篇》曰：“若潘岳《關中》、陸機《洛陽》、《三輔黃
圖》、《建康宮殿》，此之謂都邑簿者也。”《太平御覽·居處部》
引《建康宮殿簿》十餘事，其言“陳永初中於臺城中起昭德、嘉
德、壽安等殿”，是此書當撰自陳、隋間。

述征記二卷　郭緣生撰。

《唐志》同。《水經注》引郭緣生《述征記》，《渭水注》稱郭著他
書所引，或稱郭氏，或稱緣生，其記中有漢建寧五年管遵立堯
碑、晉永興中立伍員碑、《水經·瓠子河》注。華岳三廟前張昶所造
碑文、《北堂書鈔·藝文部》。曹植祠堂刊石、同上。齊谷中襘褕先生
碑、《書鈔·衣冠部》。青門外魏車騎將軍郭淮碑、《太平御覽·居處部》。
落索門裏有司馬京兆碑、同上。“漢太尉陳球墓三碑，一碑記弟
子盧植、鄭玄、管寧、華歆等六十人，一碑及陳登碑文，並蔡邕
所作。”《御覽·文部》。又曰：“崆峒山有堯碑、禹碣，皆籀文焉。”
同上。“漢陽嘉元年太學讚碑，太尉龐參、司徒劉琦、太常孔扶、
將作大匠胡廣等記。”《御覽·禮儀部》。

續述征記　卷亡。郭緣生撰。不著錄。

《水經·渠》注：“大梁城，《續述征記》爲師曠城，郭緣生曾遊
此邑，踐夷門，升吹臺，終古之迹，緬焉盡在。”《巨洋水》注：
“逢山石鼓。”《初學記·地部》：“東萊溫泉。”《州郡部》：“彭城
五溝。”並稱郭緣生《續述征記》。他書所引多不著緣生名。

述征記　卷亡。裴松之撰。不著錄。

西征記　卷亡。裴松之撰。不著錄。

《魏志·三少帝紀》注：“裴松之《西征記》曰：‘臣松之昔從征

西至洛陽,歷觀舊物,見《典論》石在太學者尚存,而廟門外無
之。"《太平寰宇記·河南道》:"老子宮前有雙松柏,左階之柏
久枯。"此稱裴松之《述征記》。

西征記二卷 <small>戴延之撰。</small>

《水經·河水》注多引戴延之《西征記》,其言天津橋東故城謂
之逯明壘,《廣韻》注曰有逯明壘,云是石勒十八騎中人。<small>按此
一作地名,一作人名,同引一書而互異。</small>《史記·高祖紀》正義:"函谷道
形如函也,其山壁立數仞,谷中容一車。"《太平御覽·州郡
部》:"函谷道形如函也,孫卿子曰'秦有松柏之塞'是也。"<small>亦一
事而語異,"函道地形如函",姚察《訓纂》語當本此。</small>《後漢書·班固傳》注:
"端門東有崇賢門,次外有雲龍門。"祇稱戴延之《記》。《楊賜
傳》注:"太極殿西有金商門。"稱延之《西征記》。《水經·洛
水》注:"僵人穴僵尸。"稱延之《從劉武王西征記》,他書皆省
"從劉武王"四字。

西征記 <small>卷亡。盧思道撰。不著錄。</small>

《太平寰宇記·河北道》:"盧思道《西征記》曰:'白鹿山孤峯
秀出,上有石,自然爲鹿形,故山以白鹿爲稱。'"

婁地記一卷 <small>吳顧啟期撰。</small>

《文選》謝靈運《遊赤石詩》注:"浪山海中南極之觀嶺,窮髮之
人,舉帆揚越,以爲標的。"《藝文類聚·草部》:"婁門東南有
華墩陂,中生千葉蓮花。"《太平御覽·地部》:"太湖東小山名
洞庭山,東頭北面一穴,西頭南面一穴,西北一穴,僂乃得
入。"並引顧啟期《婁地記》。

風土記三卷 <small>晉平西將軍周處撰。</small>

《晉書·周處傳》:"處著《風土記》。"《唐志》十卷。《史通·補
注篇》曰:"若摯虞《三輔決錄》、陳壽《季漢輔臣》、周處《陽羨
風土》、常璩《華陽士女》,文言美詞列於章句,委曲叙事存於

細書。"愚按《初學記·歲時部》："正月元日食五辛鍊形，注曰："辛菜所以助發五藏也。《莊子》曰：'春日飲酒茹蔥，以通五藏。'"仲夏長風扇暑，注曰："此節東南常有風至，俗名黄雀長風。"仲夏濯枝盪用。"注曰："此節常多大雨，名濯枝。"《太平御覽·時序部》："榆莢雨，注曰："春雨。"黄鶴風，濯枝雨。"注曰："六月之雨也。"此引周處《風土記》，皆分晰正文及注。他如"鯨鯢，海中大魚也，俗説出入穴即爲潮水"，《春秋左傳·宣公》正義。"舜耕於歷山，山多柞樹，吳越名柞爲歷，故曰歷山"，《水經·河水》注。"蕊，香菜，根似茆根，蜀人所謂葅香"，《文選·南都賦》注。"石髮，水苔也，青緑色，皆生於石"，《文選·汀賦》注。"笈謂學士所以負書箱，如冠箱面卑者也"，《一切經音義》卷一。"大水有小口别通口浦"，《廣韻》卷三。"茱萸，椒也，九月九日熟，色赤，可採時也"，《藝文類聚·木部》。"璿衡即今之渾儀也，古者以玉爲之。轉運者爲機，持正者爲衡"，《御覽·天部》。又《北堂書鈔·儀飾部》作"轉運者爲衡"，削"持正"句。此皆注文。若"月正元日，百禮兼崇，《初學記·歲時部》。舡舸單乘，載數百斛"，《北堂書鈔·舟部》。"戟爲五兵雄"，《史記·司馬相如傳》索隱、《書鈔·武功部》曰："戟長一丈三尺，奮揚俯仰，能兼五兵。"當即此句注文。此皆正文。又《北堂書鈔·舟部》曰："若乃越騰百川，濟江泛海，其舟則温麻五會，東甄晨鳧，青桐梧樟，航疾乘風，輕帆電驅。"此類賦體，所謂文言美詞也。至《御覽·服章部》："美朱爽之輕屬，蔑尤舄之文章。"《書鈔·衣冠部》亦引此二句。"爽，籚也，赤色以爲屬，行山草便於用靴，故越人重之。"又《羽族部》："鳴鶴戒露，此鳥警，至八月白露流於草上，適適有聲，因即高鳴相警，移徙所宿處。"《藝文類聚·鳥部》同。此皆正文及注同引，而脱去"注曰"二字，然分别觀之，自可考見。

吳興記三卷 <small>山謙之撰。</small>

宋王象之《輿地碑記目》曰："《吳興記》，山謙之撰。"《續漢書·郡國志》注：“中平年，分故鄣縣置安吉縣；興平二年，分烏程縣爲永縣。”《世說·言語篇》注：“於潛縣東有印渚。”並引《吳興記》。《初學記·地理部》：“烏程縣車蓋山。”“於潛舊縣天目山。”“臨安縣東石鏡山。”《藝文類聚》：“烏程縣西溫山出御荈。”並稱山謙之《吳興記》。《太平寰宇記·江南東道》所引尤多。

吳興山墟名　卷亡。張充之撰。不著錄。

《太平寰宇記·江南東道》引張充之又作“玄之”。《吳興山墟名》，有三山、金山、石城山、杼山、金鵝山，几山，七里橋山、餘英溪、夏駕山、白鶴山、青山、藝香山、西顧山、雉山、西噎山、南嶼山、吳城湖、荆山、紫花澗、顧渚、苧溪二十二事。金山二事。《輿地碑記目》：“《吳興山墟名》，張玄之作。又云晉吳興太守王韶之撰。”

吳郡記一卷　顧夷撰。

《後漢書·楚王英傳》注：“橫山北有小山，俗謂姑蘇臺。”引顧夷《吳地記》。《史記·高祖紀》集解：“顧夷曰：‘餘杭者，秦始皇至會稽經此，立爲縣。’”《漢書·伍被傳》注：“吳闔閭十一年，起臺於姑蘇山。”《藝文類聚·居處部》同。《後漢書·彭修傳》注：“延陵，漢改曰毗陵。”《北堂書鈔·酒食部》：“長城若下出美酒。”《初學記·地部》：“山東兩嶺相趆，名曰銅嶺。”並引《吳地記》，不著顧夷名。

吳縣記　卷亡。顧微撰。不著錄。

《文選·頭陀寺碑文》注：“顧微《吳縣記》曰：‘佛法詳其始，而典籍亦無聞焉，魯莊七年夜明，佛生之日也。’”

吳地記　卷亡。董覽撰。不著錄。

《初學記·地部》伍子胥廟，《太平御覽》富春陽城山、姑蘇山、硯石山、香山、定山、曲阿南武城、袁山松城。並引董覽《吳地記》。

分吳會丹陽三郡記二卷　不著錄。

見《新唐志》。《舊唐志》三卷。《太平御覽・人事部》："土城者，
勾踐時得西施，鄭旦作土城貯之。"《兵部》："卞山者，句踐於
此山鑄銅。"《禮儀部》："種山，大夫種所葬也。"並引《吳會分
地記》。

三吳土地記　卷亡。顧長生撰。不著錄。

《太平寰宇記・江南東道》："顧長生《三吳土地記》曰：'有雪
溪，水至深者。'"又曰："掩浦者，昔項羽觀秦皇輿曰'可取而
代也'，項梁掩其口之處，因名之曰。"王象之《輿地碑記目》
曰："《三吳土地記》，顧長生作。"

三吳郡國志　卷亡。韋昭撰。不著錄。

《寰宇記・江南東道》："韋昭《三吳郡國志》曰：'孔姥墩，昔有
孔氏婦少寡，有子八人，訓以義方。漢哀、平間，俱爲郡守，因
名之，亦曰八子墩。'"《輿地碑記目》曰："《吳興錄》，韋昭作。"

吳郡地理記　卷亡。王僧虔撰。不著錄。

《太平御覽・逸民部》："王僧虔《吳郡地理記》曰：'處士陸著，
漢桓、靈間，州府交辟，不就，臨卒，誡諸子弟云"勿苟仕濁
世"，子弟遵訓，終身不仕，並有盛名。'"

吳地記一卷　張勃撰。不著錄。

見《唐志》。

吳郡緣海四縣記　卷亡。不著錄。

《文選》謝靈運《富春詩》注："錢塘西南五十里有定山。"《太平
御覽・地部》："葉海有會骸山，傳云山有金牛，昔有兄弟三人
共鑿求之，坎崩同死，因以爲名。"並引《吳郡緣海四縣記》。

吳郡臨海記　卷亡。不著錄。

《太平御覽・地部》："《吳郡臨海記》曰：'虞縣有穿山，下有洞

穴，昔有在海中行者，舉帆從穴中過。’”

京口記二卷　<small>宋太常卿劉損撰。</small>

《唐志》作“劉損之”。《藝文類聚・地部》：“城北四十餘里有小岡，名下鼻。”《山部》：“石門二山頭相對。”又：“蒜山無峯嶺，北臨中江。”<small>《文選》顔延年《遊蒜山詩》注同。</small>《水部》：“縣城東南大路得屠兒浦。”《居處部》：“唐頹山南隅得郄鑒故宅。”《菓部》：“南國多林檎。”《北堂書鈔・地理部》：“有龍目湖，秦始皇改名爲丹徒。”<small>《初學記・地理部》同。</small>又曰：“去城九里有白石峴。”<small>《御覽・地部》作“自在峴”。</small>《太平御覽・地部》黃鶴山、北顧山、馬蹄山、嘉子洲，並稱劉禎《京口記》。《輿地碑記目》：“《京口舊記》，山謙之、劉損之皆作。”<small>山謙之記未見逸篇。</small>

南徐州記二卷　<small>山謙之撰。</small>

《唐志》同。《文選・七發》注：“京江，《禹貢》北江，春秋朔望，輒有太濤。”<small>《求自試表》注、《初學記・地理部》並同。</small>《藝文類聚・山部》：“蒜山北江中，有伏牛山。”《太平御覽・地部》丹徒縣女山、暨陽縣秦履山、暨陽北馬鞍山、南沙縣中州山、剡縣三白山，並引山謙之《南徐州記》。《世說・捷悟篇》注：“徐州人多勁悍，號精兵。”《排調篇》注：“徐州都督，北府之號，自晉王舒起。”《史記・絳侯周勃世家》正義“丹徒峴龍目湖”，並引《南徐州記》，不著山謙之名。

徐地錄一卷　<small>劉芳撰。不著錄。</small>

見《唐志》。《北堂書鈔・藝文部》：“徐州有秦始皇碑。”《地理部》：“延陵縣南有茅君山。”《太平寰宇記・河南道》：“合鄉故城，古之互鄉。”又云：“後漢承宮躬稼於蒙山。”並引劉芳《徐州記》。

南兗州記一卷　<small>阮昇之撰。不著錄。</small>

《新唐志》：“阮叙之《南兗州記》一卷。”《太平御覽・地部》：

“瓜步山東五里有赤岸山。”《州郡部》：“南兗州，地有鹽亭一百二十三所。”《寰宇記·淮南道》同。“盱眙，春秋時善道地。”《寰宇記·淮南道》：“江都臺釣臺，吳王濞之釣臺。”又：“海陵縣孤山有神祠，悉生大竹。”“有高郵縣有土山，上有石井、石臼。”並引阮昇之《南兗州記》。《河南道》都梁山、東陽山、盱眙山，又《淮南道》故齊寧縣、江都孝義里、廣陵茱萸溝六事，《御覽·地部》引“都梁宮殿，隋大業元年所立”，並稱阮昇之記，似此書撰在隋、唐間。

兗州記 卷亡。荀綽撰。不著錄。

《世說·文學篇》注：“袁準有俊才，太始中位給事中。”《北堂書鈔·設官部》、《藝文類聚·職官部》、《御覽·職官部》並同。此引荀綽《兗州記》。

會稽記一卷 賀循撰。

《史記·越世家》正義：“少康其少子號曰於越，越國之稱始此。”《太平御覽·地部》：“石簣山，其形似簣，在宛委山上。”並引賀循《會稽記》。

會稽記 卷亡。孔靈符撰。不著錄。

《宋書·孔季恭傳》：“季恭，會稽山陰人，子靈符為會稽太守。”《文選·遊天台山賦》注：“赤城山瀑布，冬夏不竭。”“天台山，舊名，五縣之餘地。”“赤城山上有石橋、石屏風。”顏延年《和靈運詩》注：“秦望山在州城正南。”江文通《雜體詩》注：“始寧縣有崶山，剡縣有嵊山。”《後漢書·鄭宏傳》注：“若耶溪風呼為鄭公風。”《藝文類聚·山部》：“赤城山南有天台靈嶽，玉石瑤臺。”又“餘姚縣南百里有太平山”，又“會稽山南有宛委山”，又“射的山西南水中有白鶴”。《太平御覽·地部》：“諸暨縣西北有鳥帶山，上虞有龍頭山。”並引孔靈符《會稽記》。《初學記·地理部》：“四明山高峯軼雲，連岫蔽日。”稱孔曄《會稽記》。《御覽·地部》始寧縣壇譙山、剡縣白石山、重山大夫種墓、諸暨縣羅山、陳音山、銅牛山、赤城山、亭山、永興縣洛思山、城西門怪山,《居處部》重山南白樓亭,並稱孔曄《會稽記》。愚按《寰宇記·江南東道》引"射的白斛一百,射的玄斛一千"之語,稱孔曄《記》,《御覽·地部》同引之,則稱孔靈符,疑曄乃靈符名,而以字行,故《宋書》本傳祇稱靈符也。《藝文類聚·山部》引塗山、土城山、秦望山三事,稱孔皋《會稽記》,"皋"乃"曄"之訛。

會稽土地記一卷　朱育撰。

《世說·言語篇》注:"東陽長山靡迤而長,縣因山得名。"又:"山陰邑在山陰,故以名焉。"此引《會稽土地志》,不著朱育名。

會稽舊記　卷亡。不著錄。

《史記·五帝紀》正義:"《會稽舊記》曰:'舜、上虞人,去虞三十里有姚邱,即舜所生也。'"

會稽郡十城地志　卷亡。不著錄。

《太平御覽·禮儀部》:"上虞縣東南古塚磚題文曰:'居在本土厥姓黃,卜葬於此大富強,《易》卦吉,龜卦凶。'"此引《會稽郡十城地志》。

隋王入沔記六卷　宋侍中沈懷文撰。

《唐志》十卷。

荊州記三卷　宋臨川侍郎盛弘之撰。

《通典·州郡門》:"凡言地理者,在辨區域,徵因革,知要害,察風土,如誕而不經,偏記雜說,何暇偏舉。"注曰:"謂辛氏《三秦記》、常璩《華陽國志》、羅含《湘中記》、盛弘之《荊州記》之類,皆自述鄉國靈怪人賢物盛,參以他書,則多紕繆,既非通論,不暇取之矣。"愚按:弘之書見引最多,其記靈異如始興機山石室,《藝文類聚·地部》。酈縣菊谿,《類聚·水部》。夷道勾將山下三泉,同上。新陽縣惠澤中溫泉,同上。宜都佷山風穴,《御覽·

天部》。佷山石穴陰陽石,同上。湘東雨母山采陽縣雨瀨,同上。
臨賀郡雷磨石,《御覽·地部》。臨賀縣門石人,同上。宮亭湖廟
神,同上。又《初學記·地部》同。魚復縣神洲,同上。此類甚眾。《史
記·越世家》正義引華容縣西陶朱公冢碑,《文選·登樓賦》注:"江
陵縣西有陶朱公冢碑。"《北堂書鈔·武功部》有河東郡石鼓銘,《藝
文類聚·居處部》有穀城門石人腹銘曰:"摩兜鞬,慎莫言。"
《太平御覽·文部》:"冠軍縣張唐墓碑背曰:'白楸之棺,易朽
之裳,銅錢不入,瓦器不藏。'嗟矣!後人幸勿見傷。"並出弘
之《荆州記》。

荆州記　卷亡。庚仲雍撰。不著錄。

《文選》郭景純《遊仙詩》注:"大城西有靈谿水,臨沮縣有青溪
山。"張景陽《雜詩》注有"北有四關,魯陽伊關之屬也"。《藝
文類聚·居處部》:"秭歸縣有屈原宅,女須廟擣衣石猶存。"
《太平御覽·居處部》同。《地部》:"巴楚有明月峽、廣德峽、東突峽,
今謂之巫峽、姊歸峽、歸鄉峽。"並引庚仲雍《荆州記》。

荆州記　卷亡。范汪撰。不著錄。

《史記·五帝紀》正義:"丹水縣在丹川,堯子朱所封也。"《藝
文類聚·居處部》:"宛有三女樓,伍子胥宅。"又云:"安昌里
有光武宅,枕白水,所謂龍飛白水也。"《太平御覽·服用部》:
"安成郡今屬江州,出桃枝席。"《獸部》:"夷陵縣峽口,猿鳴至
清遠。"並引范汪《荆州記》。

荆州土地志　卷亡。不著錄。

《藝文類聚·舟車部》:"桓宣穆遣人尋廬山,上有一湖,中有
敗艑。"《菓部》:"宜都出大枇杷。"並引《荆州土地志》,不著
撰名。

荆州記　卷亡。劉澄之撰。不著錄。

《初學記·地部》:"劉澄之《荆州記》曰:'華容縣東南有雲夢

澤，一名巴邱湖，荆州之藪也。'"

豫章記一卷　雷次宗撰。

《唐志》同。《宋志》稱《豫章古今記》三卷。王象之《輿地碑目》言："《豫章古今志》，見《隋志》。"然"古今"二字非《隋志》本有。《藝文類聚·軍器部》載："雷孔章爲豐城，令得龍淵、太阿二劍。"《御覽·兵部》同。《晉書·張華傳》即取資此記，然《水經·贛水》注引次宗言鸞岡、鶴嶺，以舊說爲繫風捕影之論，《文選·別賦》注亦引舊說，而不載次宗辨論。是次宗亦不專尚奇異也。《太平寰宇記·江南西道》洪井風雨池、洪州城、大湖、龍沙堆、王喬壇、椒邱城、昌邑城、許子將墓、建城縣、樂平縣、吉州陶侃母墓、建昌縣，共十二事，引次宗《豫章記》。其不著次宗名者不錄。

豫章記　卷亡。張僧鑒撰。不著錄。

《文選·別賦》注："張僧鑒《豫章記》曰：'洪井有鸞岡，舊說洪崖先生乘鸞所憩處也。鸞岡西有鶴嶺，王子喬控鶴所經過處。'"江文通《廬山詩》注同。

蜀王本紀一卷　揚雄撰。

《唐志》同。《史通·因習篇》曰："國之有僞，其來尚矣。如杜宇作帝，勾踐稱王，而揚雄撰《蜀紀》，子貢著《越絕》。考斯眾作，咸是僞書。"又《外篇·雜記》曰："揚雄哂子長愛奇多雜，然觀其《蜀王本紀》，稱杜魄化而爲鵑，荆屍變而爲鱉，其言如是，何其鄙哉！"愚按：杜宇作帝，死化子規，見《文選·蜀都賦》注；荆尸鱉令，《御覽》作"鱉靈"，此乃人名。隨江水至湃，《後漢書·張衡傳》注作"至成都"。與望帝相見，望帝以爲相，以德薄，不及鱉令，乃委國授之而去，此見《文選·思玄賦》注。《御覽·妖異部》、《獸部》、《羽族部》、《鱗介部》並引之。所記誠涉怪異，然雄言荆地有一死人名鱉令，非變而爲鱉也。至如武都山精化爲女子，《後漢書·任文公傳》注，《北堂書鈔·儀飾部》。朱提男子從天而下，自稱望帝，《史記·三代世表》索隱。五丁迎秦女,山崩,化爲石,《藝文類聚·山部》,《御覽·地部》、《州郡部》並引之。秦襄王時,宕渠郡獻長人二十五丈六尺,《御覽·人事部》。此類亦杜宇、鱉令之流。

蜀記　卷亡。李膺撰。不著錄。

《太平寰宇記·劍南東道》犂刃山、廢懷歸縣、五城縣、靈江東鹽亭井、宕渠郡、銅官山、劍閣、石新婦,並引李膺《蜀記》。

蜀記　卷亡。段氏撰。不著錄。

《寰宇記·劍南西道》:"戎人進猱㺜褥,皁、褐、碧三色相間。"《江南西道》:"涪州出扇。"《山南西道》:"渝出花竹簟,巴川以竹根爲酒注子。"《太平御覽·布帛部》:"卭州鎮南蕉葛,上者一疋直十千。"並引段氏《蜀記》。又《寰宇記·山南東道》:"忠州墊江縣以蘇薰爲席,絲爲經,其色深碧。"此稱段氏《遊蜀記》。

三巴記一卷　譙周撰。

《玉篇·巴部》:"閬白水東南遶,如巴字。"《通典·州郡門》、《御覽·地部》、《州郡部》並見。《藝文類聚·樂部》:"閬中有渝水,賨民銳氣善舞,高祖使樂人習之,故樂府中有巴渝舞。"《太平御覽·人事部》、《禮儀部》並引巴國將軍曼子事,俱見譙周《三巴記》。《續漢·郡國志》注引有《巴漢志》。

珠崖傳一卷　僞燕聘晉使蓋泓撰。

《太平御覽·果部》:"《珠崖傳》曰:'果有龍眼。'"又:"《珠崖故事》曰:'珠崖果有餘甘。'"

巴蜀志　卷亡。袁休明撰。不著錄。

《水經·若水》注:"袁休明《巴蜀志》曰:'堂琅縣西,高山嵯峨,嶺石磊落,傾側縈迴,下臨峭壑,行者攀緣,牽援繩索,三蜀之人及南中諸郡以爲至險。'"

陳留風俗傳三卷　圈稱撰。

《元和姓纂》:"後漢末有圈稱,字幼舉,撰《陳留風俗傳》。"《廣韻》注同。《匡謬正俗》引圈稱"自序爲圈公之後。圈公,秦博士,避地南山。惠太子即位,以圈公爲司徒",師古"按班書述四皓,但有園公,非圈公也。公避地入商洛深山,不爲博士。又漢初不置司徒,且呼惠帝爲惠太子,無意義。孟舉之説實爲鄙野"。愚按:《水經注》、《史記索隱》諸書所引《陳留風俗傳》皆無圈公一事,《羣輔録》園公注衹引《陳留志》,乃江敞所撰,十五卷,見雜傳類。非圈稱之書。然阮簡爲開封令,有刼賊,外白甚急,簡方圍棋,長嘯曰:"局上有刼亦甚急。"此事《水經·渠》注作《陳留志》,而《太平御覽·州郡部》、《寰宇記·河南道》並作《陳留風俗傳》,蓋圈稱、江敞同紀陳留事,故各互見也。但稱字幼舉,師古書爲孟舉,誤。《唐志》卷同。

鄴中記三卷　晉國子助教陸翽撰。

今本一卷。

春秋土地名三卷　晉裴秀客京相璠撰。

《隋志》經部春秋類已見,此係重出。

衡山記一卷　宋居士撰。

《南齊書·高逸傳》:"宗測字敬微,宋徵士炳孫也。測少靜退,辟徵不就。嘗遊衡山,著《衡山記》。"《隋志》"宋"當作"宗"。《文選》江文通《雜體詩》注:"空青崗有天津玉池。"《藝文類聚·地部》:"衡山有曾青崗,出曾青,可合仙藥;有靈壽崗,多靈壽木。"《御覽·地部》又云:"週迴數十里,芝草崗有神芝靈草。"並引《衡山記》。

南嶽記　卷亡。徐靈期撰。不著録。

《藝文類聚·居處部》:"南嶽有飛流壇、曲水壇。"《御覽·居處部》同。《服飾部》:"衡山之岡有石室,有刀鋸銅銚及瓦香爐。"《太平御覽·地部》:"當翼、軫度機、衡,謂之衡山。"並引徐靈期《南嶽記》。

盧山紀略一卷 <small>釋慧遠撰。不著録。</small>

今存。

盧山記 <small>卷亡。張野撰。不著録。</small>

《藝文類聚·山部》:"張野《盧山記》曰:'盧山天將雨則有白雲,或冠峯岫,或亘中嶺,俗謂之山帶,不出三日必雨。'"

盧山記 <small>卷亡。周景式撰。不著録。</small>

《藝文類聚·山部》:"周景式《盧山記》曰:'匡俗,周威王時,生而神靈,盧於此山,世稱盧君,故山取號焉。'"

勾將山記 <small>卷亡。袁山松撰。不著録。</small>

《太平寰宇記·山南東道》:"登勾將山,北見高筐山,巍然半天。"《御覽·地部》:"堯時大水,此山不没,如筐,因名焉。"並引袁山松《勾將山記》。

太山記 <small>卷亡。不著録。</small>

《史記·趙世家》正義:"太山西北有長城,緣河經太山千餘里,瑯琊入海。"又《楚世家》正義引作《太山郡記》。《藝文類聚·木部》:"山南有太山廟,柏樹千株,長老傳云漢武所種。"並引《太山記》。《太平御覽·地部》引太山天門日觀、秦觀、吳觀、周觀諸岫,語與《漢官儀》同。

嵩山記 <small>卷亡。盧元明撰。不著録。</small>

《太平寰宇記·河南道》:"盧元明《嵩山記》曰:'漢有王彦者,隱於侯山,後學道得成,至今指所住爲王彦嶺。'"《水經注·禹貢山水澤地》[①]:"嵩山石室有自然經書,自然飲食。"又:"山有玉女臺。"《文選·洛神賦》注"山上神芝",並引《嵩高山記》,不著撰名。

羅浮山記 <small>卷亡。袁彦伯撰。不著録。</small>

---

① "澤",原誤作"釋",據 1999 年杭州大學出版社《水經注校釋》改。

《元和郡縣志‧嶺南道》：“袁彦伯《羅浮山記》曰：‘羅浮山在
博羅縣西北，羅山之西有浮山，蓋蓬萊之一阜浮海而至，與羅
山並體，故曰羅浮。’”《水經‧沔水》注、《文選》謝靈運《初發石首城》注並引
《羅浮山記》，不著袁彦伯名。《太平御覽‧居處部》：“袁彦伯《羅山
疏》曰：‘仰望石橋，渺然在雲中。’”

登羅山疏 卷亡。竺法真撰。不著錄。

《太平御覽‧香部》“旃檀沈香”，《羽族部》“越王鳥”、“五距
鳥”，《獸部》“增城縣牛潭”，《蟲豸部》“金花蟲”，《竹部》“筋
竹”，並引竺法真《登羅山疏》。

中山記 卷亡。張曜撰。不著錄。

《水經‧滱水》注多引《中山記》，其言“城中有山，故曰中山”。
《通典‧州郡門》注取之，《太平御覽‧州郡部》、《寰宇記‧河
北道》並稱張曜《中山記》。

鄒山記 卷亡。不著錄。

《水經‧汶水》注：“徂徠山有美松，亦曰尤徠之山。”《史記‧
夏本紀》正義：“鄒山，古之嶧山，言絡驛相連屬也，今猶多桐
樹。”並引《鄒山記》。

天台山銘序 卷亡。支遁撰。不著錄。

《文選‧遊天台山賦》注：“支遁《天台山銘序》曰：‘余覽《内
經‧山記》云“剡縣東南有天台山”。’又云：‘往天台當由赤城
爲道徑。’”又引《天台山圖》。

名山略記 卷亡。不著錄。

《文選‧遊天台山賦》注：“《名山略記》曰：‘天台山，即是定光
寺諸佛所降葛仙公山也。’”《藝文類聚‧山部》：“天台山在剡縣，即是眾聖
所降。”《太平寰宇記‧山南西道》引上津縣天柱山事，稱殷武
《名山記》。

遊天竺記 卷亡。釋法顯撰。不著錄。

《水經·河水》注引釋法顯《遊天竺記》。

山圖　卷亡。陶弘景撰。不著録。

《太平寰宇記·淮南道》：“陶弘景《山圖》曰：‘霍山、牛山出藥草，其山東南角有伏石似牛，山中出石斛，今入貢。’”

遊名山志一卷　謝靈運撰。

《文選》謝靈運《遊赤石詩》、《石壁精舍詩》、《登石門詩》、《斤竹岡詩》、《登臨海嶠詩》、《南樓詩》注並引靈運《遊名山志》，《藝文類聚·山部》引石門事，與《選注》語異。

聖賢冢墓記一卷　李彤撰。

《唐志》同。《文選》邱希範《與陳伯之書》注：“《聖賢冢墓記》曰：‘東平思王冢在東平無鹽，人傳云思王歸國京師，後葬，其冢上松柏西靡。’”《寰宇記·淮南道》“廉頗葬肥陵”引《古今冢墓記》，又“亞夫葬於巢縣”引《古今葬地記》。

佛國記一卷　沙門釋法顯撰。

今存。

遊行外國傳一卷　沙門釋智猛撰。

《唐志》同。

交州以南外國傳一卷

《唐志》“南”訛作“來”。

十洲記一卷　東方朔撰。

今存。

神異經一卷　東方朔撰，張華注。

今存。

異物志一卷　後漢儀郎楊孚撰。

《後漢書·賈琮傳》注：“翠鳥形似鳶，翡赤而翠青，其羽可以爲飾。”《馬融傳》注：“鷦不生卵，而孕雛於池澤間，既胎而又吐生。”《北堂書鈔·酒食部》：“文草作酒，其味甚美，土人以

金買草，不言貴也。"並引楊孚《異物志》。《續漢志注》、《文選注》諸書
多引《異物志》，不著撰名，今採其著楊孚者，他做此。

南裔異物志　卷亡。楊氏撰。不著錄。

《水經·葉榆河》注："犀惟大蛇，既洪且長；采色駁犖，其文錦
章；食豕吞鹿，腴成養創；賓享嘉燕，是豆是觴。"《溫水》注：
"儋耳朱崖，俱在海中，分爲東藩。"並引楊氏《南裔異物志》。

南方異物記　卷亡。不著錄。

《文選·七啟》注："《南方異物記》曰：'採珠人以珠肉作鮓。'"
《一切經音義》："翡翠飛，即羽鳴翠翠翡翡，因以名焉。"《藝文
類聚·寶玉部》："玟珸如龜，生南方海中，大者如蓮蕖。"並引
《南方異物志》。

異物志　卷亡。譙周撰。不著錄。

《文選·蜀都賦》注："譙周《異物志》曰：'涪陵多大龜，其甲可
以卜，俗名曰靈。'又：'滇池水乍深廣，乍淺狹，有如倒池，故
俗云滇池。'"

南州異物志一卷　吳丹陽太守萬震撰。

《唐志》同。《世說·汰侈篇》注："珊瑚生大秦國。"《左傳·定
公》正義："象，身倍數牛，目則如豕，鼻長七八尺。"《漢書·武
紀》注："能言鳥有三種，白及五色者，性尤慧。"《文選·江賦》
注："鸚鵡螺，狀如覆杯。"並引萬震《南州異物志》，《史記·大
宛傳》正義大月氏、天竺事祇稱萬震《南州志》。

巴蜀異物志　卷亡。不著錄。

《文選·鵩鳥賦》注："有小鳥如雞，體有文色，土俗因形名之
曰鵩，不能遠飛，行不出域。"《漢書·賈誼傳》注、《史記·屈賈列傳》索隱
同。《史記·周勃世家》集解："頭上巾爲冒絮。"《漢書·周勃傳》注
同。並引《巴蜀異物志》。

荊揚巳南異物志　卷亡。薛瑩撰。不著錄。

《文選・吴都賦》注："餘甘,如梅李,核有刺。初食之味苦,後口中更甘。"《太平御覽・果部》："樣子樹産山中,實似李,冬熟,味酸,丹陽諸郡育之。"並引薛瑩《荆揚已南異物志》。

異物志 <small>卷亡。薛珝撰。不著録。</small>

《一切經音義》鐇鮨、鉅鮨引薛珝《異物志》。

異物志一卷 <small>陳祁暢撰。不著録。</small>

見《唐志》。《太平御覽・果部》甘蔗、益智、楠子、餘甘、三廉,《百卉部》葭蒲,並引陳祁暢《異物志》。

異物志 <small>卷亡。曹叔雅撰。不著録。</small>

《藝文類聚・水部》："廬陵城中有一井,水灰汁,取作粥,皆作金色,土人名灰汁爲金,故名爲金井。"此引曹叔雅《異物志》。《太平寰宇記・江南西道》亦引金井事,又山都、木客二事,並稱叔雅《廬陵異物志》。

扶南異物志一卷 <small>朱應撰。</small>

《唐志》同,作"朱應"。《通典・邊防門》注："大宛馬解人語,知音舞。""大月氏牛,尾重十斤,割之供食,尋生如故。"《史記・大宛傳》正義："大秦國北附庸小邑,有羊羔自然生於土中。"又:"大秦金二枚,皆大如瓜,擲之,滋息無極。"並稱宋膺《異物志》,省"扶南"二字,"朱"作"宋","應"作"膺",未知孰是。

涼州異物志二卷

《唐志》二卷。《太平御覽・天部》:"《涼州異物志》曰:'有一大人生於北邊,<small>原注:"在丁零北千五百里。"</small>偃臥於野,其高如山,頓脚成谷,横身塞川,<small>原注:"長萬餘里,頓脚之間乃是大谷。"</small>近之有災。'"《寰宇記・隴右道》引"龍勒山貳師將軍祠",又"葱嶺水東流爲河源"二事。《水經・河水》注引葱嶺水事作《涼土異物記》。

臨海水土物志一卷 <small>沈瑩撰。</small>

《唐志》作《臨海水土異物志》。《後漢書·東南夷傳》注："夷洲在臨海東南,去郡二千里。"引沈瑩《臨海水土志》;省"物"字,《太平御覽·四夷部》引此事尤詳,亦稱《臨海水土志》。《文選·江賦》注："海豨豕頭,身長九尺。"稱《臨海水土記》;《御覽·鱗介部》多稱《臨海水土記》。《廣韻》注："鮻魚腹背皆有刺,如三角菱。"稱《臨海風土記》;《御覽·鱗介部》作"水土"。《文選·江賦》注："鹿魚長二尺餘,有角,腹下有脚,如人足。"《思玄賦》注："鶗鴂一名杜鵑,至三月,鳴,晝夜不止。"稱《臨海異物志》;省"水土"二字,《初學記·歲時部》同,《藝文類聚·歲時部》同。又《江賦》注蝐、鱶魚、鼊、龜、鼅鼄、海月、土肉、石華、蚶、蠣,並稱《臨海水土物志》;《御覽·鱗介部》亦多同此稱,又"三蝬似蛤",《廣韻》注作《臨海異物志》,《御覽》作《水土物志》。江文通《雜體詩》注："白石下有金潭,金光煥然。"《一切經音義》:"烏賊以其懷板含墨,故號小史魚。"《藝文類聚·木部》:"石山望之如雪,山有湖,傳云金鵞所集,八桂所植。"並稱《臨海記》。《御覽·地部》、《時序部》、《寰宇記·江南東道》亦多引《臨海記》。

交州異物志一卷 楊孚撰。

《藝文類聚·鳥部》"孔雀,人拍其尾則舞",稱楊孝元《交州異物志》;又"翠鳥先高作巢;生子,恐墮,稍下作巢;子生毛羽,復益愛之,又更下巢",此稱楊孝先《交趾異物志》。

蜀志一卷 東京武平太守常寬撰。

常璩《大同志》曰："族祖武平府君、漢嘉杜府君並作《蜀後志》,書其大同及其喪亂。"《西州後賢志》曰："武平府君撰簡授翰,拾其遺闕,然但言三蜀,巴漢未列,又務在舉善,不必珍異。"

發蒙記一卷 束晳撰。載物産之異。

《隋志·經部》小學類有束晳《發蒙記》一卷,此疑重出,然注特言記物産之異,小學類注無此語。或名同而書殊也。《史記·匈奴傳》索隱："駃騠剟其母腹而生。"《殷本紀》正義："鼃三足

曰熊。”《初學記·獸部》：“西域有火鼠之布，東海有不灰之
木。”《太平御覽·兵部》：“師子五色，而食虎於巨木之岫，一
噬則百人仆，惟畏鉤戟。”並引束晳《發蒙記》。此類與諸異物
志相彷，故亦入地理類。

地理書一百四十九卷　錄一卷。陸澄合《山海經》已來一百六十家，以爲此書。
澄本之外，其舊事並多零失。見存別部自行者，惟二十四家，今列之於上。①

《南齊書·陸澄傳》：“澄撰地理書。”《史通·書志篇》曰：“地
理爲書，陸澄集而難盡。”《唐志》：“一百五十卷。”《隋志》有錄一
卷，《唐志》百五十卷，乃合目錄言之。《水經·濟水》注：“吕尚封於齊郡
薄姑，故城在臨淄縣西北五十里，近濟水。”《文選·赭白馬
賦》注：“洛陽故宫曰廣望觀，臨金市。”左太冲《詠史詩》注：
“崑崙東南地方五千里，名曰神州。”江文通《雜體詩》、《竟陵王行狀》注
同。曹子建《贈徐幹詩》注：“迎風觀在鄴。”子建《七啓》注同。《藝
文類聚·水部》：“滎陽有浪蕩渠。”《北堂書鈔·禮儀部》：“衛
青尚平陽公主後，與主合葬，冢在華山，葬時發土，得銅槨一
枚。”並引《地理書》，不著撰名。任昉、劉澄並有《地理書》，鈔此所引，不
著撰名，則未能定爲陸澄之書，附此存考。又按《隋志》注言：“陸澄合《山
海經》已來諸家，見存別部自行者二十四家。”今志中所列《山海
經》、《水經》、《黃圖》、《洛陽記》、陸機《洛陽記》、《洛陽宫殿簿》、《洛城圖》、《述征記》、
《西征記》、《婁地記》、《風土記》、《吳興記》、《吳郡記》、《京口記》、《南徐州記》、《會稽
土地記》、《會稽記》、《隋王入沔記》、《荆州記》、《神壤記》、《豫章記》、《蜀王本紀》、《三
巴記》、《珠崖傳》、《陳留風俗傳》、《鄴中記》、《春秋土地名》、《衡山記》、《遊名山志》、
《聖賢冢墓記》、《佛國記》、《遊行外國傳》、《交州以南外國傳》、《十洲記》、《神異經》、
《異物志》、《蜀志》、《南州異物志》、《發蒙記》。共三十九家，自是於陸澄所
合外增著十五家。《交州異物志》、《扶南異物志》、《臨海水土物志》、《涼州異
物志》四家志，本著在陸澄書下，故計增著者惟十五家也。

三輔故事二卷　晉世撰。

《唐志》地理類有《三輔舊事》三卷，不著撰名，故事類又有韋氏《三輔舊事》一卷。愚按：《漢書·郊祀志》注"建章宮承露盤仙人掌"，《續漢·祭祀志》注"長安城東靈星祠"，《史記·始皇紀》索隱"聚天下兵器鑄銅人"，《後漢書·盆子傳》注"長安城中有虆街"，或稱《三輔故事》，或稱《舊事》，《初學記》、《藝文類聚》諸書亦故事、舊事互引。疑同一書，而《唐志》重出也。《北堂書鈔·藝文部》引："婁敬爲高車使者，持節至匈奴，與分地界，作丹書鐵券，曰：'海以南冠蓋之士處焉，海以北控弦之士處焉。'"《御覽·奉使部》同。又云："衛太子大鼻，《御覽》作"嶽鼻"。武帝病，太子入省，江充曰：'上惡大鼻，當持紙塞其鼻而入。'帝怒。"《御覽·人事部》、《疾病部》："又江充語武帝曰：'太子不欲聞陛下膿臭。'"考《漢書·婁敬傳》、《匈奴傳》、《衛太子傳》、《江充傳》並可補闕。《太平御覽·資產部》引："更始遣將軍李松攻王莽，屠兒賣餅者皆從之，屠兒杜虞手殺莽。"《漢書·莽傳》稱："商人杜吳殺莽。""吳"、"虞"通用字。《隋志》稱此書撰自晉世，故梁劉昭已引其詞。《唐志》題爲韋氏，据《後漢書·韋彪傳》："帝數召彪入，問以三輔舊事，禮儀風俗。"《羣輔錄》載順、豹、義爲韋氏三君，又韋孟達爲扶風三達之一，是韋氏固三輔聞人也。《文選·西京賦》注："建章宮北作清淵海。"《陶徵士誄》注："四誥，秦時爲博士，辟於上洛熊耳山。"二事，稱《三輔三代舊事》，《選注》所引他事祇稱故事、舊事，無"三代"二字。"三代"二字未詳。

湘洲記二卷　庾仲雍撰。

《初學記·天部》："零陵山有石鷰，遇風雨則飛，雨止，還化爲石。"《地理部》："應陽縣蔡子池南有石臼，云是蔡倫舂紙臼。"《御覽·天部》、《地部》同。並引庾仲雍《湘州記》。《太平御覽·地部》："君山，昔秦皇欲入湘觀衡山，遇風浪，至此山而免，因號君山。"此稱庾穆之《湘州記》。

吳郡記二卷　晉本州主簿顧夷撰。

前已著顧夷《吳郡記》一卷，此疑重出。

日南傳一卷

《太平御覽·兵部》引："《日南傳》：'南越王尉佗攻安陽，王遣太子始降安陽。與安陽王女眉珠通，入庫鋸截神弩，亡歸報佗。佗復攻，安陽王弩折兵挫，浮海奔竄。'"

江記五卷　庾仲雍撰。

《水經·江水》注："若城至武城口三十里。"又："谷里袁口，江津南入，歷樊山上下三百里，通新興、馬頭二治。"並引庾仲雍《江水記》。《文選》仲文《南州桓公九井詩》注："姑熟至直瀆十里，東通丹陽湖，南有銅山，山一名九井山，井與江通。"鮑明遠《還都道中詩》注："蘆州至樊口二十里，伍子胥初所渡處也。樊口至武昌十里。"此題庾仲雍《江圖》。《唐志》作《江記》，卷同。

漢水記五卷　庾仲雍撰。

《唐志》同。《初學記·地部》："漢水出廣漢，漾水出嶓冢，東流至武都，與漢水合。沔水出武都沮縣，亦與漢水相合。"《藝文類聚·水部》："漢水有泉，方圓數十步，夏長沸湧，望見白氣衝天，能瘥百病，常有數百人飲浴之。"《史記·夏本紀》正義："武當縣西十里漢水中有洲名滄浪洲。"並引庾仲雍《漢水記》。《水經·沔水》注："滄浪洲謂之千齡洲。"稱仲雍《漢中記》。《寰宇記·山南西道》興道七女池事亦稱《漢中記》，不著仲雍名。

居名山志一卷　謝靈運撰。

《水經·漸江水》注引謝康樂《山居記》。

西征記一卷　戴祚撰。

《唐志》二卷。《封氏聞見記》："戴祚《西征記》曰：'開封縣二佛寺，余至此，見鴿大小如鳩，戲時兩兩相對。'《御覽·羽族部》云："祚至雍邱，始見鴿大小如鳩，色似鸚鵡，戲時兩兩相對。"祚，江東人，晉末從劉裕西征姚泓，至開封縣始識鴿，則江東舊亦無鴿。"愚按《隋志》有戴延之《西征記》二卷，此又著戴祚《西征記》一卷，《唐志》惟有戴祚，無延之，他書所引多稱延之，惟開封見鴿事，《御覽》同作戴祚，据《封氏》言"祚晉末從劉裕西征姚泓"，《水經·洛水》注言"延之從劉武王西征"，是祚與延之本一人，祚乃其名，而以字行，《隋志》兩見，當係重出。

永初山川古今記一卷　齊都官尚書劉澄之撰。

《唐志》同。《初學記·文部》："興平石穴深二百丈，石青色，堪爲硯。"《太平御覽·地部》："鼓山如石鼓形，二所南北相當，二鼓相去十里。"並引劉澄之《宋永初山川古今記》。《水經·夏水》注："夏水，古文以爲滄浪水，漁父所歌也。"《文選·苦熱行》注："寧州障氣茵露，四時不絕。茵，草名，有毒，其上露觸之，肉即潰爛。"《初學記·天部》："宜都郡有二大石，一爲陽，一爲陰，鞭陰石則雨，鞭陽石則晴。"並稱《宋永初山川記》。省"古今"字。《御覽》、《寰宇記》亦多從省，又《御覽·州郡部》"黎陽國"、《居處部》"魏武殿前聽政門"，稱澄之《古今山川記》，省"永初"二字。《水經·河水》注："高祖即帝位於氾水之陽，今不復知舊壇所在。"《獲水》注："彭城之西南有彌黎城。"《汾水》注："介山，子推所逃隱於是山。"《穀水》注："洛城西面有陽渠，周公制之。"並稱劉澄之《永初記》。省"山川古今"字。又澄之，酈氏注或稱"劉中書"。

元康三年地記六卷

《續漢·郡國志》注雒陽城、王城、蒯鄉、訾城、坎陷、聚汲、銅關、安邑、梁城、堯城等，並引《晉元康地道記》。《文選》謝靈

運《斤竹澗詩》注："猿與獼猴不共山宿，臨旦相呼。"《藝文類
聚·地部》："荆州，古蠻服地。秦滅楚，置郡縣，漢武分爲交
州，至魏晉而荆州所部郡國三十。"並稱《元康地記》。元康，惠帝
年號，與《太康地記》自各爲一書，《續漢志》注所引稱元康者甚多，固非太康之訛。
又《隋志》有《元康六年戶口簿記》。

太康地記 卷亡。不著錄。

今有緝本，亦從《續漢志》諸書抄撮爲之。

地記二百五十二卷 梁任昉增陸澄之書八十四家，以爲此記。其所增舊書，亦多
零失。見存別部行者，惟十二家，今列之於上。

《梁書·任昉傳》："昉撰《地記》二百五十二卷。"《唐志》同。《水
經·洛水》注、《穀水》注並引有《地記》，不著任昉名。又按
《隋志》注昉所增諸家舊書別部存者惟十二家，今志所列自
《三輔故事》已下。《湘州記》、《吳郡記》、《日南傳》、《江記》、《漢水記》、《居名
山志》、《西征記》、《廬山南陵雲精舍記》、《永初山川古今記》、《元康三年地記》、《并帖
省置諸郡舊事司州記》。共十三家，《志》增一家。

山海經圖讚二卷 郭璞撰。

《唐志》同。張彥遠《歷代名畫記》曰："《山海經圖》六，又《抄
圖》一，《大荒經圖》二十六。"

山海經音二卷

《唐志》同。

水經四十卷 酈善長注。

今存。

廟記一卷

無撰名，《唐志》同。《漢書·郊祀志》注："五帝廟在長安東
北。"《外戚傳》注："趙父冢在雍門西，上官桀、安冢並在霍光
冢東。"《文選》注：卷二十二。"祈年宮在城外，秦穆公造；望年
宮在華陰，漢武帝造。"《後漢書·和帝紀》注："曹參冢在長陵

道旁，北近蕭何冢。"《史記·秦本紀》正義："橐泉宮，秦孝公造；祈年觀，德公起。蓋在雍州城南。"《通典·禮門》："五帝廟在長安東北。"《初學記·居處部》："飛羽殿或云飛雨殿。"又："長安有披香殿、鴛鴦殿。"並引《廟記》，《太平寰宇記》亦引十餘事。不著撰名。按《梁書·吳均傳》："均著《廟記》十卷。"

地理書抄二十卷　陸澄撰。

《太平寰宇記·江南東道》："陽義縣前長橋，袁府君造。"《山南東道》："襄陽無襄水。"又："築水會沔水之處謂之築口。"並引陸澄《地理書抄》。

地理書抄十卷　劉黃門撰。

《文選·西征賦》注："劉澄之《地理書》曰：'肴有純石，或謂石肴。'"《後漢書·獻帝紀》注："劉澄之《地記》曰：'禪陵，以漢禪位，故以名焉。'"《水經·河水》、《獲水》、《穀水》、《伊水》、《沭水》、《夏水》、《漾水》、《沅水》、《耒水》、《贛水》注並引劉澄之語，不著書名。

洛陽伽藍記五卷　後魏楊衒之撰。

今存。

荆南地志二卷　蕭世誠撰。

《太平御覽·地部》："華容方臺山，山出雪母土，人候雲所出處，於下掘取，無不大獲。"此引蕭世誠《荆南志》。又："高沙湖在枚迴洲上，徵士宗炳昔常家焉。"又："枝江縣界內洲大小凡三十七。"《寰宇記·山南東道》："枚迴洲北江呼爲薔薇江。"又："五葉湖側昔有人張被五葉同居，因以爲名。"又："巴山有巴復村在山北，因曰巴山。"又："荆潭以上爲建水，以下爲漕水。"並引《荆南志》。又石首縣陽岐山一事，《御覽》稱《荆南記》。

益州記三卷　李氏撰。

《南史·梁·李膺傳》："膺字公允，爲益州主簿。使至都，武帝悦之，以爲益州別駕，著《益州記》三卷。"《唐志》作"李充"，誤。
《後漢書·公孫述傳》注："沖星橋，舊市橋也，在今成都縣西
南四里。"《南蠻西南夷傳》注"卭都縣蛇爲老姥報讐，地陷爲
河"事。《御覽·四夷部》、《寰宇記·劍南西道》同。《元和郡縣志·劍南
道》"成都文翁學堂"。《寰宇記·劍南西道》同。並引李膺《益州
記》。《水經·江水》、《青衣水》、《若水》注引《益州記》，不著
撰名。

益州記 <small>卷亡。任豫撰。不著錄。</small>

《續漢·郡國志》注："廣都縣有望川源，武陽縣有王喬祠、彭
祖祠。"《文選·蜀都賦》注："嘉魚，鱗似鱒魚。"《藝文類聚·
禮部》："文翁學堂在大城南，昔經火災，蜀郡太守高勝修復
繕，立圖畫聖賢古人之象及禮器瑞物。"<small>此事可與李膺《益州記》互證，</small>
<small>《御覽·禮儀部》同引之。</small>《初學記·地部》："郫江，大江之枝也，亦
曰涪江，亦曰湔水。"《太平御覽·地部》："廣平有石紐林，禹
生處也。"並引任豫《益州記》。《史記·河渠書》正義："二江
者，郫江、流江也。"《北堂書鈔·酒食部》："益州有卓王孫井，
舊常於此井取水煮鹽。"並引杜預《益州記》。杜預、任豫，字
形相近易訛，自是一書。

益州志 <small>卷亡。譙周撰。不著錄。</small>

《文選·蜀都賦》注："譙周《益州志》曰：'成都織錦既成，濯於
江水，其文分明，勝於初成；他水濯之，不如江水也。'"

廣州記 <small>卷亡。裴淵撰。不著錄。</small>

《水經·浪水》注："尉佗墓後有大岡，謂之馬鞍岡。"<small>《藝文類聚·</small>
<small>地部》亦引之。</small>又："東海蝦鬚長丈四尺，鯌魚長二丈，大數圍。"
《文選》陸士衡《贈顧交趾詩》注："五嶺：大庾、始賀、臨賀、桂
陽、揭陽。"《史記·張耳傳》索隱、《前漢書·張耳傳》注、《御覽·地部》同。《漢
書·地理志》注："龍川本博羅縣之東鄉也。"《史記·南越尉佗傳》正

義同。《北堂書鈔・儀飾部》:"南海豪富女子以金銀爲大釵,執以叩銅鼓,故號爲銅鼓釵。"《初學記・道釋部》:"桂父常食桂葉,一旦與鄉曲別,飄然入雲。"並引裴淵《廣州記》。或稱"裴氏"。

廣州記 卷亡。顧微撰。不著錄。

《藝文類聚・山部》白水山、牛鼻山、夫盧山、金岡山、參里山、鬱林郡太山,《白帖》同。多引顧微《廣州記》。

廣州記 卷亡。劉澄之撰。不著錄。

《太平御覽・地部》:"劉澄之《廣州記》曰:'新城縣東俱山,山上有湖,湖中有白鷺一隻,時時飛來,不可常見。'"

湘州記一卷 郭仲彥撰。

《太平御覽・飲食部》:"衡陽縣東南有酈湖,土人取此水以釀酒,其味醇美。"《寰宇記・嶺南道》:"平樂繁山多曲竹,有木客形似小兒,歌哭行坐衣服不異於人,言語亦可解,精別木理。"並作郭仲産《湘州記》。

湘州記 卷亡。甄烈撰。不著錄。

《太平御覽・地部》:"石鷰山,石形似鷰,大小如一,山明雲淨,即翩翩飛翔。"《州郡部》:"荆,大明中望氣者云湘東有天子氣,遣日者巡視,斬岡以厭之。"並引甄烈《湘州記》。

湘州滎陽郡記 卷亡。不著錄。

《續漢・郡國志》注:"九疑山下有舜祠,故老相傳舜登九疑。"又:"營浦縣南三里餘有舜南巡止宿處,今立廟。"並引《湘州滎陽郡記》。《水經・溱水》注:"林水源石室有銀餅,晉太元中,民封驅之家僕密竊三枚,驅之夢神語曰'君奴不謹,即日顯戮',覺視,則奴死矣。"此引《湘州記》,不著撰名。

冀州記 卷亡。荀綽撰。不著錄。

《世說・言語篇》注:"滿奮字武秋,高平人,《文選・奏彈王源》注同。性清平,有識。"又:"裴頠稽古,善言名理。"《賞譽篇》注:"楊淮見王綱不振,遂縱酒,不以官事規意。"《品藻篇》注:"楊喬清朗有遠意,楊髦清平有貴識,並爲後出之儁。"又:"間邱冲清平有鑒識,博學有文義。"並引荀綽《冀州記》。<small>按此書所記似非地理類,前志皆不著錄,無從考定,今姑依名編之。</small>《北堂書鈔·設官部》:"裴康字仲預,楷字叔則,並爲名士。"此稱喬潭《冀州記》。

冀州記 <small>卷亡。裴秀撰。不著錄。</small>

《史記·封禪書》索隱:"顧氏按裴秀《冀州記》曰:'緱山仙人廟者,昔有王喬,犍爲武陽人,爲柏人令,於此得仙,非王子喬也。'"

秦州記 <small>卷亡。郭仲産撰。不著錄。</small>

《後漢書·隗囂傳》注:"隴山在隴州汧源縣西。"《太平御覽·州郡部》:"仇池山,一名仇維山,上有池似覆壺,前志云是縣以山得名。"<small>《寰宇記·山南西道》云:"山有池,似覆壺,有瀑布,望之如舒布。"</small>並引郭仲彦《秦州記》。《續漢·郡國志》注:"中平五年,分置南安郡。"《水經·河水》注:"河峽崖旁唐述窟。"《文選·四愁詩》注:"隴坂九曲,不知高幾里。"並引《秦州記》,不著撰名。

沙州記 <small>卷亡。段國撰。不著錄。</small>

《藝文類聚·地部》:"龍涸北四十里有白馬關。"《初學記·地部》:"吐谷渾於河上作橋,謂之河厲。"《太平御覽·地部》:"羊鶻山,多石,少樹木,甚似魯國鄒山。"《人事部》:"國人年五十以上,齒皆落,將因地寒多障氣也。"《寰宇記·隴右道》:"三危山有鳥鼠同穴。"並引段國《沙州記》。《水經·河水》注:"洮水與墊江水俱出强臺山,山南即墊江源,山東則洮水源。"<small>《初學記·州郡部》同。</small>又:"從東洮至西洮百二十里。"<small>《後漢書·馬防傳》注同。</small>此引《沙州記》,不著撰名。

交州記 <small>卷亡。劉欣期撰。不著錄。</small>

《水經·葉榆河》注:"龍編縣功曹左飛曾化爲虎,數月,還作吏。"《左傳·宣公》正義:"犀,其毛如豕蹏,有甲,頭如馬。"《文選·吴都賦》注:"金華出珠崖,謂金有光采者。"《七啟》、《七命》注同。又:"一歲八繭,蠶出日南。"《藝文類聚·山部》:"浮石山在海中時,高數十丈,浮在水上。"《太平御覽·刑法部》:"居風山去郡四里,山有金牛,夜出光耀數十里。"《廣韻》注:"鸏鷠,水鳥,黄喙,喙長尺餘,南人以爲酒器。"並引劉欣期《交州記》。

交州外域記 卷亡。不著録。

《水經·葉榆河》注:"後漢伏波將軍路博德討越王,越王令二使者齎郡民户口簿詣路將軍,乃拜二使者爲交趾、九真太守。"《温水》注:"從日南郡南去到林邑國四百餘里。"並引《交州外域記》。

交州記 卷亡。姚文感撰。不著録。

《太平寰宇記·嶺南道》:"姚文感《交州記》曰:'尉佗作朝殿以朝天子。'"

揚州記 卷亡。劉澄之撰。不著録。

《初學記·地部》:"吴縣有松江,自吴入海,今蘇州。"又:"新城縣東有俱山,山上有湖,湖中有白鵞一隻,時時飛來,不可常見。"新城縣事,《御覽·地》作劉澄之《廣州記》,須考。《太平御覽·天部》:"婁縣有馬鞍山,天將雨輒有雲來映,此山出雲應之,乃大雨。"並引劉澄之《揚州記》。

江州記 卷亡。劉澄之撰。不著録。

《初學記·地部》:"劉澄之《江州記》曰:'興平縣蔡子池南有石穴,深一百許丈,石色青,堪爲書研。'"《御覽·地部》同。

豫州記 卷亡。劉澄之撰。不著録。

《初學記·地部》:"劉澄之《豫州記》曰:'陳縣北有芍陂湖,魏將王淩與吴張休交戰處也。'又云:'城父縣有巢湖,湖周五里,中有三山,南有四鼎山。'"《御覽·地部》同。

梁州記 _{卷亡。劉澄之撰。不著録。}

《初學記·地部》:"劉澄之《梁州記》曰:'關地西南百八十里有白水關,昔李固解印綬處。'"《後漢書·公孫述傳》注、《李固傳》注並引之,秪稱《梁州記》,不著劉澄之名。《北堂書鈔·地理部》:"仙人唐公房祠碑。"《藝文類聚·獸部》同。 又:"南鄭城沔漢上,水邊有漢武堆。"《藝文類聚·水部》:"明月池南二里有七女池。"並引《梁州記》,不著撰名。

甘州記 _{卷亡。不著録。}

《文選》謝靈運《七里瀬詩》注:"《甘州記》曰:'桐廬縣有七里瀬,瀬下數里至嚴陵瀬。'"

洺州記 _{卷亡。不著録。}

《初學記·州郡部》:"龍崗縣西北有百峯山。"《太平寰宇記·河北道》干將城、榆溪山、風門山、封爵觀,並引《洺州記》。

蘇州記 _{卷亡。不著録。}

《太平御覽·居處部》:"周文學科孔子弟子言偃宅在常熟縣西。"《人事部》:"通賢橋東有吳丞相顧雍宅。"《寰宇記·江南東道》:"淹梅澳,昔有梅樹,吳國採爲姑蘇臺梁,後忽於此沈,至今河側猶有梅溪。"並引《蘇州記》。

湘州圖副記一卷

《唐志》同。

四海百川水源記一卷 _{釋道安撰。}

《唐志》同。

三秦記 _{卷亡。辛氏撰。不著録。}

《通典·州郡門》注:"謂辛氏《三秦》之類,皆自述鄉國靈怪。"今考諸書所引《三秦記》,如驪山始皇祠,不齋戒往,即疾風暴雨;《續漢·郡國志》注。陳倉城石鼓山,將有兵,此山則鳴;同上。

桃林塞，有軍馬經過，好行則休息林下，惡行則決河漫延，不得過；《水經·河水》注、《元和郡縣志·河南道》。狗枷堡，秦襄公時有天狗來，下有賊，狗吠之，一堡無患；《水經·渭水》注、《藝文類聚·獸部》。驪山西北有溫水，祭則得入，不祭則爛人肉；同上。又《初學記·地部》云："以三牲祭之，乃得入，可以去疾消病。"陳倉山有石雞，晨鳴山頭，聲聞三里；《史記·封禪書》正義。河西沙角山，山頭積沙則鼓角鳴；《北堂書鈔·武功部》。太白山下軍行鳴鼓角，則疾風暴雨兼至；《御覽·地部》。昆明池釣魚絕綸，夢于武帝，求去其釣；《藝文類聚·寶玉部》、《御覽·人事部》、《鱗介部》。此類並涉語怪。至如龍門暴鰓點額、《史記·夏本紀》正義。終南又名地肺、陸氏《尚書釋文》。藏鉤因鉤弋夫人法；殷敬順《列子釋文》。詞人承用，皆本此書。

丹陽記 <small>卷亡。山謙之撰。不著錄。</small>

《文選·簫賦》注："江寧縣慈母山，臨江生簫管竹，圓緻，異於眾處。"《藝文類聚》、《北堂書鈔·樂部》並同。謝玄暉《登三山詩》："江寧縣北二十里濱江有三山相接，即名爲三山，舊時津濟道也。"《石闕銘》注："牛頭山兩峯似天闕。"《藝文類聚·居處部》同。《祭古冢文》注"東府孝文王道子府"。《初學記·地部》："大長安道西張子布橋者，本張子布宅處也。"並引山謙之《丹陽記》。愚按謙之劉宋人，故《世説》注已引其書，《言語篇》注引東府事與《選注》同，雖不著名謙之，然可知爲謙之。若《太平御覽·地部》所引《丹陽記》如烈洲句下載《輿地志》，張公洲下載《梁書》，加子洲載《三十國春秋》，其書皆在山謙之後，不宜入於《丹陽記》，恐非謙之本文。

三齊略記 <small>卷亡。不著錄。</small>

《續漢·郡國志》注"鬲城東蒲臺"，《水經·河水》注同。"牟平恡侯國南有犬蹲山"，又"南山康成書帶草"。《御覽·地部》同。《水經·濡水》注："始皇於海中作石橋，海神爲之豎柱。"《藝文類

聚·靈異部》。《初學記·地理部》:"始皇作石橋,有神人驅石下
海,鞭石流血。"《御覽·天部》同。《後漢書·蔡邕傳》注"寧戚扣
牛角歌詞"。《北堂書鈔·樂部》同。並引《三齊略記》。或省"略"字。

齊地記二卷　晏謨撰。不著錄。

　　見《唐志》。《水經·濟水》注:"臨濟縣有南北二城。"《元和郡
縣志·河南道》:"太白自言高,不如東海勞。"《初學記·州郡
部》:"石塞堰,武帝時造。"並引晏謨《齊記》。《寰宇記》亦多引之。
《史記·晏子傳》正義:"齊城三百里有夷安,即晏平仲邑。"誤
稱《晏子齊記》。愚按《晉書·慕容德載記》:"德如齊城,望晏
嬰冢曰:'平仲死葬近城,豈有意青州?'刺史晏謨對曰:'臣
先人儉以矯世,豈擇地而葬乎?'德問謨以齊之山川邱陵賢哲
舊事,謨歷對詳辯,畫地成圖,德深嘉之。"据此則謨爲晉人,
故《水經注》已引之。

齊記　卷亡。伏琛撰。不著錄。

　　《水經·濟水》注:"博昌城西有南北二城。"《後漢書·耿弇
傳》注:"小城内有漢景王祠。"《初學記·天部》:"安邱城南電
都泉出電。"《太平御覽·禮儀部》:"朱虎城東有魏獨行君子
管寧墓碑,魏徵士邴原墓碑。"《寰宇記·河南道》:"堯山南有
二水,名東西丹水。"並引伏琛《齊記》。《御覽·居處部》"瑯
琊臺始皇碑",稱伏滔《地記》。

齊地記　卷亡。解道康撰。不著錄。

　　《太平御覽·天部》:"解道康《齊地記》曰:'齊有不夜城,蓋古
者有日夜中燃於東境,故萊子立此城,以不夜爲名。'"《史記·封
禪書》索隱"臨淄天齊五泉",稱解道彪《齊地記》。

職貢圖一卷　梁元帝撰。不著錄。

　　見《唐志》。《藝文類聚·雜文部》引梁元帝《職貢圖》序,《巧
藝部》引《職貢圖》贊,張彦遠《歷代名畫記》曰:"《職貢圖》一,

梁元帝畫外國酋渠諸蕃土俗本末，仍各圖其來貢者之狀。”

交廣二州記一卷　<small>王範撰。不著録。</small>

見《唐志》。按《吳志·孫策傳》注：“臣松之按：太康八年，廣州大中正王範上《交廣二州春秋》。”《續漢·郡國志》注：“交州治嬴陵縣，元封五年移治蒼梧廣信縣，建安十五年治番禺縣。”引王範《交廣春秋》。《水經·温水》注朱注：“朱崖、儋耳二郡，帝所置。”《浪水》注：“步騭殺吳巨區景合兵取南海。”並稱王氏《交廣春秋》。《藝文類聚·地部》：“建安二年，拜張津交州牧，錫彤弓、彤矢，與中州方伯齊同。”此稱苗恭《交廣記》。《太平御覽·州郡部》：“秦改附庸爲鄉都。”《職官部》：“秦改州牧爲刺史，朱明之月出巡行部，玄英之月還，詣天府表奏。”此稱黃恭《交廣記》。又《職官部》“合浦士尹牙爲郡主簿”事，作黃義仲《交廣二州記》。

十三州記　<small>卷亡。黃義仲撰。不著録。</small>

《水經·河水》注：“郡之言君也，郡守專權，君臣之禮彌崇，今郡字君在其左，邑在其右，君爲元首，邑以載名，故謂之郡。”又：“縣，弦也，弦以貞直，言隣民之位不輕其誓，施繩用法不曲如弦。弦聲近縣，故以取名，今系字在半也。”此引黃義仲《十三州記》。愚按《藝文類聚·地部》：“苗恭《交廣記》：‘建安二年，交阯太守士燮表言：“伏見十二州皆稱曰州，而交獨爲交阯刺史，何天恩不平乎？若普天之下可爲十二州者，獨不可爲十三州？”詔報聽許，拜南陽張津交州牧，錫弓矢，與中州方伯同，自津始也。’”

十三州記　<small>卷亡。應劭撰。不著録。</small>

《水經·淄水》注：“泰山萊蕪縣，魯之萊柞邑。”《泗水》注：“漆鄉，邾邑也。”並引應劭《十三州記》。

九州記　<small>卷亡。樂資撰。不著録。</small>

《水經·沔水》注：“鹽官縣有秦延山，秦始皇逕此，美人死，葬於山上，下有美人廟。”此引樂資《九州志》。《江水》注：“鄂，今武昌也。”《史記·外戚世家》集解同引。稱《九州記》。《太平御覽》、《寰宇記》多引《九州要記》。

西河舊事一卷　不著録。

見《唐志》。《世説·言語篇》注：“河西牛羊肥，酪過精好，但瀉酪置草上，都不解散也。”《後漢書·明帝紀》注：“白山，冬夏有雪，故曰白山，匈奴謂之天山，過之皆下馬拜焉，去蒲類百里之内。”並引《西河舊事》。

潯陽記　卷亡。張僧鑒撰。不著録。

《文選》謝靈運《入彭蠡湖詩》注：“石鏡山東有一圓石懸崖，明淨，照人見形。”《初學記·地部》：“雞籠山下澗中有數十處累石，若有人功。朝夕有湧泉溢出，號爲潮泉。”《太平廣記·讖應類》：“溢口城井中銘，孫權以爲己瑞。”並引張僧鑒《潯陽記》。《水經·廬江水》注：“廬山上有三石梁，吳猛將弟子登山，過此梁，見一翁坐桂樹下，以玉杯盛甘露漿與猛。”《世説·棲逸篇》注：“庾亮薦翟湯徵國子博士，不赴。”《尤悔篇》注：“庾亮拔周邵爲西陽太守。”並稱《潯陽記》，不著撰名。《尚書·禹貢》正義：“一曰烏白江，二曰蚌江，又見本篇：“一曰烏江，二曰烏白江。”三曰烏土江，四曰嘉靡江，五曰畎江，六曰源江，七曰廩江，八曰提江，九曰箘江。”《初學記·地部》同。《史記索隱·夏本紀》：“九江者，烏江、蚌江、烏白江、嘉靡江、沙江、畎江、廩江、提江、箘江。”此稱《潯陽地記》。《初學記》、《史記索隱》省“地”字。

南康記　卷亡。鄧德明撰。不著録。

《水經·浪水》注：“州治中盧耽少棲仙術，善解雲飛。”《藝文類聚·歲時部》同。《漢書·張耳傳》注：“大庾領一也，桂陽騎田二也，九真都龐嶺三也，臨賀萌渚領四也，始安越城領五也。”又見《後漢書‧吳祐傳》、《劉表傳》注。《初學記‧政理部》："雩都縣土壤肥沃，偏宜甘蔗，郡以獻御。"並引鄧德明《南康記》。《太平寰宇記‧江南西道》："聶都山三石形似人，居中者爲君，左曰夫人，右曰女郎。"此稱劉德明《南康記》。又同卷引平亭橫亭、橫浦廢關二事，稱劉嗣之《南康記》。《通典‧州郡門》注亦稱劉嗣之。

南康記　卷亡。王韶之撰。不著錄。

《初學記‧地理部》："雩都縣有君山，大風雨後聞絃管聲，其山謂之仙宮。"《藝文類聚‧地部》："湘源有長瀨，其傍石或像人形，土人名爲令史。"《山部》："寧都溪西有一山，狀如鼓，相傳謂之石鼓。"《太平御覽‧地部》："歸美山山石紅，丹赫若采繪，名曰女媧石。"並引王韶之《南康記》。《御覽‧地部》赤石山、峽山、官山三事皆語涉唐天寶，則鄧王所記外別有一《南康記》。

關中記一卷　潘岳撰。不著錄。

見《唐志》。《宋志》："葛洪《關中記》一卷。"《史記‧司馬相如傳》索隱："涇渭灞滻，豐鎬潦潏。"《文選‧西都賦》注："未央宮殿皆疏龍首。"《北堂書鈔‧禮儀部》："漢諸陵皆高十二丈，惟茂陵高十四丈。"《樂部》："秦始皇在驪山運石於渭南諸山，故其歌曰：'運石渭南嶺，渭水爲不流。'"並引潘岳《關中記》。《水經‧渭水》注、《漆水》注、《續漢‧郡國志》注引《關中記》，不著撰名。

湘中記　卷亡。羅含撰。不著錄。

《水經‧湘水》注："湘水之出於陽朔，則觴爲之舟。至洞庭，日月若出入於其中也。"《續漢‧郡國志》注："營、洮、灌、祁、宜、春、烝、耒、米、淥、連、倒、偪、泊、資水皆注湘。"《藝文類聚‧山部》："南陽劉遺民嘗遊衡山，行數十里有絕谷，不得前，遙望見三石囷，二囷閉，一囷開。"《初學記‧地理部》："衡山、九疑皆有舜廟，太守至官，常遣戶曹致敬修祀，則如有絃

歌之聲。"並引羅含《湘中記》。含字君章。《史記·屈賈列傳》正
義:"賈誼宅中有一井,傍有石牀,相承云誼所坐。"此稱《湘水
記》,不著撰名。

湘中記　卷亡。庾仲雍撰。不著錄。

《藝文類聚·山部》:"庾仲雍《湘中記》曰:'桂楊郴縣東北有
馬嶺山,蘇耽所栖遊處,因而得仙,後見耽乘白馬還此山,因
名馬嶺。'"

始興記　卷亡。王歆之撰。不著錄。

《水經·洭水》注:"白鹿城南有白鹿岡,咸康中張魴爲縣,有
善政,白鹿來遊,故城及岡並名焉。"《初學記·地部》:"靈水
源有溫泉,涌溜如沸湯,有細赤魚出游,莫有獲之者。"《文選·苦
熱行》注同。《藝文類聚·地部》:"有貞女峽,峽西岸有石狀如女
子,是曰貞女。"又:"芙蓉岡高若玉山,隣枕郊郭,周四十餘
里。"二事又見《御覽·地部》。並引王歆之《始興記》。歆,又作"韶"。

錢塘記　卷亡。劉道真撰。不著錄。

《後漢書·朱儁傳》注:"郡議曹華信立塘以防海水,縣境蒙
利。"《水經·漸江水》注、《御覽·人事部》同。《藝文類聚·水部》:"明聖
湖在縣南,去縣三里,父老相傳湖有金牛。"《初學記·地部》:
"去邑十里有詔息湖,相傳秦始皇巡狩經塗暫憩,因以詔息爲
名。"《太平御覽》:"石姥山有一石甌,大數十圍。"《器物部》同。
"靈隱山有方穴,昔有人採鐘乳見龍跡。"《藥部》同。《珍寶部》:
"縣東南有峴山,相傳採金于此。"《木部》:"靈隱山四布似蓮
花,中央生穀樹,甚高大。"《寰宇記·江南東道》:"石膏山出
石膏,若雪,一名稽留山。"並引劉道真《錢塘記》。

東陽記　卷亡。鄭緝之撰。不著錄。

《藝文類聚·水部》:"北山有湖,爲徐公湖。"《北堂書鈔·武
功部》:"岑山每至雲雨冥晦,輒聞鼓音。"《太平御覽·居處

部》：“石步廊去歌山十里，臨流虛構，可容百人坐。”《樂部》：
“晉中朝有王質者，入山伐木，至石室，見童子四人，彈琴而
歌，質聽，俄頃所坐斧柯爛盡。”《水經·漸江水》注同。並引鄭緝之
《東陽記》。

宣城記　卷亡。紀義撰。不著錄。

《文選·重答劉秣陵書》注：“臨城縣南四十里蓋山有舒姑
泉。”《藝文類聚·水部》、《御覽·地部》同。又《文苑英華·浩虛舟舒姑泉賦》以
“記云舒氏女化爲泉”爲韻。《藝文類聚·鳥部》：“侍中紀昌睦初生，
有白燕一雙出屋，既表素質，宦途亦通。”《御覽·羽族部》同。《北
堂書鈔》：“洪矩，吳時爲廬江太守，清儉，徵還，船輕皆以載
土。”《御覽·地部》、《禮儀部》同。《寰宇記·江南西道》：“周黃爲寧
國長，後遷丞相。”並引紀義《宣城記》。

安成記　卷亡。王烈之撰。不著錄。

《初學記·天部》：“縣人謝廩行田，路遇神人，曰：‘汝無仙
骨。’”《人事部》：“縣有孝子符表，母死，慟，殞，葬於四望岡，
太守王府君表其墓。”《太平寰宇記·江南西道》廬陵縣落亭
石、安福縣安福城，並引王烈之《安成記》。又：“萍鄉縣羅霄
山，瀁水所出，天旱，祀之即雨。”稱王孚《安成記》。《御覽·地部》
亦作“王孚”。

神境記　卷亡。王韶之撰。不著錄。

《太平御覽·地部》：“滎陽縣蘭巖山有雙鶴，傳云昔有夫婦隱
此山，化成鶴。”《羽族部》同。又：“九嶷有青澗，中有黃色蓮花，
芳氣竟谷。”《人事部》：“滎陽有靈源山，有石髓紫芝。”《百卉部》
同。並引王韶之《神境記》。

武昌記　卷亡。史筌撰。不著錄。

《水經·江水》注：“樊口南有大姥廟，孫權嘗獵於山下，得一
豹，見一姥問曰：‘何不豎豹尾？’”《太平御覽·天部》：“武城

東有金牛崗，西有石鼓山，上有三石鼓，鳴必天雨。"《時序部》："樊山東有小溪，盛夏常有寒氣，故謂之寒溪。"並引《武昌記》，不著撰名。《北堂書鈔·武功部》："武昌有峴山，欲陰雨，上有聲如吹角。"此稱史筌《武昌記》。《御覽·兵部》"峴山"作"龍山"，稱史岑《武昌記》。

武陵記　卷亡。黃閔撰。不著錄。

《後漢書·南蠻西南夷傳》注："武溪山高萬仞，山半有槃瓠石室，中有石牀，槃瓠行迹。"《太平御覽·地部》："周陂周迴數百頃，清波澄映，洲嶼相望。"《樂部》有綠蘿山側明月池、碧石潭，澄徹百尺。《北堂書鈔·樂部》並引。並引黃閔《武陵記》。

宜都記　卷亡。袁山松撰。不著錄。

《藝文類聚·地部》："自西陵泝江西，北行三十里入峽口，其山週迴隱映，如絕復通，高山重嶂，非日中夜半不見日月也。"《初學記·地部》："對西陵南岸有山，其峯孤秀，自山南上至頂，俯臨大江如縈帶，視舟船如鳧雁。"並引袁山松《宜都記》。《初學記·地部》："郡西北陸行三十里有丹口，天晴山嶺忽有霧起，不過崇朝雨必降。"此稱《宜都山川記》。《北堂書鈔·天部》："郡西北有丹山，天晴山嶺有霞忽起。"此即《初學記》所引，而稱《宜都記》，省"山川"二字，《藝文類聚·獸部》亦引《宜都山川記》。

古今地名三卷　不著錄。

見《唐志》。《文選》劉越石《答盧諶詩》注："冥陵阪在吳城北，今謂之吳阪。"《史記·夏本紀》正義："王屋山方七百里，高萬仞，本冀州之河陽山也。"《藝文類聚·居處部》："河南有鼎門，九鼎所定。"《初學記·州郡部》："韓武子食采於韓原。"《太平寰宇記·河南道》："王屋山狀如垣，故以名縣。"並引《古今地名》。

汝南記　卷亡。杜預撰。不著錄。

《初學記‧人事部》李充妻謂充分異獨居，充告母叱遣事，引杜預《汝南記》。《御覽‧人事部》同。《後漢書‧應奉傳》注華仲妻本汝南鄧元義前妻，更嫁華仲事，此稱《汝南記》，不著撰名。

永嘉記　卷亡。鄭緝之撰。不著錄。

《初學記‧地部》：“鄭緝之《永嘉記》曰：‘懷化縣有蔣公湖，父老傳云先代有祭祀祈請者，湖輒下大魚與之。’”《文部》：“硯溪一源中多石硯。”《北堂書鈔‧藝文部》同。《藝文類聚‧山部》：“有柘林水，有梧桐水，有桃枝水。”並引《永嘉郡記》，不著撰名。

南中八郡志　不著錄。

《後漢書‧南蠻西南夷傳》注：“貊大如驢，狀頗似熊，多力，食鐵，所觸無不崩。”又云：“卭河縱廣岸二十里，深百餘丈，多大魚，長一二丈，頭特大，遙視如戴鐵釜狀。”《藝文類聚‧菓部》：“檳榔，土人以爲貴，款客必先進，若邂逅不設，用相嫌恨。”並引《南中八郡志》。《文選》謝玄暉《夜發新林詩》注：“交阯郡治龍編縣，自興古烏道四百里。”此稱《南中八志》，疑脫“郡”字。《續漢‧郡國志》注引有《南中志》，省“八郡”二字。《漢書‧吳漢傳》注亦引之。《文選‧蜀都賦》注：“貊獸出建寧郡，食毒鹿出雲南郡。”稱魏完《南中志》。

臨川記　卷亡。荀伯子撰。不著錄。

《太平寰宇記‧江南西道》：“臨川莫巨山嶺內有石人，體有塵則興風，潤則致雨，民以爲準。”《御覽‧地部》同。“王右軍故宅，其地爽塏，山川如畫，每至重陽日，郡守從事多游於斯。”《御覽‧州郡部》同。並引荀伯子《臨川記》，不著撰名。

隴西記　卷亡。不著錄。

《太平御覽‧地部》：“襄武有錦鏡峽，即黑水所經，其峽四望，花木明媚，照影其中，因以稱之。”《寰宇記‧隴右道》同。此引《隴西記》。又《地部》云:"武都紫水有泥,其色赤紫而粘,貢之用封璽書,故詔誥有紫泥之美。"《寰宇記》同。此稱《隴右記》。

江陵記　卷亡。伍端休記。不著録。

《太平御覽·地部》:"州城北有楚平王冢,枝江斑竹崗又有平王冢,未知孰是。"又云:"城西北有大林,《春秋·魯文公六年》:'楚大飢,戎師於大林。'即此地也。"又云:"州城東有曹公林,建安十三年,曹操師頓此林,因謂曹公林。"並引伍端休《江陵記》。

瀨鄉記　卷亡。崔玄山撰。不著録。

《文選·新刻漏注老子母碑》:"老子把持仙籙,玉簡金字,編以白銀,紀綴善惡。"《北堂書鈔·藝文部》同。此引崔玄山《瀨鄉記》。《藝文類聚》諸書所引皆記老子事,其母碑文稱孝文聖母李夫人碑。《類聚·獸部》,又《御覽·人事部》。

建安記　卷亡。蕭子開撰。不著録。

《太平寰宇記·江南東道》:"將樂縣金泉山南枕溪有細泉出沙,彼人以夏中水小披沙,淘之得金,山之西有金泉祠焉。"此引蕭子開《建安記》。又:"止馬亭當飛猿嶺口,馬之登降,於此止息,故名。"此稱洪氏《建安記》。

征齊道里記　卷亡。邱淵之撰。不著録。

《太平御覽·時序部》:"邱淵之《征齊道里記》曰:'城北十五里有柳泉,符朗常以爲解褉處。'"《北堂書鈔·歲時部》同。《地部》"太山有延陵兒冢",稱邱淵之《齊記》,又"黃邱有鸞驚峴",稱淵之《齊道記》,皆省文可通。《史記·高祖紀》正義王莽河枯事,作深邱《道里記》,蓋邱淵字誤。

壽陽記　卷亡。宋王玄謨撰。不著録。

《御覽·時序部》:"明義樓南有明義井。"引宋王玄謨《壽陽記》。《寰宇記·淮南道》引有後漢朱陽《九江壽春記》。

上黨記　卷亡。不著錄。

《續漢·郡國志》注:"令狐徵君隱城東山中,即壺關三老令狐茂上書訟戾太子者也。"《水經·沁水》注:"長平城在郡之南,秦壘在城西。"《元和郡縣志·河東道》:"曹公之圍壺關,起土山於城西北角,穿地道於城西,內築界城以遮之。"《史記·趙世家》集解:"馮亭冢在壺關城西五里。"並引《上黨記》。

入東記　卷亡。吳均撰。不著錄。

《寰宇記·江南西道》:"吳均《入東記》曰:'王羲之常游昇山,謂賓客曰:"百年之後,誰知王逸少與諸卿游此乎?"因有昇山之號,立烏亭於山上。'"

江乘地記　卷亡。不著錄。

《初學記·地部》:"縣東南四十里有湯泉,半冷半溫,共同一壑,謂之半湯泉。"《藝文類聚·草部》:"樵採者常於山上得空青,此山朝出雲,零雨必降,民以爲常占。"《北堂書鈔·地理部》:"城東四十五里竹里山,塗所經甚傾嶮,行者號爲䡵車峴。"並引《江乘地記》。

仇池記　卷亡。不著錄。

《後漢書·南蠻西南夷傳》注:"仇池百頃,天形四方,壁立千仞,自然樓櫓御敵,分置調均,有踰人功。仇池凡二十一道,可攀援而上。"此引《仇池記》,無撰名。《太平御覽·居處部》:"城東有苜蓿園。"此稱郭仲產《仇池記》。

冀州風土記　卷亡。盧植撰。不著錄。

《寰宇記·河北道》:"盧植《冀州風土記》曰:'黃帝以前,未可備聞。唐虞以來,冀州乃聖賢之泉藪,帝王之舊地。'"

華山精舍記一卷　張光祿撰。

《太平御覽·地部》:"《華山精舍記》曰:'《老子枕中記》云:"吳西界有華山,可以度難。"父老云:山頂有池,上生千葉花,服之羽化,因曰華山。長林森天,翹楚蔽日。'"

張騫出關志一卷

崔豹《古今注》曰:"酒杯藤,出西域,國人寶之,不傳中土。張騫出大宛得之,事出《張騫出關志》。"洪遵《泉志·外國品》亦引《騫出關志》。

南雍州記六卷 鮑至撰。

《通典·州郡門》注:"鮑至《南雍州記》曰:'城内有蕭相國廟,相傳謂爲城隍神。'"《唐志》作"鮑堅",三卷。

南雍州記 卷亡。郭仲産撰。不著録。

《太平寰宇記·山南東道》:"穰縣石橋水污爲池,出靈龜,如金縷。"又云:"武當山廣三四百里,干霄出霧,學道者常百數,相繼不絶。"並引郭仲産《南雍州記》。《史記·韓世家》正義:"穰,楚之別邑,秦初侵楚,封公子悝爲穰侯,後屬韓,秦昭王取之。"此稱郭仲雍《記》。"雍"當作"産"。

川瀆記 卷亡。虞仲翔撰。不著録。

《寰宇記·江南東道》:"虞仲翔《川瀆記》曰:'太湖東通長洲松江水,南通烏程雪溪水,西通義興荆溪水,北通晉陵滆湖水,東連嘉興韭溪水,凡五通,謂之五湖。'"

尋江源記一卷

《唐志》五卷。《太平寰宇記·山南東道》:"南浦郡高梁山,東西數千里,其峯崔嵬,於蜀市望之,若長雲垂天,一日行之乃極其頂。"又云:"景穴有嘉魚,其味甚美,景穴出柏枝山。"並引《尋江源記》。

始安郡記 卷亡。不著録。

《續漢·郡國志》注:"《始安郡記》曰:'縣東有駁樂山,東有遼山。'"

歷國傳二卷 釋法盛撰。

《唐志》同。

西京記三卷

脫撰名。按《後周書·薛寘傳》：“寘撰《西京記》三卷，引据該洽，世稱其博聞焉。”《唐志》作“薛寞”。

江表行記一卷

《寰宇記·江西南道》：“《江表記》曰：‘江中有鼈洲，長三里，與蕪湖相接。’”

淮南記一卷

《寰宇記·江南西道》：“《淮南記》曰：‘吳初以周瑜屯牛渚，晉謝尚亦鎮此城。’”

十三州志十卷　闞駰撰。

《後魏書·闞駰傳》：“駰撰《十三州志》，行於世。”《史通·雜述篇》曰：“地理書者，若朱贛所採，浹於九州；闞駰所書，殫於四國。斯則言皆雅正，事無偏黨。”《尚書·禹貢》正義：“漆水出漆縣西北岐山，東入渭，沮則不知所出。”《初學記·州郡部》：“轘轅道凡十二曲也。”並引闞駰《十三州志》。“志”，《文選注》作“記”。《水經注》、《漢書注》、《寰宇記》引此書甚多。

林邑國記一卷

《唐志》同。《水經·葉榆河》注：“自交阯南行，都官塞浦出焉。”《溫水》注：“馬援樹兩銅柱於象林南界，與西屠國分，漢之南疆。”《通典·邊防門》注同。並引《林邑記》。

宋武北征記一卷　戴氏撰。

《元和郡縣志·河南道》：“少室山西有袁術固，可容十萬眾，一夫守隘，萬人莫當。”又云：“敖山，秦時築倉於山上，漢高祖亦因敖倉傍山，築甬道下汴水，即此山也。”《後漢書·呂布傳》注：“下邳城有三重：大城之門周四里，呂布所守也，魏武帝禽布於白門。白門，大城之內。”並引《宋武北征記》。

北征記 <small>卷亡。裴松之撰。不著録。</small>

《後漢書·獻帝紀》注:"裴松之《北征記》曰:'中牟臺下臨汴水,是爲官渡,曹操、袁紹壘尚存焉。'"

北征記 <small>卷亡。徐齊民撰。不著録。</small>

《續漢·郡國志》注:"徐齊民《北征記》曰:'斐林縣東有大隧澗,鄭莊公所闕。'"又云:"雍邱有吕禄臺,高七丈,有酈生祠。"

北征記 <small>卷亡。孟奥撰。不著録。</small>

《初學記·天部》:"凌雲臺東南有白石室,名爲避雷室。"《太平御覽·天部》:"臨賀有方二丈石,有磨刀斧迹,春夏常明淨,其迹甚新,秋冬則苔穢,故爲雷公磨石。"《居處部》:"鄴城避雷室西南石溝,北有華林牆,牆高九丈,方圓一里。"又云:"許昌有三重城,城門有鐵鑊。"並引孟奥《北征記》。

北征記 <small>卷亡。伏滔撰。不著録。</small>

《續漢·郡國志》注:"瀨鄉有老子廟,廟中有九井,水相通。"又云:"彭城北有山,臨泗,有宋桓魋石槨,皆青石,隱龜龍麟鳳之象。"《水經·濟水》注:"濟水與清河合流至洛也。"《文選》謝靈運《初發石首城詩》注:"石頭城,建康西界臨江城也,是曰京師。"又靈運《擬劉楨詩》注:"黎陽,津名也。"並引伏滔《北征記》。

從征記 <small>卷亡。伍緝之撰。不著録。</small>

《漢書·東平憲王傳》注:"魯人藏孔子所乘車於廟中,是顏路所請者也。獻帝時,廟遇火,燒之。"《初學記·文部》:"夫子床前有石硯一枚,蓋夫子平生時物也。"並引伍緝之《從征記》。《水經注》多引《從征記》,不著伍緝之名。

東征記 <small>卷亡。不著録。</small>

《文選·西征賦》注:"《東征記》曰:'全節,地名,其西名桃原,古之桃林也。'"

司州山川古今記三卷　劉澄之撰。

《太平御覽·州郡部》:"黎陽,國也。《詩》曰'黎侯寓於衛'是
也。"《居處部》:"永康縣縉雲堂,黃帝煉丹處。"又:"魏武聽政
殿前有聽政門。"並引劉澄之《古今山川記》。無"司州"二字。

江圖一卷　張氏撰。

江圖二卷　劉氏撰。

《尚書·禹貢》正義:"張須元《緣江圖》云:'一曰三里江,二曰
五州江,三曰嘉靡江,四曰烏土江,五曰白蚌江,六曰白烏江,
七曰菌江,八曰沙提江,九曰廩江。'"陸氏《釋文》亦稱張須元《緣江
圖》。《通典·州郡門》注稱:"張須《九江圖》:据《書疏》,似"須元"乃
雙名,《通典》注則"須"爲單名。'一曰烏江,二曰白蚌江,三曰烏土
江,四曰嘉靡江,五曰刪江,六曰三里江,七曰菌州江,八曰沙
提江,九曰廩江。'"九江次序,所引互異。《史記·夏本紀》索隱稱
張滇《九江圖》"滇"與"須"字似相似而訛。所載有五里、五畝、烏土、
白蚌之名。"五畝"乃因"五曰刪江"而訛也。按此當即《隋志》所稱張
氏《江圖》。又《文選·簫賦》注:"慈母山竹作簫笛,有妙聲。"
陶淵明《夜行塗口詩》注:"自沙陽縣下流至赤圻,赤圻二十里
至塗口。"《寰宇記·劍南西道》:"江水經鼎鼻。"並引《江圖》,
不著撰名。《唐志》有《江圖》二卷,亦無撰名。張彥遠《歷代
名畫記》曰:"《江圖》,劉氏三,張氏一。"

北荒風俗記二卷

《太平寰宇記·河北道》有《隋北蕃風俗記》曰:"厥稽部渠,長
突地,稽率八部眾,內附處之柳城。"

諸蕃風俗記二卷

《通典·邊防門》注:"金姓相承三十餘葉。"稱《隋東蕃風俗
記》。洪遵《泉志·外國品》有三佛齊國錢、佛泥國錢,並引

《諸蕃風俗記》。刊本。

突厥所出風俗事一卷

《通典·邊防門》注引有《突厥本末記》。

輿地志三十卷 　陳顧野王撰。

《陳書·顧野王傳》:"野王撰《輿地志》三十卷。"王象之《輿地碑記目》曰:"寶雲寺南高基,顧野王曾於此修《輿地志》,並建屋立像曰顧侍郎祠。"《通典·州郡門》注:"孔安國云:'黑水自北而南,經三危,過梁州,入南海。'顧野王撰《輿地志》以爲自僰道入江,其言與《禹貢》不同,未爲實録。"《太平御覽》、《寰宇記》引《輿地志》甚多。《唐志》卷同。

輿地圖 　卷亡。不著録。

《史記·淮南衡山列傳》索隱:"虞喜《志林》曰:'《輿地圖》,漢家所畫,非出遠古也。'"《文選》徐敬業《登琅琊城詩》注:"《輿地圖》曰:'梁武改南琅邪爲琅邪,郡在潤州。'"

序行記十卷 　姚最撰。

《周書·儒林傳》:"姚僧垣撰《行記》三卷。"子最傳不載,撰《序行記》。《唐志》有姚最《述行記》三卷。《元和郡縣志·河東道》:"周建德五年,從行討齊師,次洪洞,百雉相臨,四周重複,控據要險,城主張元靜率其所部肉袒軍門。"又云:"晉陽宮西南有小城,内有殿,號大明宮。"又云:"高齊天保中大起樓觀,穿築池塘,自洋以下皆游集焉,至今爲北都之勝槩。"並引姚最《序行記》。三事又見《寰宇記·河東道》。

魏永安記三卷 　温子昇撰。

《後魏書·温子昇傳》:"子昇撰《永安記》三卷。"《史通·叙事篇》曰:"子昇取譏於君懋。"原注:"王邵《齊志》曰:'温子昇撰《永安記》,率是支言。'"

國都城記二卷

《元和郡縣志·河南道》："考城縣西南有戴水,今名戴陂。"
《太平御覽·州郡部》："周穆王末,楚襲破徐,殺偃王,其子遂
北徙彭城,今徐城是也。"《寰宇記·河南道》："自復通汴渠已
來,舊濟遂絕,今濟陰定陶城南惟有濟隄及枯河而已,皆無
水。"並引《國都城記》。又《寰宇記·河南道》："封邱,衛地之
延鄉。漢高祖與項籍戰敗,翟母免難之處。"又云:"古城凡七
門,東西有三門,最北者名萊門。"並稱《魯國都記》,《御覽·州郡
部》引延鄉一事,祇稱《國都記》,無"魯"字。皆無撰名。《史記正義》："唐
國,帝堯之裔子所封。"《五帝本紀》。又:"城中高邱即古之陶
邱。"《夏本紀》。並稱徐才宗《國都城記》。又:"周封召公於燕
地,在燕山之野,故國取名焉。"《周本紀》。稱《宗國都城記》。《晉世
家》正義:"唐叔父徙居晉水。"《孔子世家》正義:"鉅野有獲麟堆。"俱稱《宗國都城記》。
《唐志》有顧野王《十國都城記》十卷,周明《帝國都城記》九卷。

周地圖記一百九卷

《文選·爲曹洪與魏文書》注:"褒谷西有古陽平關,其地在今
梁州褒城縣西北。"《後漢書·劉焉傳》注同。《元和郡縣志·山南
道》："郿州地,梁普通末置新州,後魏改爲溫州,因溫水爲名
也。"並引《周地圖記》。《太平御覽》、《寰宇記》尤多引之。
《唐志》:"《周地圖》省"記"字。一百三十卷。"

冀州圖經一卷

《太平御覽·地部》:"《冀州圖經》曰:'紇真山在城之東北,望
桑乾代郡如數百里內然。'"《寰宇記》多引《冀州圖》,省"經"字。

齊州記一卷　李叔布撰。

《唐志》四卷。

外國圖　卷亡。不著錄。

《水經·河水》注:"從大晉國正西七萬里,得崑崙之墟,諸仙

居之。"《通典·邊防門》注："從隔巨北，有國名大秦，其種長大，身長五六丈。"《文選》郭景純《游仙詩》注："圓邱有不死樹，食之乃壽。"《藝文類聚·木部》："君子國多木槿之華，人民食之，去琅邪三萬里。"並引《外國圖》。《史記·秦本紀》正義："亶州去琅邪萬里。"稱《吳人外國圖》。

括地圖 卷亡。不著錄。

《水經·河水》注："馮夷恒乘雲車，駕二龍。"《文選·東都賦》注："夏德盛，二龍降之，禹使范氏御之以行，經南方。"《史記·大宛傳》索隱："崑崙弱水非乘龍不至，有三足神鳥爲王母取食。"《初學記·天部》："谷山有叢雲甘雨。"《藝文類聚·水部》："負邱之山上有赤泉，飲之不老。神宮有英泉，飲之眠三百歲乃覺，不知死。"並引《括地圖》。此與《括地志》各爲一書，《括地志》唐魏王泰所撰，《史記正義》引之最多，此圖《水經注》已引之，則唐以前所撰。

秦地圖 卷亡。不著錄。

《漢書·地理志》："《秦地圖》曰：'劇清地，幽州藪，有鹽官。'又曰：'書班氏。'"

雍州圖經 卷亡。不著錄。

《文選·西征賦》注："全節，閿鄉縣東十里鳩澗西。潼水在華陰縣界，溫湯在新豐縣界，溫泉在藍田縣界。"徐敬業《登琅邪城詩》注："金谷水出藍田縣西終南山，西入灞水。"並引《雍州圖經》。

宣城郡圖經 卷亡。不著錄。

《文選》鮑明遠《還都道中詩》注："南陵縣西南水路一百三十里。"謝玄暉《敬亭山詩》注："敬亭山，宣城縣北十里。"並引《宣城郡圖經》。《御覽·地部》引十餘事。

上谷郡圖經 卷亡。不著錄。

《文選·放歌行》注："《上谷郡圖經》曰：'黃金臺，易水東南十八里,燕昭王置千金於臺上,以延天下之士。'"

四海圖　<small>卷亡。不著錄。</small>

《文選·思玄賦》注:"《四海圖》曰:'交廣南有卭州,其處極熱。'"

江都圖經　<small>卷亡。不著錄。</small>

《文選·爲曹公與孫權書》注:"《江都圖經》曰:'江西壽春屬魏,魏揚州刺史鎮壽春。'"

東郡圖經　<small>卷亡。不著錄。</small>

《文選·陽給事誄》注:"《東郡圖經》曰:'滑臺城即鄭之廩延。'"

洛陽圖經　<small>卷亡。不著錄。</small>

《文選·東京賦》注:"濯龍,池名,故歌曰:'濯龍望如海,河橋渡似雷。'"應吉甫《華林園集詩》注:"華林園在城内東北隅,魏明帝起名芳林園,齊王芳改爲華林。"並引《洛陽圖經》。<small>《御覽·州郡部》、《寰宇記·河南道》引有《洛陽地圖》。</small>

廣陵郡圖經　<small>卷亡。王逸撰。不著錄。</small>

《文選·蕪城賦》注:"王逸《廣陵郡圖經》曰:'郡城,吳王濞所築。'"

丹陽郡圖經　<small>卷亡。不著錄。</small>

《文選》范蔚宗《樂遊苑詩》注:"樂游苑,宮城北三里,晉時藥園也。"謝靈運《送方山詩》注:"方山在江寧縣東,下有湖水,舊揚州有四津,方山爲東,石頭爲西。"顔延年《觀北湖田收詩》注:"樂游苑,晉時藥園,元嘉中築堤壅水,名爲北湖。"並引《丹陽郡圖經》。

蜀郡圖經　<small>卷亡。不著錄。</small>

《文選·南都賦》注:"《蜀郡圖經》曰:'太湖山,山故縣縣南十里。'"

長安圖　<small>卷亡。不著録。</small>

《文選·西征賦》注:"周氏曲,咸陽縣東南三十里,今名周氏陂。陂南一里,漢有蘭池宮。"又云:"漢時,七里渠有飲馬橋,夏侯嬰冢在橋南三里。"《太平御覽·地部》:"高望堆在延興門南八里。"並引《長安圖》。

宏農郡圖經　<small>卷亡。不著録。</small>

《文選·西征賦》注:"《弘農郡圖經》曰:'曹陽,桃林縣東十二里。'"

歷陽縣郡圖經　<small>卷亡。不著録。</small>

《文選·奏彈曹景宗》注:"《歷陽縣郡圖經》曰:'東關,歷陽縣西南一百里。'"<small>《御覽·地部》雞籠山、梁山二事引《歷陽圖經》,省"郡縣"二字。</small>

河南郡圖經　<small>卷亡。不著録。</small>

《文選·西征賦》注:"潘岳父冢,鞏縣西南三十五里。"《懷舊賦》注:"嵩邱在縣西南十五里。"《洛神賦》注:"景山,緱氏縣南七里。"嗣宗《詠懷詩》注:"東有三門,最北頭曰上東門。"並引《河南郡圖經》。

荆州圖副記　<small>卷亡。不著録。</small>

《水經·沔水》注:"武當山形特秀,異於衆岳,亭亭遠出,藥食延年者萃焉。"此引《荆州圖副記》。<small>《文選注》、《後漢書注》諸書所引,或稱《荆州圖記》,或稱《荆州圖》。</small>

聘北道里記二卷　<small>江德藻撰。</small>

《太平寰宇記·淮南道》:"江德藻《聘北道里記》曰:'江淮間有露筋驛,今有祠存,一名鹿筋驛。云昔有孝女爲蚊蚋所食,惟存筋骸而已。'"《陳書·江德操傳》:"德操字德藻,天嘉四年,與中書郎劉師知使齊,著《北征道里記》三卷。"<small>《隋志》別有劉師知《聘游記》三卷。</small>《酉陽雜俎續集·貶誤篇》引《聘北道記》北方婚禮用青廬交拜催妝,並以竹杖打壻事,謂德藻所記爲異,南朝無此禮也。

魏聘使行記六卷

《唐志》五卷。

封君義行記一卷　_{李繪撰。}

《酉陽雜俎續集·貶誤篇》引李繪《封君義聘梁記》梁主客賀
季指馬上立射二事。

輿駕東行記一卷　_{薛泰撰。}

《唐志》作《東幸記》。《太平御覽·地部》："《梁武輿駕東行
記》曰：'有覆船山、酒罌山、南次高驪山，傳云昔高驪國女來，
東海神乘船致酒禮聘之，女不肯，海神撥船覆酒，流入曲阿，
故曲阿酒美也。'"

巡撫揚州記七卷　_{諸葛穎撰。}

《唐志》卷同。"巡撫"，《舊唐志》作"巡總"。

大魏諸州記二十一卷

《太平御覽·木部》："都安縣有交讓木，兩兩相對。"此稱《大
魏諸州記》。《寰宇記·河北道》："潞縣城西三十里有潞河，
源出北山南流。"此稱《後魏諸州記》。《水經注》多引《魏土地
記》。《史記·趙世家》正義趙襄子姊磨笄自殺事亦引《魏土地記》。《元和郡縣
志·河東道》"神農城在羊頭山"引《後魏風土記》。《寰宇記》亦引
《後魏風土記》數事。《太平御覽·地部》："潘城西北有歷山，其下
有舜祠、瞽瞍祠存焉。"《寰宇記·河北道》同。並稱《後魏輿地風土
記》。

趙記十卷　_{脫撰名。}

《北齊書·李公緒傳》："公緒字穆叔，撰《趙語》"語"當作"記"。十
三卷。"《太平御覽·州郡部》："李公緒《趙記》曰：'趙孝成王
造壇臺之名爲趙都，朝諸侯，故曰信都。'"《寰宇記·河東
道》："李穆叔《趙記》曰：'轑陽東北有五指山，嶺石孤聳，上有

一手一足之跡，其大如箕，指數俱全。’”又《史記·趙世家》正
義：“龍山有四麓，各有一穴，大如車輪，春風出東，秋風出西，
夏風出南，冬風出北，不相奪倫。”此稱邢子勵《趙記》。

隋區宇圖志一百二十九卷

《唐志》：“虞茂《區宇圖》無“志”字。一百二十八卷。”《隋書·崔
廓傳》：“大業五年，受詔與諸儒撰《區宇圖志》二百五十卷。
帝不善之，更令虞世基、許善心衍爲六百卷。”《太平御覽·文
部》：“《隋大業拾遺》曰：‘大業之初，敕內史舍人竇威、起居舍
人崔祖濬等撰《區宇圖志》一部五百餘卷，屬辭比事，全失修
撰之意。帝不悅，敕秘書學士十八人修十郡志，內史侍郎虞
世基總撿。世基先命學士各序一郡風俗，奏擬請體式。學士
虞綽序京兆郡風俗，陸敬序河南郡風俗，袁郎序蜀郡風俗，杜
寶序吳郡風俗。四人先成，世基奏聞，敕付世基擇善用之。
世基乃鈔吳郡序以爲體式，及圖志第一副本，新成八百卷奏
之，帝以部秩太少，更遣重修成一千二百卷。卷頭有圖，別造
新樣，紙卷長二尺，叙山川則卷首有山川圖，叙郡國則卷首有
郭邑圖，其圖上有山川城邑，題書字並用歐陽肅書，即率更令
詢之長子，工於草隸，爲時所重。’”《太平寰宇記·河北道》：
“故武城，夏禹七代孫芸封公子武於此建國。後漢光武封濟
南王爲武城侯，前秦苻堅封長子清河王移居武城。”《御覽·
地部》：“龍崗縣石井，光武營軍所鑿，傍有叢荊棘生，皆蟠縈
如人手結，云是光武繫馬處。”並引《隋區宇圖志》。張彥遠《歷代
名畫記》叙古之圖畫，有《虞茂氏區宇記》。

隋西域圖三卷　裴矩撰。

《隋書·裴矩傳》：“時西域諸番多至張掖，與中國交市，帝令
矩掌其事。諸商至者，矩誘令言其國俗山川險易，撰《西域圖
記》。丹青模寫，共成三卷，合四十四國。仍別造地圖，窮其

要害。"《太平寰宇記·四夷》引《隋西域圖記》曰："白山，一名阿羯山，常有火及烟，即是山烟沙處。"又云："大宛馬，其烏馬、騧馬多白耳，驄馬多赤耳，黄馬、赤馬多黑耳，惟耳色別自，餘色與常馬不異。"

隋諸州圖經集一百卷　郎蔚之撰。

《隋書·郎茂傳》："茂撰《州郡圖經》一百卷。"《唐志》："郎蔚之《隋圖經集記》一百卷。"《太平御覽·州郡部》："《隋圖經集記》曰：'義川，蓋春秋時白翟也，其俗語云丹州白窒，即白翟語訛耳。'"《地部》、《居處部》多引《隋圖經》，省"集記"二字。《寰宇記》亦引甚多，又引有《舊圖經》。

隋諸郡土俗物産一百五十一卷

《唐志》："《諸郡土俗物産記》十九卷。"

方物志二十卷　許善心撰。

《隋書·許善心傳》："大業四年，撰《方物志》奏之。"

隋經籍志考證卷七

譜系《唐志》作"譜牒"。

世本王侯大夫譜二卷

世本二卷 劉向撰。

世本四卷 宋衷撰。

《周禮》:"小史掌邦國之志,定世繫,辨昭穆。"注曰:"《帝繫》、
《世本》之屬。"疏曰:"天子謂之帝繫,諸侯謂之世本。"《漢書·
司馬遷傳》贊曰:"左邱明有《世本》,録黃帝以來至春秋時帝王、
公侯、卿大夫祖世所出。"据此則《周禮疏》所云"天子謂帝繫,諸侯謂世本",
其説未審。《漢·藝文志》春秋家有《世本》十五篇。愚按其篇名
可見者有《帝繫篇》,《一切經音義》曰:"《世本》有《帝繫篇》,謂子孫相繼續
也。"有《氏姓篇》,《左傳正義》:"《世本·氏姓篇》曰:'任姓,謝、章、薛、舒、呂、
祝、終、泉、畢、過。'"有《作篇》,《禮記》鄭注:"《世本·作》曰:'垂作鐘,無句作
磬,女媧作笙簧。'"疏曰:"'《世本·作》曰'者,《世本》,書名,有《作篇》,其篇記諸作
事。"《周禮注》:"《世本·作》曰:'相土作乘馬。'"又注曰:"智者創物謂始開端造器
物,若《世本·作》者也。"疏曰:"引《世本·作》者'無句作磬,儀狄造酒'之類。"《論
衡·對作篇》曰:"言苟有益,雖作何害? 倉頡之書,世以紀事;奚仲之車,世以自載;
伯余之衣,以辟寒暑;桀之瓦屋,以辟風雨。夫不論其利害,而徒譏其造作,則倉頡
之徒有非,《世本》十五家皆受責也。"有《居篇》,《史記索隱》:"《系本·居篇》曰:
'吳孰哉居藩籬。'"又:"《居篇》曰:'魏武子居魏。'"又:"《居篇》曰:'昭子居安邑。'"
《通鑑音注》曰:"《系本》即《世本》,司馬避唐諱改'世'爲'系'。"有《謚法篇》,《玉
海·書目》:"沈約《謚法》序曰:'《大戴禮》及《世本》舊並有謚法,而二書傳至約時,已
亡其篇。'"《史記·序》索隱:"劉向曰:'《世本》,古史官明於古
事者之所記也,録黃帝已來帝王諸侯及卿大夫系謚名號凡十

五篇。'"《漢志》本注云"訖春秋時"。《顔氏家訓·書證篇》曰:"《世本》,左丘明所書,本注此説出皇甫謐《帝王世紀》。而有燕王喜、漢高祖。"《左傳·宣公》正義曰:"《世本》傳寫多誤,其本未必然。"於趙夙爲衰祖,穿爲夙曾孫,薦艾獵是叔敖之兄,馮是艾獵之子,魏錡乃犨孫,《正義》皆云"多誤"。《昭公》正義又曰:"司馬遷采《世本》爲《史記》,而今之《世本》與遷言不同,《世本》多誤,不足依憑。"《世本》曰:"吴夷、昧及僚,夷昧生光。"《史通·書志篇》曰:"周撰《世本》,式辨諸宗。"《雜述篇》曰:"《世本》辨姓,著自周室。"趙岐《孟子注》引"《古紀世本》録諸侯之世,滕有考公、元公",疑所謂古紀者,當即周左丘明原本。《史通·外篇》曰:"楚漢之際,有好事者録自古帝王公侯卿大夫之世,終乎秦末,號曰《世本》十五篇。"此言楚漢之際所録,與劉向言古史官所記不合,且事終秦末,不宜有燕王喜、漢高祖。据《隋志》載《世本王侯大夫譜》二卷,無撰人名;又《世本》二卷,劉向撰,是自有兩本,一在周代,一在楚漢之際,皆十五篇,故同爲二卷。劉向之撰當是注文,宋衷撰四卷亦注也。諸書多徵引宋衷《世本注》,"衷"又作"忠",或稱"宋仲子注",《唐志》"宋衷四卷"。又按《史記·吴系家》徐廣引《系本》曰:"夷昧及僚,昧夷光生。"此與《左傳疏》異。索隱曰:"檢《系本》,今無此語。"《燕系家》索隱:"譙周曰:'《系本》謂燕自宣侯已下皆父子相傳無及。'"按今《系本》無燕代系,宋忠依太史公書,以補其闕,尋徐廣作音尚引《系本》,蓋近始散佚耳。据司馬貞此言,譙周、徐廣所見《世本》乃古本,貞所見乃宋忠撰本。

世本别録一卷　不著録。

見《唐志》。

帝譜世本七卷　宋均注。不著録。

見《唐志》。《文選·西京賦》注:"隸首,黄帝史也。"《史記·

五帝紀》索隱:"伏羲、神農、黄帝爲三皇,少昊、高陽、高辛爲
五帝。"《始皇紀》索隱:"言如魚之爛,自内而出。"《太平御
覽·服章部》:"黄帝作旒冕,通帛爲旒冕;魯昭公作弁,制素
弁也。"並引宋均《世本注》。

系本　<small>卷亡。孫氏注。不著録。</small>

《史記·五帝紀》索隱曰:"孫氏注《系本》,以伏羲、神農、黄帝
爲三皇,少昊、高陽、高辛、唐、虞爲五帝。"<small>張守節《正義》同引孫氏《系</small>
<small>本》注。</small>愚按《隋》、《唐》二志皆不載孫氏《系本注》,然司馬貞、
張守節並引之,則非字誤,但其言三皇五帝與宋均《注》同。

世本譜二卷　<small>不著録。</small>

見《舊唐志》,無撰人名。《新唐志》題"王氏注"。

漢氏帝王譜三卷

《唐志》二卷。

百家譜二卷　<small>劉湛撰。梁有,隋亡。</small>

《通典·食貨門》:"宋劉湛爲選曹,始撰《百家譜》,以助詮序,
傷於寡略。"《後漢書·李固傳》注:"何臨字子陵,熙之子,爲
平原太守,見《百家譜》也。"

百家集譜十卷　<small>王儉撰。</small>

《通典·食貨門》:"宋劉湛撰《百家譜》,齊王儉復加,得繁省
之衷。"《南齊書·賈淵傳》:"永明中,王儉抄次《百家譜》,與
淵參懷撰定。"《唐志》卷同。

齊梁帝譜四卷　<small>梁有,隋亡。</small>

《唐志》有《齊梁宗簿》二卷,似别一書。

齊永元中表簿五卷

《唐志》六卷。

梁大同四年表簿三卷　<small>不著録。</small>

見《唐志》。

梁親表簿五卷　不著録。

見《唐志》。

百家譜三十卷　王僧孺撰。

《梁書·劉杳傳》:"王僧孺被敕撰譜,訪杳血脉所因,杳云太史《三世表》旁行斜上,並效《周譜》,以此而推,當起周代。"《通典·食貨門》:"梁武帝時,以沈約上言詔王僧孺改定《百家譜》,僧孺爲八十卷,東南諸族別爲一部,不在百家之數。"《唐書·柳冲傳》稱僧孺演益爲十八篇。《唐志》三十卷。

百家譜集抄十五卷　王僧孺撰。

《梁書·王僧孺傳》:"僧孺有《百家譜集》十五卷。"《元和姓纂》皮姓、閭姓引僧孺《百家譜》。

百家譜二十卷　賈執撰。

《唐書·柳冲傳》稱:"賈執著《百家譜》,廣兩王所記。"《唐志》五卷。

百官譜二十卷　徐勉撰。不著録。

見《唐志》。

姓氏英賢譜一百卷　賈執撰。

《唐書·柳冲傳》:"賈執作《姓氏英賢》無"譜"字。一百篇。"《文選·頭陀寺碑》注:"王中字簡栖,爲頭陀寺碑,文詞巧麗。"《太平御覽·宗親部》:"宋顏峻有令名,其父延之對太宗曰:'峻得臣筆。'"二事並稱《姓氏英賢録》。《廣韻》注:"今高密有東鄉姓。"又:"路中大夫後以路中爲氏。"又:"安期生,今琅邪人。"又:"凡閭氏,今東莞有之。"又:"東莞有五王氏。"此稱賈執《英賢傳》。省"姓氏"二字。陸法言序稱賈執《姓氏英賢傳》。殷敬順《列子釋文》引"吳郡有庚桑姓,稱爲士族"二語,稱賈逵《姓氏英覽》訛"執"爲"逵",訛"賢"爲"覽",脱去"譜"字。《元和姓纂》:"梁賈執撰《姓氏英賢傳》。"《唐志》卷同。

梁武帝總責境內十八州譜六百九十卷　<small>梁有，隋亡。</small>

《元和姓纂》：“《梁天監十八州譜路氏》一卷，東陽鉅鹿譜舊望。”《唐書·柳冲傳》：“晉太元中，河東賈弼撰《姓氏簿狀》，十八州百十六郡，合七百一十二卷。”《唐志》：“王僧孺《十八州譜》七百一十二卷。”

氏族要狀十五卷

脱撰名，《唐志》：“賈希鏡撰。”按《唐·柳冲傳》言：“賈弼傳子匪之，匪之傳子希鏡，希鏡撰《氏族要狀》十五篇。”《元和姓纂》：<small>“齊外兵郎賈希鑑撰《永明氏族狀》。”</small>

後魏皇帝宗族譜四卷

《新唐志》同。

後魏辯宗録二卷　<small>元暉業撰。</small>

《後魏書·元暉業傳》：“暉業撰魏藩王世家，號爲《辯宗室録》<small>《北齊書·暉業傳》作《辯宗録》。</small>四十卷。”《唐志》二卷。按此卷數，《隋》、《唐》二志與後魏、北齊本傳過相懸絕，必有訛誤。

魏孝文列姓族牒一卷

《唐志》有《後魏譜》二卷。

後魏方司格一卷　<small>不著録。</small>

見《唐志》。《史通·書志篇》曰：“譜牒之作，中原有《方司殿格》。”

後齊宗譜一卷

《唐志》有《齊高氏譜》六卷。

周宇文氏譜一卷　<small>不著録。</small>

見《唐志》。

冀州姓族譜二卷

《唐志》七卷，《舊唐志》無“姓族”二字。

洪州諸姓譜九卷

《唐志》同,《舊唐志》無"諸姓"二字。

袁州諸姓譜八卷

《唐志》七卷,《舊唐志》無"諸姓"二字。

司馬氏系本　卷亡。晉譙國司馬無忌撰。不著錄。

《史記·序傳》索隱:"蒯瞶生昭豫,昭豫生憲,憲生卬。"正義:"在趙者名凱。"並引晉譙國《正義》作"譙王"。司馬無忌作《司馬氏系本》。《唐志》有《司馬氏世家》二卷,無撰名。

摯氏世本　卷亡。不著錄。

《世説·言語篇》注引《摯氏世本》載摯虞兄子瞻二事。

姓苑一卷　何氏撰。

《廣韻》引何氏《姓苑》最多,《元和姓纂》亦引之。《唐志》:"何承天《姓苑》十卷。"

京兆韋氏譜二卷

《舊唐志》十卷,《新唐志》同。韋鼎等撰,《新志》脱"等"字。省"京兆"二字。《南史·隋韋鼎傳》:"鼎自楚太傅以下二十餘世,並考論昭穆,作《韋氏譜》七卷。"

謝氏譜一十卷

《世説·德行篇》注:"謝安娶沛國劉耽女。"《文學篇》注:"謝據娶太原王韜女,名綏。"《言語篇》注:"謝重女月鏡適王愷之。"《方正篇》注:"謝石娶諸葛恢小女,名文熊。"又:"謝奉祖端,散騎常侍;父鳳,吏部尚書。"《品藻篇》注:"謝聘歷侍中、廷尉卿。"《簡傲篇》注:"謝萬娶太原王述女,名荃。"《輕詆篇》注:"謝尚長女僧要適庾龢,次女僧韶適殷歆。"並引《謝氏譜》。此書爲劉孝標所引,自是晉、宋間人所撰。《唐志》:"《謝氏家譜》一卷。"卷數既不合,且列次於唐人諸譜間,乃別是一書,撰在唐時。

楊氏譜一卷

《世説·識量篇》注:"《楊氏譜》曰:'楊朗祖囂,典軍校尉,父淮,冀州刺史。'"

北地傅氏譜一卷

《世説·識量篇》注:"《傅氏譜》曰:'傅瑗,北地靈川人,歷安城太守。'"

蘇氏譜一卷

《史記·蘇秦傳》索隱:"《蘇氏譜》曰:'蘇氏兄弟五人,更有蘇辟、蘇鵠。'"

嵇氏譜 卷亡。不著録。

《魏志·沛穆王林傳》注:"嵇康妻林子之女也。"《文選·幽憤詩》注:"嵇康兄喜歷徐、揚州刺史。"《水經·淮水》注:"譙有嵇山,家於其側,遂以爲氏。"並引《嵇氏譜》。《魏志·王粲傳》注:"嵇康父昭,督軍糧治書侍御史,兄喜,晉揚州刺史、宗正。"此稱《嵇康譜》。

庾氏譜 卷亡。不著録。

《魏志·管寧傳》注:"庾遁支嗣克昌爲世盛門。"《世説·方正篇》注:"庾會娶諸葛恢女,名文虎。"《雅量篇》注:"會年十九,咸和六年遇害。"又:"庾翼娶高平劉綏女,字靜女。"《識量篇》注:"庾爰之,翼第二子。"《棲逸篇》注:"庾友,司空冰第三子。友長子宣娶桓豁之女,字女幼。"《徘調篇》注:"庾鴻仕至輔國内史。"《輕詆篇》注:"庾恒仕至尚書僕射。"並引《庾氏譜》。

孫氏譜 卷亡。不著録。

《魏志·孫資傳》注:"《孫氏譜》曰:'宏爲南陽太守,宏子楚字子荆。'"

阮氏譜 卷亡。不著録。

《魏志·杜畿傳》注:"阮諶徵辟,無所就,造《三禮圖》,傳於世。"《世説·尤悔篇》注:"阮牖仕至州主簿。"並引《阮氏譜》。

孔氏譜 卷亡。不著錄。

《魏志·倉慈傳》注:"孔疇爲陳相,立孔子碑。"《世説·言語篇》注:"孔忱至琅邪王文學。"並引《孔氏譜》。《漢書·孔光傳》:"孔子生伯魚鯉。"師古曰:"伯魚,先言其字者,孔氏自爲譜牒,示尊其先也。"

劉氏譜 卷亡。不著錄。

《魏志·劉廙傳》注:"劉阜,陳留太守。"《世説·方正篇》注:"劉簡仕至大司馬參軍。"《雅量篇》注:"劉綏妻陳留阮蕃女,字幼娥。"《賞譽篇》注:"劉邠妻武周女。"《品藻篇》注:"劉納歷司隸校尉,劉奭歷散騎常侍。"《任誕篇》注:"劉昶,沛國人。"並引《劉氏譜》。《文選·劉先生夫人墓誌》注引劉瓛娶王法施女事,題王僧孺《劉氏譜》。

陳氏譜 卷亡。不著錄。

《魏志·陳泰傳》注:"陳羣之後,名位並微,諶孫並至大位。"《世説·德行篇》注:"陳忠,州辟不就。"《術解篇》注:"陳述有美容。"並引《陳氏譜》。

王氏譜 卷亡。不著錄。

《魏志·崔林傳》注:"王雄字元伯。"《王昶傳》注:"昶伯父柔,父澤。"《世説·德行篇》注:"王導娶曹淑,王獻之娶郄道茂。"《言語篇》注:"王微,祖乂,父澄,王羲之,子凝之。"《文學篇》注:"王訥之祖彪之,父臨之。"《雅量篇》注:"王逸少妻郄璿。"《方正篇》注:"王愷娶桓伯,子王坦之娶范蓋。"《賞譽篇》注:"王訥娶庾三壽。"又:"王羲之是敦從父兄子。"又:"王耆之,廙第三子。"《品藻篇》注:"王穎年二十卒,敞年二十有二卒。"又:"王操之,羲之第六子;王楨之,徽之子。"《規箴篇》注:"王緒祖延,父乂。"《容止篇》注:"王詡夷,甫弟也。"又:"王訥祖獣，父祐。"《賢媛篇》注："鍾夫人名琰之，太傅繇孫；司徒夫人，黃門郎鍾琰女。"《任誕篇》注："王廞父薈。"《排調篇》注："王混，恬子；王肅之，羲之第四子。"《輕詆篇》注："王彭之祖正，父彬。王彪之小字虎犢。"《汰侈篇》注："王胡之是恬從祖。"《後漢書·獻帝紀》注、《劉表傳》注："王璿，晉太保祥伯父也。"並引《王氏譜》。又《世說·排調篇》注引王渾弟淪事，《文選·王文憲集序》注引郭璞筮王氏事，並稱《王氏家譜》。

郭氏譜 卷亡。不著錄。

《魏志·郭淮傳》注："《郭氏譜》曰：'淮祖全，大司農；父蘊，雁門太守。'"

崔氏譜 卷亡。不著錄。

《蜀志·諸葛亮傳》注："《崔氏譜》曰：'崔州，太尉烈子，均之弟也。'"《羣輔錄》引商山四皓事。

諸葛氏譜 卷亡。不著錄。

《蜀志·諸葛瞻傳》注："《諸葛氏譜》曰：'京，字行宗。'"《世說·方正篇》注："恢子衡，娶河南鄧攸女。"

周氏譜 卷亡。不著錄。

《世說·德行篇》注："周翼歷青州刺史，六十四而卒。"《賢媛篇》注："周浚娶同郡李伯宗。"《羣輔》："周氏五龍。"並引《周氏譜》。

吳氏譜 卷亡。不著錄。

《世說·德行篇》注："《吳氏譜》曰：'坦之仕至西中郎將功曹。'"

羊氏譜 卷亡。不著錄。

《世說·言語篇》注："羊權仕至尚書左丞，羊孚歷太學博士。"《文學篇》注："羊輔仕至衛軍功曹，羊楷仕至尚書郎。"《方正篇》注："羊綏仕至中書侍郎。"《傷逝篇》注："羊孚即欣從祖。"《賞譽篇》注："羊繇歷車騎掾。"並引《羊氏譜》。

許氏譜 <small>卷亡。不著錄。</small>

《世説・政事篇》注：“許柳字季祖，許永字思妣。”《雅量篇》注：“許璪仕至吏部侍郎。”《賞譽篇》注：“許元度母華軼女也。”並引《許氏譜》。

桓氏譜 <small>卷亡。不著錄。</small>

《世説・政事篇》注：“桓歆仕至尚書。”《規箴篇》注：“桓道恭歷淮南太守。”《賢媛篇》注：“桓沖娶王恬女，字女宗。”《仇隙篇》注：“桓沖後娶庾蔑女，字姚。”並引《桓氏譜》。

馮氏譜 <small>卷亡。不著錄。</small>

《世説・文學篇》注：“《馮氏譜》曰：‘馮懷歷太常護國將軍。’”

殷氏譜 <small>卷亡。不著錄。</small>

《世説・文學篇》注：“殷仲堪娶王臨之女，字英彦。”《紕漏篇》注：“殷師仕至驃騎咨議。”《任誕篇》注：“殷羨仕至豫章守。”並引《殷氏譜》。

陸氏譜 <small>卷亡。不著錄。</small>

《世説・文學篇》注：“陸退仕至光禄大夫。”《史記・酈生陸賈傳》索隱：“齊宣公支子達，食采於陸，達生發，發生皋，適楚。”並引《陸氏譜》。

顧氏譜 <small>卷亡。不著錄。</small>

《世説・文學篇》注：“顧夷辟州主簿，不就。”《簡傲篇》注：“顧辟疆歷平北參軍。”《文選》陸士衡《贈顧交阯詩》注：“顧祕爲吳王郎中令。”並引《顧氏譜》。又《文選》陸韓卿《答内兄希叔詩》注：“顧盼字希叔，邵陵王國常侍。”此稱《顧氏家譜》。

虞氏譜 <small>卷亡。不著錄。</small>

《世説・賞譽篇》注：“虞球，會稽餘姚人，仕至黄門侍郎。”此引《虞氏譜》。

衛氏譜 <small>卷亡。不著錄。</small>

《世説・賞譽篇》注："《衛氏譜》曰：'衛永，成陽人，位至左軍
長史。'"

魏氏譜　卷亡。不著録。

《世説・賞譽篇》注："衛隱歷義興太守。"《排調篇》注："衛顗
仕至山陰令。"並引《魏氏譜》。

温氏譜　卷亡。不著録。

《世説・品藻篇》注引序曰："晉大夫郤至封温，子孫因氏，居
太原祁縣，爲郡著姓。"《假譎篇》注："温嶠初娶李恒女，中娶
王詡女，後娶何邃女。"《尤悔篇》注："温襜娶清河崔參女。"並
引《温氏譜》。

曹氏譜　卷亡。不著録。

《世説・品藻篇》注："《曹氏譜》曰：'茂之，彭城人，仕至尚
書郎。'"

李氏譜　卷亡。不著録。

《世説・品藻篇》注："《李氏譜》曰：'李志仕至員外常侍、南康
相。'"《元和姓纂》引"李叡娶同郡管襲女"句。

袁氏譜　卷亡。不著録。

《世説・品藻篇》注："袁恪之，義熙守，爲侍中。"《任誕篇》注：
"袁耽大妹名女皇，適殷浩；小妹名女正，適謝尚。"《讒險篇》
注："袁悦有寵於會稽王，王頗納其言。"並引《袁氏譜》。

索氏譜　卷亡。不著録。

《世説・傷逝篇》注："《索氏譜》曰：'索元歷征虜將軍，歷陽
太守。'"

戴氏譜　卷亡。不著録。

《世説・棲逸篇》注："《戴氏譜》曰：'戴逯以武勇顯有功，封廣
陵侯，仕至大司農。'"

賈氏譜　卷亡。不著録。

《世説・賢媛篇》注：“《賈氏譜》曰：‘郭氏名玉璜，即廣宣君也。’”

郝氏譜　卷亡。不著録。

《世説・賢媛篇》注：“《郝氏譜》曰：‘普字道匡，仕至洛陽太守。’”

郗氏譜　卷亡。不著録。

《世説・棲逸篇》注：“郗超娶周閔女，名馬頭。”《排調篇》注：“郗融字景山，愔第二子。”並引《郗氏譜》。

韓氏譜　卷亡。不著録。

《世説・棲逸篇》注：“《韓氏譜》曰：‘韓繪之父康伯，太常卿，繪之仕至衡陽太守。’”

張氏譜　卷亡。不著録。

《世説・任誕篇》注：“《張氏譜》曰：‘張湛仕至中書郎。’”

荀氏譜　卷亡。不著録。

《世説・排調篇》注：“荀寓字景伯，父保，御史中丞。”《群輔録》：“荀氏八龍。”並引《荀氏譜》。

祖氏譜　卷亡。不著録。

《世説・排調篇》注：“《祖氏譜》曰：‘祖廣仕至護軍長史。’”

司馬氏譜　卷亡。不著録。

《世説・仇隙篇》注：“《司馬氏譜》曰：‘丞娶南陽趙氏女。’”

路氏譜　卷亡。不著録。

《史記・齊悼惠王世家》索隱：“《路氏譜》曰：‘中大夫名卬。’”

范氏譜　卷亡。王僧孺撰。不著録。

《文選・爲范尚書讓吏部封侯表》注：“王僧孺《范氏譜》曰：‘汪生少連。’又曰：‘少連，太子舍人，餘杭令。’”

杜氏譜　卷亡。不著録。

《史記・酷吏傳》正義：“《杜氏譜》曰：‘周字長孺。’”

陽氏譜叙 _{卷亡。不著錄。}

《水經‧鮑邱水》注:"《陽氏譜叙》曰:'翁伯是周景王之孫,食采陽樊,春秋之末,爰宅無終而易氏焉,愛仁博施,天祚玉田。'"

蔡氏譜 _{卷亡。不著錄。}

《文選》王仲宣《贈蔡子篤詩》注:"《蔡氏譜》曰:'睦,濟陽人。'"

應世譜 _{卷亡。不著錄。}

《後漢書‧應劭傳》注:"《應世譜》曰:'劭,字仲遠。'"

炅氏譜 _{卷亡。不著錄。}

《漢書‧眭孟傳》注:"近代學者旁引《炅氏譜》以相附著,私譜之文,出於閭巷,家自爲説,事非經典,苟引先賢,妄相假借,無所取信,寧足據乎?"

複姓苑一卷

無撰名。《元和姓纂》曰:"晉有傅餘頠著《複姓錄》,有尚方氏。"

竹譜一卷

無撰名。今存戴凱之《竹譜》一卷。

錢譜一卷 _{顧烜撰。}

《唐志》入子部農家,洪遵《泉志》多引烜《譜》。

晉世摯虞作族姓昭穆記十卷

《晉書‧摯虞傳》:"虞以漢末喪亂,譜傳多亡失,雖其子孫不能言其先祖,撰《族姓昭穆》_{無"記"字。}十卷,上疏進之。"

隋經籍志考證卷八

簿録

七略别録二十卷　劉向撰。

《漢·藝文志》曰："成帝詔劉向校經傳、諸子、詩賦，任宏校兵書，尹咸校數術，李柱國校方技。每一書已，向輒條其篇目，撮其指意，録而奏之。"本志師古注引劉向《别録》。《禮記正義》鄭《目録》自《曲禮》至《喪服四制》載《别録》所屬篇目有通論、《檀弓》、《禮運》、《玉藻》、《大傳》、《經解》、《孔子閒居》、《中庸》、《表記》、《緇衣》、《儒行》、《大學》。制度、《曲禮》、《王制》、《禮器》、《少儀》。明堂陰陽記、《月令》、《明堂位》。喪服、《曾子問》、《喪服小記》、《雜記》、《服問》、《喪大記》、《三年問》、《喪服四制》。世子法、《文王世子》。祭祀、《郊特牲》、《祭法》、《祭義》、《祭統》。子法、《内則》。通録、《學記》。樂記、第十九。喪服之禮、《奔喪》。吉禮、《投壺》。吉事。《冠義》、《昏義》、《鄉飲酒義》、《射義》、《燕義》、《聘義》。《儀禮疏》自《冠禮》第一至《少牢》下篇第十七皆引《别録》，次第相同。《詩·大雅》疏"師尚父"，《尚書疏》"武帝末，民得《泰誓》"，又《堯典》作《虞夏書》，《周禮疏》"路寢在北堂之西，社稷宗廟在路寢之西"，《左傳疏》"左邱明授曾申"及"荀卿授張蒼"，並稱劉向《别録》。無"七略"二字。《史記》集解、索隱、兩《漢》注諸書所引，皆無"七略"二字，《唐志》題同《隋志》。

七略七卷　劉歆撰。

《漢志》曰："劉向卒，哀帝使向子歆卒父業。歆於是總羣書而奏其《七略》，故有《輯略》，師古曰："輯與集同，謂諸書之總要。"有《六藝略》，有《諸子略》，有《詩賦略》，有《兵書略》，有《術數略》，有

《方技略》。"《劉向傳》："河平中，歆受詔與父向領校祕書，講六藝傳記、諸子、術數、方技，無所不究。向死，哀帝即位，復領五經，卒父前業。歆乃集六藝羣書，種別爲《七略》。"愚按班固因《七略》而志藝文，其與歆異者，特注其出入，書入劉向《稽疑》，禮入《司馬法》，樂出淮南、劉向等《琴頌》，春秋省《太史公》，小學入揚雄、杜林，儒入揚雄，雜出兵法，諸子出《蜎蠼》，兵權謀省《伊尹》、《太公》、《管子》、《孫卿子》、《鶡冠子》、《蘇子》、《蒯通》、《陸賈》、《淮南王》，出《司馬法》入禮，兵技巧省《墨子》，重入《蜎蠼》。使後人可考劉氏原本。今以諸書所引《七略》如"《詩》以言情，情者信之符也，《書》以決斷，斷者心之證也"，《初學記·文部》、《御覽·學部》。《漢志》作"《詩》以正言，義之用也；《春秋》以斷事，信之符也"。《史記集解》：《魏公子兵法》二十一篇，圖一卷，《信陵侯傳》。《逢門射法》、《龜策傳》。《風后孤虛》二十卷，同上。與《漢志》合。《史記正義》：《管子》十八篇在法家，《晏子春秋》七篇在儒家，《管晏傳》。《新語》二卷陸賈撰。《陸賈傳》。考《漢志》法家無《管子》，惟兵家注云省《管子》，儒家《晏子》八篇又削"春秋"二字，《史記》論曰"余讀《晏子春秋》"，是知"春秋"二字非漢以後所加。《陸賈》二十三篇不言《新語》，俱異《七略》之舊。《文選》注："鄒子有《終始》五德，從所不勝，木德繼之，金德次之，火德次之，土德次之。"《魏都賦》、應吉甫《集華林園詩》注。乃《鄒子終始》解題。又："《雅琴》，琴之言禁也，雅之言正也，君子守正以自禁也。"《長門賦》注。乃《雅琴趙氏》等解題。《太平御覽·職官部》："孝宣帝重申不害《君臣篇》，使黃門郎張子喬正其字。"乃《申子》解題。此類《漢志》皆未取。馮商、莊忽奇、杜參、史朱宇，師古注皆依《七略》補《漢志》。至如《曲臺記》、《易九師道訓》、《文選·竟陵王行狀》注。《娟子》、曹子建《七啟》注。談天衍、雕龍赫、《宣德皇帝令》注。《鶡冠子》、《辯命論》注。《盤盂書》，《新刻漏銘》注。班固本注雖依《七略》，而語多從簡。《唐志》卷同。

晉中經十四卷　荀勖撰。

《晉書・荀勖傳》：“勖領祕書監，與張華依劉向《別錄》整理記籍，又得汲郡冢中古文竹書，勖撰次之，以爲《中經》，列在祕書。”《隋志》序曰：“魏祕書郎鄭默始制《中經》，《晉書・鄭默傳》：“默考覈舊文，删省浮穢，中書令虞松謂曰：‘而今而後，朱紫別矣。’”荀勖又因《中經》，更著《新簿》，分爲四部，總括羣書。一曰甲部，紀六藝及小學等書；二曰乙部，有古諸子家、近世子家；三曰丙部，有史記、舊事、皇覽簿、雜事；四曰丁部，有詩賦、圖讚、《汲冢書》；大凡四部合二萬九千九百四十五卷。但録題及言，至於作者之意，無所論辯。”《魏志・王肅傳》“敦煌周生烈”注：“臣松之案：此人姓周生，名烈，所著述見晉武帝《中經簿》。”《蜀志・秦宓傳》注：“臣松之案：《中經簿》有《孔子三朝》八卷，《目録》一卷，餘者所謂七篇。”《周禮・天官》正義：“《中經簿》《子儀本草經》一卷。”《經典釋文・序録》：“《中經簿》：《子夏易傳》，丁寬所作。”又云：“劉表注《易》十卷。”又云：“鄭氏《孝經注》，案《中經簿録》無。”《漢書・貨殖傳》注：“計然者，濮上人，其書有《萬物録》，著五方所出，皆直述之事，見《晉中經簿》。”《北堂書鈔・儀飾部》：“盛書用皂縹囊布裹，書函中皆有香囊。”《太平御覽・文部》：“盛書有縑囊、布囊、絹囊。”《隋志》序曰：“盛以縹囊，書用緗素。”並引《晉中經簿》。《唐志》卷同。

晉義熙已來新集目録三卷

《新唐志》同，《舊唐志》作《雜集目録》，並題邱深之撰。

宋元徽元年四部書目録四卷　王儉撰。

《南齊書・王儉傳》：“儉撰定《元徽四部書目》。”《唐志》卷同。《隋志》序曰：“宋元徽元年，王儉造《目録》，大凡一萬五千七百四卷。”

今書七志七十卷　王儉撰。

《南齊書・王儉傳》：“儉上表求校墳籍，依《七略》撰《七志》四

十卷,上表獻之。《文選》任彥昇《王文憲集序》曰:"依劉歆《七略》更撰《七
志》。"《宋書·後廢帝紀》:"元徽元年八月,王儉表上所撰《七
志》三十卷。"《唐志》七十卷,賀縱補注。《隋志》序曰:"儉撰
《七志》:一曰《經典志》,紀六藝、小學、史記、雜傳;二曰《諸
子志》,紀古今諸子;三曰《文翰志》,紀詩賦;四曰《軍書志》,
紀兵書;五曰《陰陽志》,紀陰陽圖緯;六曰《術藝志》,紀方
技;七曰《圖譜志》,紀地域及圖書。其道、佛附見,《後魏書·釋
老志》曰:"劉歆著《七略》,釋氏之學所未曾紀。"合九條。然亦不述作者之
意,但於書名之下,每立一傳,而又作九篇條例,編乎首卷之
中。文義淺近,未爲典則。"《後漢書·方術傳》注云:"有《遁
甲經》,有《武王須臾》一卷,有《師曠》六篇。"《文選》注:"木華
字元虛,爲楊駿府主簿。"《海賦》注。"應璩以百言爲一篇,謂之
百一詩。"《百一詩》注。"棗璩字道彥,弱冠辟大將軍府。"棗道彥《雜
詩》注。"張翰字季鷹,文藻新麗。"張季鷹《雜詩》注。"高祖遊張良
廟,命僚佐賦詩,謝瞻所造冠於一時。"謝宣遠《張子房詩》注,又《九日
遊戲馬臺詩》注引此事作"高祖遊戲馬臺"。並引《今書七志》。《經典·
序録》宋衷《易注》十卷,陸績述十三卷,録一卷,王弼《易注》
十卷,王廙注十卷,荀煇注十卷,張璠集解十卷,蜀才是王弼
後人,並引《七志》。省"今書"二字。又云:"《尚書·大禹謨》本虞
書,總爲一卷,凡十二卷,今依《七志》、《七録》爲十三卷。"《通
志·圖譜略》曰:"劉氏《七略》收書不收圖,惟任宏校兵書一
類有書有圖,宋、齊之間王儉作《七志》,六志收書,一志專收
圖譜,不意末學而有此作也。"

梁天監六年四部書目録四卷 殷鈞撰。

《梁書·殷鈞傳》:"天監初,鈞啟校定祕閣四部書目。"《唐

志》：“邱賓卿《梁天監四年書目》四卷。”①

梁東宮四部目録四卷　劉遵撰。

《唐志》同。

梁文德殿四部目録四卷　劉孝標撰。

《梁書·劉孝標傳》不載校定四部。《隋志》序曰：“梁初，秘閣
經籍任昉，躬加部集，又於文德殿列藏衆書，大凡二萬三千一
百六卷，而釋氏不與焉。”又曰：“《文德殿目録》，其術數之書，
更爲一部，使奉朝請祖暅撰其名。故梁有《五部目録》。”

七録十二卷　阮孝緒撰。

《梁書·阮孝緒傳》：“孝緒著《七録》行於世。”《隋志》序曰：
“普通中，有處士阮孝緒，博採宋、齊以來，王公之家，凡有書
記，參校官簿，更爲《七録》：一曰《經典録》，紀六藝；二曰《記
傳録》，紀史傳；三曰《子兵録》，紀子書、兵書；四曰《文集
録》，紀詩賦；五曰《技術録》，紀數術；六曰《佛録》；七曰《道
録》。其分部題目，頗有次序，割析辭義，淺薄不經。”《隋志》依
《七録》，凡注中稱“梁有今亡”者，皆阮氏舊有。《書·舜典》正義云：“‘曰
若稽古，帝舜曰重華，協於帝’，此十二字是姚方興所上，孔氏
傳本無。”《經典釋文》同，又云：“《尚書》十二卷，今依《七志》、《七録》爲十三卷。”
《孝經·序》正義：“穀梁名俶，字元始。”本《經典·序録》。《論語·
序》正義：“周生烈，字文逸，本姓唐，魏博士侍中。”本《經典·序
録》。《史記正義》：“甘公，楚人，戰國時作《天文星占》八卷。
石申，魏人，戰國時作《天文》八卷。”《天官書》。“《太公兵法》一
袠三卷，太公姜子牙，周文王師，封齊侯也。”《留侯世家》。“《申
子》三卷，《韓子》二十卷。”《申韓列傳》。《經典·序録》：“費直
《易章句》四卷，殘缺。孟喜《章句·下經》無‘旅’至‘節’，無

---

①　“卷”，原誤作“部”，据《舊唐書·經籍志》、《新唐書·舊文志》改正。

《上繫》。京房《章句》十卷，《録》一卷目。馬融《傳》九卷。荀爽《注》十一卷。鄭玄《注》十二卷。劉表《章句》九卷，《録》一卷。宋衷《注》十卷。董遇《章句》十卷。姚信《注》十二卷。信字元直，吳興人，吳太常卿。王廙《注》十卷。張璠《集解》集二十八家，蜀才不詳何人。劉瓛作《繫辭義疏》，王肅撰《禮記音》。”並引阮孝緒《七録》。《史通·因習篇》曰：“阮氏《七録》以田、范、裴、段諸記，劉、石、符、姚等書，別創一名，題爲偽史。而撰《隋書·經籍志》者，其流別羣書，還依阮《録》。”《唐志》卷同。今存《廣弘明集》內，阮氏《七録》一卷。《通志·圖譜略》曰：“王儉《七志》，一志專收圖譜，阮孝緒不能續之，散圖而歸部録，雜譜而歸記注。”

陳天嘉六年壽安殿四部目録四卷

《唐志》卷同。《隋志》序曰：“梁元帝收文德之書，公私經籍，歸於江陵，大凡七萬餘卷。周師入郢，咸自焚之。陳天嘉中，又更鳩集，考其篇目，遺闕尚多。”

四部書目序録三十九卷 　殷淳撰。不著録。

見《唐志》。《宋書·殷淳傳》：“淳在祕書閣撰《四部書目》，凡四十卷，行於世。”

開皇四年四部目録四卷，又開皇八年四部目録四卷 八年目録，《唐志》不載。

《唐志》題牛弘撰。《隋志》序曰：“開皇三年，牛弘表請遣使搜訪異本，民間異書往往間出。及平陳後，經籍漸備。其所得多太建時書，總集編次，存爲古本，召韋霈、杜頵等，於祕書內補續殘缺，爲正副二本，凡三萬餘卷。”

開皇二十年書目四卷 　王劭撰。不著録。

見《唐志》。

隋大業正御書目録九卷

《北史》：“隋西京嘉則殿有書三十七萬卷，煬帝命柳顧言等詮次,除其重複猥雜,得正御本三萬七千餘卷,納於東都修文殿。又寫五十副本,簡爲三品,《隋志》序曰:"上品紅琉璃軸,中品紺琉璃軸,下品漆軸。於東都觀文殿東西廂搆屋貯之,東屋藏甲乙,西屋藏丙丁。"分置西京東都宮省,其正御書皆裝翦華綺,寶軸錦標,於觀天殿前爲書室四十間,窗户褥幔,咸極珍麗。"

法書目錄六卷

《唐志》:"庾和撰。"

史目二卷　楊松珍撰。不著録。

見《唐志》。又《宋志》:"楊松珍《歷代史目》十五卷。"

史目　卷亡。裴松之撰。不著録。

《史記·五帝紀》正義引裴松之《史目》。

雜撰文章家集叙十卷　荀勗撰。

《唐志》作"新撰五卷"。

文章志四卷　摯虞撰。

《晉書·摯虞傳》:"虞撰《文章志》四卷。"《魏志·陳思王傳》注:"劉季緒名修,著《詩賦頌》六篇。"《文選·與楊德祖書》注同。《世說·文學篇》注:"崔烈,靈帝時官至司徒太尉。"《後漢書·桓彬傳》注:"桓麟文見在者十八篇,有碑九首,誄七首,説一首,沛相郭府君書一首。"並引摯虞《文章志》。《唐志》卷同。

續文章志二卷　傅亮撰。

《唐志》卷同。《文選·海賦》注:"廣川木玄虛爲《海賦》,文甚儁麗。"《北堂書鈔·設官部》:"陸雲才藻。"並引傅亮《文章志》。無"續"字。《世說·文學篇》注:"潘岳選言簡章,清綺絕倫。"《容止篇》注:"左思貌醜顇,不持儀飾。"《汰侈篇》注:"石崇資産累巨萬金,宅室興馬僭擬王者。"並引《續文章志》,不著傅亮名。

晉江左文章志三卷　宋明帝撰。

《宋書·明帝紀》:"帝在藩時撰《江左以來文章志》。"《唐志》二卷。《世説·言語篇》注:"孝武帝諱昌明,年三十五崩。"又:"顧愷之爲桓温參軍,甚被親暱。"《文學篇》注:"張憑學尚所得,敏而有文。"又:"顧長康三絶:畫絶、文絶、癡絶。"《方正篇》注:"太元中,新宮成,欲屈王獻之題牓。"《賞譽篇》注:"王胡性簡,好達元言。"又:"劉恢識局明濟,有文武才。"《識鑒篇》注:"劉恢言桓温必能西楚,然恐不能復制。"又:"謝安縱心事外,疏略常節。"《品藻篇》注:"孫綽博涉經史,長於屬文。"又:"王獻之善隸書,字畫秀媚。"《規箴篇》注:"庾翼名輩豈應狂狷。"《容止篇》注:"桓温爲温嶠所賞,故名温。"《雅量篇》注:"謝安能作洛下書生詠。"《任誕篇》注:"謝尚性輕率,不拘細行。"又:"王忱嗜酒,自號上頓。"並引宋明帝《文章志》。省"晉江左"三字。

宋世文章志二卷 沈約撰。

《梁書·沈約傳》:"約著《宋文章志》三十卷。"《唐志》二卷。

晉文章紀 卷亡。顧愷之撰。不著錄。

《世説·文學篇》注:"顧愷之《晉文章紀》曰:'阮籍勸進,落落有宏致。'"

文章志 卷亡。無撰名。

《魏志·王粲傳》注:"太祖嘆仲宣無後。"《衛覬傳》注:"潘勗初名芝。"《劉劭傳》注:"繆襲事魏四世。"《世説·文學篇》注:"陸機善屬文。"《賞譽篇》注:"王羲之高爽有風氣。"《文選·長笛賦》注:"劉玄作《簧賦》,傅毅作《琴賦》。"應貞《華林園集詩》注:"應貞少以才聞,能談論。"應璩《百一詩》注:"應璩,汝南人也。"潘尼《贈陸機詩》注:"潘尼少有清才。"繆襲《挽歌詩》注:"謬襲,字熙伯。"潘勗《册魏九錫文》注:"《魏錫》,勗所作。"繁欽《與魏文箋》注:"繁欽少以文辨知名。"陳琳《答東阿王箋》注：“陳琳，字孔璋。”阮瑀《爲曹公與孫權書》注：“阮瑀，陳留人。”魏文帝《與吳質書》注：“徐幹以道德見稱。”《太平御覽・職官部》：“顧愷之博學有文章。”並引《文章志》，不著撰名。

文章録　<small>卷亡。邱淵之撰。不著録。</small>

《世説・識鑒篇》注：“傅亮字季友。”《寵禮篇》注：“伏系，字敬魯。卞範之，字敬祖。”《言語篇》注：“嵇康遷拜中散大夫。”並引邱淵之《文章録》。又《文學篇》注袁豹字士蔚一事，作邱淵之《文章叙》。又《言語篇》注謝靈運一事，作邱淵之《新集叙》。《文選・百一詩》注：“應璩博學好屬文。”《錦繡萬花谷・續集》：“應璩詩曰：‘問我何功德，三人承明廬。’”並題《文章録》，不著淵之名。又《世説・德行篇》注：“嵇康拜中散大夫。”《文學篇》注：“何晏能清言，士多宗之。”又云：“晏著論與聖人同。”《巧藝篇》注：“韋誕有文學，善屬辭。”《北堂書鈔・藝文部》：“應璩善爲書記。”《藝文類聚・人部》：“杜摯與毋邱儉鄉里相親。”《職官部》：“應貞爲中庶子。”並題《文章叙録》，亦不著撰名。

名手畫録一卷

《唐志》同。

正流論一卷　<small>儀吉補。</small>

集部總集類又有《正流論》一卷，蓋一書也。

隋經籍志考證卷九

舊事 《唐志》作故事。

漢武帝故事二卷

今存。

西京雜記二卷

今存。

漢魏吳蜀舊事八卷

《北堂書鈔·設官部》:"《漢故事》曰:'太傅、少傅稱臣,並不朝朔望。'"《衣冠部》:"《魏舊事》曰:'楊平善裁袴,以官絹百匹作小袴百枚。'"《太平御覽·職官部》:"《魏故事》曰:'太傅於太子不稱臣,少傅稱臣。'"《初學記·中宮部》:"后親蠶禮,皇后著十二笄步搖,乘雲母安車,駕驪馬三。夫人、九嬪、世婦各載筐鉤從皇后蠶於嘉桑。"《書鈔·設官部》:"夫遣將出征,授鉞於朝堂。"又:"太傅於太子不稱臣,朔望不朝。"《御覽·兵部》:"與外國節皆二赤旄、一黑旄,一異於朝節。"並引《漢魏故事》。《唐志》同。《晉書·禮志》引有《漢魏故事》。

江東舊事 　卷亡。不著錄。

《水經·溫水》注:"范文,本揚州人,隨林邑賈人度海遠去,沒入於王。經十餘年,王死,文害王二子,自立爲王。"此引《江東舊事》。

魏武故事 　卷亡。不著錄。

《魏志·武紀》注載:"建安十五年十二月,己亥。公令上還陽夏、柘、苦三縣戶二萬,但食武平萬戶。二十三年,公令教辟領長史，王必統事如故。"《御覽·職官部》亦引之。《劉表傳》注載：
"公令青州刺史琮牋求還州，秩祿未優，今表爲諫議大夫，參
同軍事。"《棗祗傳》注："公令陳留太守棗祗破黃巾，定許興，
立屯田，不幸早歿。祗子處中宜加封爵，以祀祗。"《陳思王
傳》注："公令曰：'始者謂子建，兒中最可定大事。'"又："令
曰：'自植私出門司馬門至金門，令吾異目視此兒矣。'"又：
"令曰：'諸侯長吏及帳下吏知吾出，輒將諸侯行意否。'"並引
《魏武故事》。《藝文類聚·人部》曰："辭爵逃祿，不以利累名，不以位虧德之謂
讓。"引《魏武雜事》。

晉朝雜事二卷

《梁書·庾詵傳》："詵撰《晉朝雜事》五卷。"《唐志》二卷，同，無撰名。
《北堂書鈔·天部》："太康七年十二月，河陰赤雪降。"又："泰
始七年冬，上隴雪五尺。"又："光康七年，霹靂破高禖石，乃賈
后將誅之應。"《御覽·天部》："高禖中宮求子象也。"《歲時部》："永寧二
年十二月，大寒，凌破河橋。"《初學記·政理部》："齊王冏舉
義兵，囚趙王倫父子五人於金墉城。"《太平御覽·時序部》：
"大興四年，大寒，傷民，冰厚。時王敦肆亂，殺戮忠良。"《人
事部》："明帝入，幘不正，元帝自爲正之，明帝大喜。"又："羊
琇驕豪，擣炭爲屑，以物和之，作獸形，諸豪皆效之。"《刑法
部》："泰始四年，歲在戊子，正月二十日，晉律成。"又："太傅
趙王至太極殿前，召收張華、裴頠、解結、杜斌等，斬之於東鍾
下。"《舟部》："太康七年八月，大雨，殿前地陷，方五尺，深數
丈，中有破船。"《獸部》："太康九年三月，幽州上言塞北有死
牛頭語。"並引《晉朝雜事》。

晉宋舊事一百三十五卷

《初學記·歲時部》："魏帝遜位，祖以酉日，臘以丑日。"《服食
部》："太后、皇后，雀鈕，白玉珮。"又："崇進皇太后爲太皇太

后,有絳碧絹雙裙、絳絹裙、湘絳紗複裙、白絹裙。"《御覽·時序部》、《服章部》同。並引《晉宋舊事》。《唐志》一百三十卷。

西京故事 卷亡。不著錄。

《史記·孝景紀》正義:"《西京故事》曰:'景帝廟爲德陽宮。'"

晉要事三卷

《初學記·中宮部》:"安帝九年,右丞張項監議:瑯琊及湖熟界有皇后脂澤田四十頃,參詳以借貧人。"《北堂書鈔·設官部》:"咸康七年,諸葛恢奏恭皇后:今當山陵依舊,公卿六品、清官子弟爲挽郎,非古也,豈有牽曳國士爲之役夫,請悉罷之。"《儀飾部》:"泰始四年,有司奏先帝廟存舊物麻繩爲細拂,以明儉約。"《太平御覽·服章部》:"隆和元年,太學博士曹宏之等議:立秋應讀,令不應著細幘,改爲素。"並引《晉氏要事》。《唐志》卷同。

晉故事四十三卷

《初學記·寶器部》:"凡民丁課田五十畝,收租四斛,絹三疋,綿三斤。"《太平御覽·珍寶部》:"咸康元年,有司奏上元給賜眾官銀,檢金部見銀一萬五千兩充給。"並引《晉故事》。《唐志》卷同。

晉建武故事一卷

《初學記·武部》:"王敦死,祕不發喪,賊於水南北渡,攻官壘柵,皆重鎧浴鐵,都督應詹等出精銳拒之。"《御覽·兵部》同。《藝文類聚·菓部》:"咸和六年,平西將軍庾亮送橘,十二實共同一蔕。"《御覽·果部》同。《獸部》:"咸和六年,計貢合集於朝堂,有野麕走至堂前,逐獲之。"《太平御覽·獸部》:"咸和七年,左右啟以米飴熊,上曰:'此無益而費穀,且惡獸不宜畜。'遣使打殺,以肉賜左右直人。"並引《晉建武故事》。愚按王敦死在太寧二年,餘三事皆在咸和,而入《建武故事》,未審其義。

《唐志》三卷。無"晉"字。

晉咸和咸康故事四卷　晉孔愉撰。

《唐志》："孔愉《晉建武咸和咸康故事》四卷。"

晉建武以來故事三卷　不著錄。

見《唐志》。

永平故事三卷　不著錄。

見《唐志》。

晉泰始太康故事八卷　不著錄。

見《唐志》。

晉氏故事三卷　不著錄。

見《唐志》。

晉諸雜故事二十二卷　不著錄。

見《唐志》。

晉雜議十卷　不著錄。

見《唐志》。

晉修復山陵故事五卷　車灌撰。

《初學記・服食部》："梓宮衣物有湘絳雙裙六腰，練單衫五領，練複衫五領，白紗衫六領，白紗縠衫五領。"《太平御覽・文部》："玄宮中用墨五丸。"《服用部》："玄宮中用絹團扇六枚，武悼皇后玄宮貯衣蝦蟇籚二。"又："梓宮中有象牙火籠，用象牙梳五枚，后梓宮象牙梳六枚，瑇瑁梳六枚。"又："梓宮用鐵鏤鑷五枚，用嚴器五具，馬齒嚴器五具，后服有瑇瑁釵三十隻。"《器物部》："武帝悼后玄宮有漆烏丸槃一枚。"《布帛部》："帝改服著白綾帽。"《資産部》："后梓宮用剪六枚。"並引《修復山陵故事》。《唐志》卷同。

交州雜事九卷　記士燮乃陶璜事。

《藝文類聚・雜器物部》："太康四年，刺史陶璜表送林邑王范

熊所獻銀鉢一口,水精鉢一口。"《初學記·政理部》:"太康四
年,林邑王范熊獻水精唾壺一口,青白水精唾壺二口。"《太平
御覽·器物部》:"太康四年,刺史陶璜表送林邑王范熊所獻
縹紺水精槃各一枚,青白石盌一口,白水精盌二口。"並引《交
州雜事》。《唐志》作《雜故事》,卷同。

晉八王故事十卷

《世説·方正篇》注:"楊濟有才識,累遷太子太保,與楊駿同
誅。蕭艾少好功名,不修士檢,齊王起義,用領右將軍,王敗
見誅。"《雅量篇》注:"司馬越少尚布衣之操,爲中外所歸。"
《言語篇》注:"司馬穎,世祖第十九子。司馬乂,世祖第十七
子。"《賞譽篇》注:"石勒見王夷甫,曰:'吾行天下多矣,未嘗
見如此人。'夜使推墻殺之。""馮蓀蚤歷清職,爲長沙王所
害。""劉輿、潘滔、裴邈,皆爲東海王所暱,時人稱曰'輿長才,
滔大才,邈清才'也。""庾元爲陳留太守,或勸投琅琊王,元
曰:'王處仲得志於彼,豈能容我。'""楊淮有六子,曰:喬、髦、
朗、琳、俊、仲。論者謂悉有台輔之望。"《品藻篇》注:"胡母輔
之與王澄、庾敳、王夷甫爲四友。"《容止篇》注:"潘岳與夏侯
湛最契,故好同遊。"《賢媛篇》注:"周浚少有才名,自御史中
丞出爲揚州刺史,加安東將軍。"《輕詆篇》注:"王夷甫雖居台
輔,不以事物自嬰,當世化之,羞言名教,識者知其將亂。"《尤
悔篇》注:"華亭有清泉茂林,陸機兄弟共遊於此十餘年。"《水
經·河水》注:"東海王越治鄄,城無故自壞七十餘丈,越惡
之,移治濮陽城。"《史記·項羽紀》索隱:"王浚伐鄴,前至梁
湛。"《文選·舞鶴賦》注:"陸機歎曰:'欲聞華亭鶴唳,不可復
得。'"《北堂書鈔·藝文部》:"張方逼上出謁宗廟,上以青筒詔
敕中書曰:'朕體中不佳,不堪出也。'"《設官部》:"太康七年
正旦,日蝕,詔公卿大臣各上封事。汝南王亮、司徒舒、司空

瑾上所假章綬。"《元和郡縣志·河南道》:"范陽王保於鄂坂,後於其上置關。"《寰宇記》亦引之。《太平御覽·服章部》:"趙王倫將篡位,童謠曰:'屠蘇障日覆兩耳,當有瞎兒作天子。'"《羽族部》:"張方將移惠帝於長安,自領五千騎,兜鍪皆用涼州白鷳毛。"並引《晉八王故事》。《唐志》十二卷,題盧綝撰。

晉四王起事四卷 晉廷尉盧綝撰。

《水經·蕩水》注:"惠帝征成都王穎戰敗,百僚奔散,惟侍中嵇紹扶帝,眾斬之,血污帝袂,帝曰:'嵇侍中血,勿洗也。'"《北堂書鈔·衣冠部》:"惠帝與成都王自鄴還洛陽,既至,賜盧志雲鶴綾袍一領。"《帝王部》云"賜鶴綾袍"。《酒食部》:"惠帝還洛陽,道中於客舍作飲食,宮人有持升餘秔米飯者,燒以供至尊。"《帝王部》云:"慘茶煮飲,客舍作食。"《太平御覽·兵部》:"張方逼帝幸長安,河間王率參佐到霸水迎上,銜枚屯列。"《服章部》:"惠帝自洛陽得鹿車一乘,以單帛裙爲幰。"《服用部》:"惠帝征成都軍敗,帝渴,就民家取水,以銅灌飲之。"《器物部》:"惠帝還洛陽,道中有老公蒸雞素木槃中,盛以奉獻,黃門以瓦盂盛茶上至尊。"《珍寶部》:"張方刼帝西遷,國家有寶物,方軍人八千三日輂之,有大珠璫百餘斛。"《布帛部》:"張方移帝於長安,兵入內殿取物,人持御絹二疋,自魏晉之積將百餘萬疋,三日輂之,尚不缺用。帝於成都還洛陽,道中有驅羊二百餘口者,勒使至洛,得以爲糧。至洛,盧志啟以右藏絹倍還羊主。"《飲食部》:"惠帝還洛陽,河間王遣使上甘蔗甘鋪。"《果部》:"惠帝征成都軍敗,日已向中,而太宮未進食,左右有齎秋桃十枚以獻帝。帝食三枚,石超使人擘手奪三枚。"並引《晉四王起事》。《御覽·兵部》又引"張方刼啟移都,領五千騎,皆捉鐵纏稍,兜鍪用涼州白鷳毛",其事與《八王故事》同。《唐志》卷同。

桓玄僞事三卷

《唐志》二卷,入僞史類。《初學記·文部》:"古无紙,故用簡,非主於敬也。今諸用簡者,皆以黃紙代之。"又:"玄詔令平准作青赤縹綠桃花紙,使極精,令速作之。"《御覽·文部》同。並引《桓玄僞事》。

晉東宫舊事十卷

《唐志》題張敞撰,《舊志》十一卷。《顏氏家訓·書證篇》:"或問曰:'《東宫舊事》何以呼鷗尾爲祠尾?'答曰:'張敞者,吳人,不堪稽古,隨宜記注,遂鄉俗訛謬,造作書字耳。吳人呼祠祀爲鷗祀,故以祠代鷗;呼紺爲禁,故以系旁作禁代紺字;呼盞爲竹簡反,故以木旁作展代盞字;呼鑊字爲霍字,故以金旁作霍代鑊字;又金旁作患爲鐶字,木旁作鬼爲槐字,火旁作庶爲炙字,既下作毛爲髻字,金花則金旁作華,窗扇則木旁作扇,諸如此類,專輒不少。'又問:'《東宫舊事》六色罽緅是何等物? 當作何音?'答曰:'罽,牛藻也。又寸斷五色絲,橫著線股間繩之,以象罽草,用以飾物,即名爲罽。於時當紺六色罽,作此罽以飾緄帶,張敞因造絲旁,畏耳宜作隁。'"愚按《初學記》諸書引《東宫舊事》,多載皇太子初拜太子,納妃所用器物,其文甚瑣,不足具録。顏氏所記諸字,今逸篇中俱未見。《北堂書鈔·儀飾部》引"太子納妃有金鐶釵",《初學記·器物部》"太子納妃,有織成地屏風十四牒,銅鐶、鈕鐶",皆從"睘",未有金旁作"患"之字,惟"髻"字"既"下作"毛"。《書鈔·儀飾部》云"有龍頭舊髻"。《藝文類聚·禮部》云:"正會儀,太子著遠遊冠,絳紗襮。登輿,至承華門。設位,拜二傅。交禮畢,不復登車,太傅訓導在前,少傅訓從在後,太子入崇賢門。樂作,太子登殿,西向坐。"《太平御覽·皇親部》:"司徒會稽王導子等啟云:'皇太子繼體宸極,年德並茂,宜簡國媛,緝宣内教,故中書令太常王獻之、新安公主息女,六行聿修,四德光備,慶深積善,僉曰:宜作配儲宮,正位中饋。'太元二十八年,皇太子納妃瑯琊臨沂王氏,時年十四。""有詔以太子納妃賜帛各有差,使持節司空謝琰、副護軍車允、詹事王珣,率東宮官屬迎於主第。"此二事引《東宮舊事》,可與《晉書・禮志》補闕。《後漢書・劉盆子傳》注:"太子有空頂幘一枚,即半頭幘之製也。"引作《東宮故事》。

秦漢已來舊事十卷

《唐志》八卷。

尚書大事二十卷　范汪撰。

《唐志》二十一卷。《北堂書鈔・儀飾部》:"納后禮文云:'既皓且白,既潔且清,美人玩好,以飾姿容。'"《太平御覽・禮儀部》:"尚書符太常曰:'釋奠祀先聖於辟雍,未有言太學者,今廢辟雍而立二學,中興以來相違。'太常王彪之答:'釋奠於太學,行饗於辟雍。'宰相從太常。"

大司馬陶公故事三卷

《唐志》同。《北堂書鈔・酒食部》:"蘇峻平後,侃上成帝鮭十斛。"《白帖》云:"蘇峻上成帝十斛鮭。"脫"平後侃"三字。《太平御覽・兵部》:"臣侃言:'郭默狂狡,肆行凶虐,負阻城險,用稽天誅。臣上山陵其城,樓櫓攻具備設。'""臣侃奏獻金鐷白眊四枚,金華大羌楯五十幡,青綾金華楯五十幡。"《器物部》:"侃《上雜物疏》有上成帝螺杯一枚。"《藝文類聚・雜器物部》同。"侃上成帝水精盌一枚,漆複籨五十枚。"並引《陶公故事》。《書鈔》、《類聚》作"陶侃"。

郗太尉爲尚書令故事三卷

《唐志》同。

華林故事名一卷　不著錄。

見《唐志》。

咸寧三年武皇帝故事 卷亡。不著錄。

《晉書・禮志》引云:"王公大臣薨,三朝發哀,踰月不舉樂;其一朝發哀,三日不舉樂。"

宋先朝故事二十卷 劉道薈撰。不著錄。

見《唐志》。《太平御覽・兵部》:"《宋先朝故事》曰:'慕容超大將垣遵踰城歸順高祖,使遵守治攻城撞車,築長圍高三丈,外三重塹。'"

天正舊事三卷 釋撰,亡名。

《唐志》同。

沔南故事三卷 應思遠撰。

《唐志》有應詹《江南故事》三卷,《通志・略》兩載之,"江南"作"征南"。

永安故事三卷 溫子昇撰。不著錄。

見《唐志》。《史通・敘事篇》曰:"子昇取譏於君懋。"原注:"王邵《齊志》曰:'時議恨邢子才不得掌興魏之書,悵怏溫子昇,亦若此而撰《永安記》,率是支言。'"又《外篇・雜說》注曰:"'溫子昇《永安故事》言爾朱世隆之攻沒建業也,怨痛之響,上徹天閽;酸苦之極,下傷人理。'此皆語非簡要,而徒積字成文,並由趨聲對之爲患也。"

梁舊事三十卷 內史侍郎蕭大圜撰。圜,原本作"環",錢氏《考異》曰:"當作'圜'。"

《唐志》作《梁魏舊事》。《太平寰宇記・江南東道》:"石英寶賜姓阮氏,時人名所居之溪爲阮公溪。"又:"梁武時童謠曰:'鳥山出天子。'又曰:'天子之居在三餘。'"並作《梁陳舊事》。

京兆舊事 卷亡。不著錄。

《羣輔錄》:"韋氏三君:順、豹、義。"《北堂書鈔・服飾部》、《藝文類聚·服飾部》:"杜陵蕭彪爲巴郡太守,以父老,歸供養。父有客,嘗立屏風後,自應使命。"又《書鈔·政術部》:"長安孫晨家貧,爲郡功曹,十月無被,有蒿一束,暮卧其中,旦收之。"《儀飾部》云:"夜卧薪一束,晝收之。"並引《京兆舊事》。

東宮典記七十卷　左庶子宇文愷撰。

《隋書·陸爽傳》:"爽與宇文愷撰《東宮典記》七十卷。"

開業平陳記二十卷

《唐志》十二卷,入雜史類。《通鑑·隋紀考異》引《平陳記》曰:"張貴妃等八人夾坐,江總等十人預宴,先令八婦人襞采牋製五言詩,十客一時繼和,稽緩則罰酒。"

鄴都故事　卷亡。北齊楊楞伽撰。不著錄。

《通典·職官門》:"《鄴都故事》曰:'御史臺在宮闕西南,其門北開,取冬殺之義。'"《太平御覽·職官部》同。

鄴城故事　卷亡。不著錄。

《太平御覽·兵部》載石季龍凌霄觀、涼馬臺、紫陌浮橋三事。《寰宇記·河北道》:"西門豹爲令,造十二渠,今名安澤陂。"《御覽·地部》同。並引《鄴城故事》。

白起故事　卷亡。何晏撰。不著錄。

《文選·報任少卿書》注:"何晏《白起故事》:'白起雖坑趙卒,向使預知必死,則前驅空捲猶可畏也,況三十萬被堅執銳乎?'"

諸葛故事　卷亡。不著錄。

《藝文類聚·軍器部》:"《諸葛故事》曰:'成都作匕首五百枚,以給騎士。'"

王朗　秦故事　卷亡。不著錄。

《初學記·器物部》:"王朗《秦故事》曰:'百華燈樹,正月朔朝賀,於殿下設於三階之間,端門外設三尺、五尺燈,月照星明,雖夜猶晝。'"《白帖》卷十四同。

漢雜事 <small>卷亡。不著錄。</small>

《文選·東京賦》注："諸侯屬車九乘，秦滅九國，兼其車服，故大駕屬車八十一乘。"<small>《藝文類聚·舟車部》曰："尚書、御史乘之，最後一車，懸豹尾以前，皆似省中。"</small>《後漢書·杜詩傳》注："漢制，假棨戟以代斧鉞。"《胡廣傳》注："凡羣臣之書通於天子者四品。"《藝文類聚·歲時部》："正月朝賀，三公奉璧上殿。"《帝王部》："秦爲漢驅除，自以德兼三皇五帝，故并爲號。"《職官部》："諸侯功德優盛，朝廷所敬異者，賜位特進，在三公下。"《北堂書鈔·儀飾部》："鼓以動眾，夜漏鼓鳴則起，晝漏壺乾鍾鳴則息。"此所引《漢雜事》皆記儀制。至《通典·職官門》："蔣滿與其子同詔徵見宣帝。"《藝文類聚·治政部》："王鳳薦辛慶忌爲執金吾。"《北堂書鈔·衣冠部》："張蒼，高祖時有罪當斬，身體肥白如玉，帝一見而美之，與衣冠甚鮮，遂赦。"《政術部》："何武《上封事》云：'辛慶忌宜在爪牙。'"《設官部》："薛宣爲少府，谷永上書薦宣曰：'才茂行潔，達於從政。'"又："趙堯以刀筆至侍御史。"《太平御覽·職官部》："田蚡爲丞相，汲黯見蚡，揖之而已。"又："金敞世名忠，孝太后使侍成帝。"又："石慶爲太僕，上問車中幾馬，慶以策數馬，曰六馬。"<small>《初學記·職官部》同。</small>又："鄭當時爲太子舍人，交知皆天下名士。"《人事部》："吳楚七國反，齊王使路中大夫告於天子。"<small>《奉使部》同。</small>又："于定國謙遜下士，雖徒步過者與均禮。"又："公孫弘爲丞相，開閣延賢人。"又："倪寬卑體下士，不求名譽。"又："匡衡、貢禹以經術議廟祀。"《禮儀部》："翟方進爲丞相，遭後母喪，行服三十六日起視事。"《服章部》："高祖時大謁者臣章受詔長樂宮，令羣臣議舉天子所服衣服。"<small>《北堂書鈔·衣冠部》同。</small>此類所引《漢雜事》，皆西漢人物，可與《漢書》相證。<small>其記東漢事不具錄。</small>又《書鈔·儀飾部》"詔賜蔡邕金龜紫綬"，作《漢末雜事》；《刑法部》“博士申威以怒增刑”，作《漢雜事篇》。《初學記·禮部》“封諸侯，受茅土”，《藝文類聚·禮部》同。作《漢舊事》；《書鈔·封爵部》作“雜事”。又“廟者，所以藏主，列昭穆”，作《漢書舊事》；《職官部》“諸上書者皆爲二封，魏相爲御史大夫，奏去副封”，作《漢雜記事》。《書鈔·設官部》無“記”字。

隋經籍志考證卷十

職官

漢官解詁三篇　漢新汲令王隆撰，胡廣注。

《後漢書·文苑傳》："王隆字文山，建武中爲新汲令，能文章。"《續漢·祭祀志》注："王隆《漢官篇》曰：'是古者清廟茅屋。'胡廣曰：'以茅蓋屋，示儉也。'"《百官志》曰："故新汲令王隆作小學《漢官》篇，諸文倜説，較略不究。"劉昭注："案胡廣注曰：'王文山小學爲漢官篇，略道公卿内外之職，旁及四夷，博物條暢，多所發明，足以知舊制儀品，蓋法有成易，而道有因革，是以聊集所宜，爲作詁解，各隨其下，綴續後事，令世施行，庶明厥旨焉。'"《唐志》三卷。《周禮·天官》疏引王氏《漢官解》。

漢官五卷　應劭注。

《後漢書·應劭傳》："時始遷都於許，舊章湮没，書記罕存，劭慨然嘆息，乃綴集所聞，著《漢禮儀故事》。"《南齊書·百官志》序云："胡廣《舊儀》，事惟簡撮；應劭《官典》，殆無遺恨。"《禮志》序曰："太尉胡廣撰《舊儀》，應劭、蔡質咸綴識時事，而司馬彪之書不取。"

漢官儀十卷　應劭撰。

《續漢·禮儀志》注引應劭《漢官儀》所載馬第伯《封禪儀記》。《通典·禮門》、《水經·汶水》注同引之。《宋書·禮志》："應劭《漢官·鹵簿圖》：'乘輿大駕，則御鳳凰車，金根爲副。'"《續漢·輿服志》注、《通典·禮門》注同。《唐六典》注卷十四、十六、十八。並引《漢官儀·鹵簿篇》太常駕、衛尉駕、鴻臚駕，此其分篇可見者。《北堂書鈔·設官部》引“侍中方存年老口臭，上出雞舌香使含之”。
《御覽·職官部》同。《通志·草木略》“稱應劭爲漢侍中，年老口
臭”，蓋誤以應劭所記爲劭本事，劭未嘗官侍中。《唐志》同十
卷，《宋志》一卷，入儀注類。

漢官目録　卷亡。不著録。

《續漢·百官志》注引之。

漢官名秩　卷亡。不著録。

《續漢·禮儀志》、《百官志》注引之。《百官志》注作應劭《漢官名秩》。
《漢書·百官公卿表》注：“斗食月奉十一斛，佐史月奉八斛。”
引《漢官名秩簿》。

漢官典職儀式選用二卷　漢衛尉蔡質撰。

《後漢書·蔡邕傳》注：“邕叔父衛尉質著《漢職儀》。”《玉海·
書目》曰：“《漢官典儀》一卷，《唐志》同。蔡質撰，記漢官位序職
掌及上書謁見儀式，本二卷，缺一卷。”《續漢志·禮儀志》、
《百官志》注引稱蔡質《漢儀》。《漢書·百官公卿表》注稱《漢
官典職儀》，刺史班宣六條，《續漢·百官志》引之，亦作《漢官典職儀》。《水
經·穀水》注、《文選·西京賦》、《責躬詩》注作《漢官典職》，
《後漢書·光武紀》注、《鍾離意》、《周景》、《朱雋傳》注作《漢
典職儀》，《安帝紀》注作《漢官典儀》，《北堂書鈔》、《初學記》，
或作蔡質《漢官儀》，或作《漢官》，皆省文可通，惟作《漢書典
職書》，字誤。《宋志》入儀注類。

魏官儀一卷　荀攸撰，梁有，隋亡。

《魏志·衛顗傳》：“詔典著作，又爲《魏官儀》。”《唐志》作荀攸等撰。
《南齊書·百官志》云：“今有衛氏《官儀》、魚豢《中外官》。”魚
氏書未見著録。《初學記·文部》：“尚書郎缺，試諸郎，故孝廉能
文案者先試一日，宿召會都坐，給筆墨以奏。”《太平御覽·服
章部》：“皂緣領袖中單。”並引《魏官儀》。

官儀職訓一卷　韋昭撰。梁有，隋亡。

《吳志·韋曜傳》："曜上辭曰：'愚以官爵今之所急，不宜乖舛，自忘至微，作《官職訓》一卷。'"

晉公卿禮秩故事九卷　傅暢撰。

《晉書·傅暢傳》："暢爲《公卿故事》九卷。"《魏志·傅嘏傳》注："傅暢著《晉公卿禮秩故事》。"《唐志》同。《宋書·禮志》曰："傅暢《故事》：三公安車，駕三；特進駕二，卿一。"《續漢·輿服志》注："太傅、司空、司徒著進賢三梁冠，大司馬將軍著武冠。"《文選·褚淵碑文》注："諸公給虎賁三十人持班劍焉。"《竟陵王行狀》注："汝南王亮、秦王柬、吳王晏、梁王肜，皆劍履上殿，入朝不趨。"並引《晉公卿禮秩》。省"故事"二字，《藝文類聚》、《北堂書鈔》同省。

晉新定儀注十四卷

無撰名，本志儀注類有傅瑗《晉新定儀注》四十卷。

晉官品一卷　徐宣瑜撰。梁有，隋亡。

《文選·竟陵王行狀》注："相國丞相綠綟綬。"《白帖》卷七十五："中郎將冠如將軍。"並引《魏晉官品》。

百官表注十六卷　荀綽撰。梁有，隋亡。

《續漢·百官志》、《輿服志》注、《北堂書鈔·設官部》多引之。

司徒儀一卷　干寶撰。梁有，隋亡。

《南齊書·百官志》云："三公，舊爲通官，司徒府領天下州郡名數，戶口簿籍，雖無常置，置左右長史、掾屬、主簿、祭酒、令史以下。晉世王導爲司徒，右長史干寶撰立官府《職儀》已具。"《北堂書鈔·設官部》："從事中郎之職，分曹綱紀，維正大體。掾屬之職，敦明教義，肅厲清風，以訓郡吏，以重朝望。左長史之職，掌差次九品，詮衡人倫，佐公修文政，掌察郡吏。司馬之職，佐公修武政，簡其軍旅，飭其器械。錄事之職，掌總錄眾曹，管其文案，錄事參軍，掌舉直錯枉。記室之職，凡有表章雜記之書，掌創其草。又云：“掌文墨表章啟奏弔賀之禮，題署也。”中兵參軍，掌督帳內牙門將及軍器，給其軍事，凡在軍者以時科其器械，綜其人數，罰姦詐，均勞逸。”《太平御覽·職官部》：“右長史之職，掌檢其法憲，明其分職。行參軍之職，掌凡使命及督察覆行之事，彈劾違遄，獻納聞見，以達視聽。”並引干寶《司徒儀》。兩《唐志》作《司徒儀注》，《舊志》入儀注類。

漢官儀式選用一卷　丁孚撰。不著錄。

《續漢·禮儀志》注引酎金律，《通典·禮門》同。皇后出桑於蠶宮儀，又拜諸侯王公儀，太常住蓋下東向讀文，《通典》同。元初六年夏勤策文，永平七年陰太后晏駕詔，《祭祀志》注桓帝祠恭懷皇后祝文，《百官志》注引中宮藏府令比御府令、給事中宮侍郎比尚書郎、衛尉丞六百石三事，又太僕大中大夫襄言乘輿綬、諸王綬、公主綬、墨綬、黃綬式，《通典》同。並引丁孚《漢儀》。《漢書·宣紀》注內謁者令秩二千石引丁孚《漢官》。《後漢書·章紀》注：“酎金，九真、交阯、日南用犀角，若瑇瑁甲。鬱林用象牙，若翠羽以當金。”引丁孚《漢儀式》。《初學記·禮部》孝靈皇帝葬事《續漢·禮儀志》注亦引之。引丁孚《漢官儀》。

百官階次一卷

《唐志》題范蔚宗撰。

齊職儀五十卷　齊長水校尉王珪之撰。

《南齊書·王逡之傳》：“從弟珪之有史學，撰《齊職儀》。永明九年，其子顯上啟曰：‘臣亡父故長水校尉珪之，籍素爲基，依儒習性。以宋元徽二年，被敕使纂集古設官歷代分職，凡在墳策，必盡詳究。是以等級掌司，咸加編錄。黜陟遷補，悉該研記。述章服之差，兼冠佩之飾。屬值啟運，軌度維新。故太宰臣淵奉宣敕旨,使速洗正。刊定未畢,臣私門凶禍。不揆庸微,謹冒啟上。凡五十卷,謂之《齊職儀》。'"《百官志》注云:"諸臺府郎令史職以下,具見王珪之《職儀》。"又志云:"刺史督州,王珪之《職儀》云起光武,非也。"《陳書·袁樞傳》曰:"《齊職儀》曰:'凡尚公主必拜駙馬都尉,魏晉以來因爲瞻準。'"《唐六典》注、《太平御覽·職官部》皆引《齊職儀》。《初學記》、《藝文類聚》所引俱見《御覽》。《唐志》作《齊職官儀》。

梁選部三卷　徐勉撰。

《梁書·徐勉傳》:"勉在選曹,撰《選品》五卷。"《南史·勉傳》:"撰《選品》三卷。"《唐六典》注大祝令、衛尉寺、太市令、東宮、食官、丞、嗣王、府行參軍並引《梁選簿》。"簿",刊本或作"部",誤。《太平御覽·職官部》:"《梁選簿》曰:'中書,自宋以來比尚書令,特進之流而無事任,清貴華重大位多領之。"《南史·徐勉傳》:"天監中,官名互有省置,勉撰立《選簿》奏之,有詔施用,其制開九品爲十八班,自是貪冒苟進者以財貨取通,守道淪退者以貧寒見没矣。"《唐志》三卷。

職官要録三十卷　陶藻撰。

《唐志》作陶彦藻,三十六卷。《宋志》七卷。《通典·職官門》曰:"自梁陶藻《職官要録》以漢三署郎故事通爲尚書郎,循名失實,疑誤後代。"《太平御覽·職官部》:"三台擬三公,中書監視僕射,中書舍人視給事中,通直之號,自東平王楸始也。漢初有散騎常侍,張釋之爲常侍郎,蓋此官也。著作是通直郎,史才富博者爲之。屯騎、越騎、步兵、長水、射聲五校尉,晉承漢置以爲宿衛官。"並引陶氏《職官要録》。

百官階次三卷

無撰名。《唐志》有荀欽明《宋百官階次》三卷。《南齊書·百官志》云:"蔚宗《選簿》梗概,欽明《階次》詳悉。"《唐六典》注

"員外郎，美遷爲尚書郎"，又"特進，江左皆兼官。晉傅咸奏特進品第二，執皮帛坐侍臣之下"二事，並引《宋百官階次》。

百官春秋五十卷　王秀道撰。

《唐志》作王道秀，十三卷。《唐六典》注："初，晉中書置主書用武官，宋改用文吏。"此引王道秀《百官春秋》。《初學記·職官部》："周封建宗盟，選宗中之長而董正之，謂之宗正。成王時，彤伯爲宗正。漢平帝更爲宗伯，王莽改爲秩宗，東漢復爲宗正，晉曰大宗正。"《白帖》同。又云："昔唐虞伯夷行秩宗，典三禮，周則春官掌禮樂，並其任也。"《唐六典》注著作佐郎、太常丞並引《宋百官春秋》，不著撰名。《隋志》又有《百官春秋》二十卷，《唐志》有《宋百官春秋》六卷，俱無撰名。又《初學記·武部》："《百官春秋》云：'大駕，公卿奉引，大僕執轡，大將軍陪乘。光武東京郊祀，法駕，則河南尹奉引，奉車都尉執轡，侍中參乘。'"此語與《太平御覽·兵部》所引《漢春秋》同。

官族傳十四卷　何晏撰。

《唐志》十五卷，入譜牒類。

魏晉百官名五卷

《太平御覽·兵部》："三公拜賜鶉尾鵲尾骹箭十二枚，《初學記·武部》同。三公拜賜魚皮步叉一、獾皮韇一、琢蒩金校步叉一、金校豹皮韇一，又紫茸題頭高橋鞍一具，《初學記·武部》同。又黃地織成金縷萬歲障泥一具，《初學記·武部》、《北堂書鈔·武功部》並同。赤茸珂石鞘尾一具，駝馬鞭二枚。"《初學記·武部》同。《服章部》："三公朝賜青林文綺緄袴褶一方。"並引《魏百官名》。

咸熙元年百官名　卷亡。不著錄。

《魏志·鍾會傳》注："《咸熙元年百官名》：'邵悌，字元伯，陽平人。'"又《唐六典》注："《宋百官春秋》云：'常道鄉公《咸熙百官名》有著作佐郎三人。'"

晉百官名三十卷

《新唐志》十四卷,《舊唐志》四十卷。《魏志·蘇則傳》注:"蘇愉,字休豫,歷位太常、光禄大夫。"《任城王彰傳》注:"彰子楷,泰始初爲崇化少府。"《鍾會傳》注:"諸葛緒入晉爲太常崇禮衛尉。"《蜀志·諸葛亮傳》注:"董厥,字龔襲,義陽人。樊建,字長元。"《世説·德行篇》注:"劉寔,字道真,高平人。"《言語篇》注:"司馬乂,字士度,封長沙王。崔豹,字正熊,官至太傅丞。孫潛,字齊由,太原人。"《雅量篇》注:"許璪,字思文,義興陽羨人。謝奉,字宏道,會稽山陰人。王徽之,字子由。"《識鑒篇》注:"楊朗,字世彦,弘農人。"《賞譽篇》注:"蕭輪,字祖周,樂安人。"《品藻篇》注:"裴康,字仲豫,徽之子。蘇愉,字休豫,則之子。李志,字温祖,江夏鍾武人。孫騰,字伯海,太原人。"《規箴篇》注:"李陽,字景祖,高尚人,武帝時爲幽州刺史。"《排調篇》注:"劉許,字文生,涿鹿郡人,惠帝時爲宗正卿。荀隱,字鳴鶴,潁川人。"《簡傲篇》注:"嵇喜,字公穆,歷揚州刺史,康兄也。"《紕繆篇》注:"任瞻,字育長,樂安人,歷天門太守。"《文選·贈蔡子篤詩》注:"蔡睦,字子篤,爲尚書。"《贈馮文羆詩》注:"外兵郎馮文羆。"《贈顧交阯詩》注:"交州刺史顧祕,字公真。"《謝平原内史表》注:"曹武,字道淵。"《勸進表》注:"榮劭,字茂世,北平人,爲清河太守。郭穆,字最通,爲吳令。"《謝詢表》注:"張悛爲太子庶子。"《竟陵王行狀》注:"尚書令、尚書僕射、六尚書,古爲八座尚書。"並引《晉百官名》,《選注》省"百"字。

晉武帝百官名 卷亡。不著録。

《魏志·臧霸傳》注:"霸子舜,晉散騎常侍,見《武帝百官名》。此官名不知誰所撰也,皆有題目,稱舜'才穎條暢,識贊時宜'也。"

晉惠帝百官名三卷　<small>陸機撰。不著錄。</small>

見《唐志》。

晉武帝太始官名　<small>卷亡。不著錄。</small>

《太平御覽·職官部》："《晉武帝太始官名》曰：'大司馬石苞，
開通爽悟，秉意不羣。'"

晉懷帝永嘉官名　<small>卷亡。不著錄。</small>

《太平御覽·職官部》："《晉懷帝永嘉官名》曰：'吏部郎溫畿，
字元輔，世論以其爲人夷曠似玉。'"

元康百官名　<small>卷亡。不著錄。</small>

《通典·職官門》："《元康百官名》曰：'陳慎、戴熊俱以都水使
者領水衡都尉。'"《唐六典》亦引之。

明帝東宮寮屬名　<small>卷亡。不著錄。</small>

《世說·雅量篇》注："《明帝東宮寮屬名》曰：'羊固，字道安，
太山人。'"

晉東宮官名　<small>卷亡。不著錄。</small>

《世說·任誕篇》注："張湛，字處度，高平人。"《排調篇》注：
"庾鴻，字伯鸞，潁川人。"並引《晉東宮官名》。

征西寮屬名　<small>卷亡。不著錄。</small>

《世說·言語篇》："毛玄，字伯成，潁川人，仕至征西行軍參
軍。"《排調篇》注："郝隆，字佐治，汲郡人，仕吳，至征西參
軍。"並引《征西寮屬名》。

庾亮寮屬名　<small>卷亡。不著錄。</small>

《世說·文學篇》注："按《庾亮寮屬名》，殷浩爲亮司馬，非爲
長史也。"

庾亮參佐名　<small>卷亡。不著錄。</small>

《世說·雅量篇》注："按《庾亮啟參佐名》，褚衷時直爲參軍。
不掌記室也。"

齊王官屬名　卷亡。不著録。

《世説·方正篇》注：“《齊王官屬名》曰：‘葛旟，字虚旟，齊王從事中郎。’”

大司馬寮屬名　卷亡。伏滔撰。不著録。

《世説·賞譽篇》注：“伏滔《大司馬寮屬名》曰：‘趙悦，字悦子，下邳人，歷大司馬參軍、左衛參軍。’”《黜免篇》注：“鄧遐，字應元，陳郡人，勇力絶人，爲桓温參軍。枋頭之役，温既懷恥忿，且憚遐，因免遐官，病卒。”此引《大司馬寮屬名》。《品藻篇》注：“劉爽，字文時，彭城人。”引《大司馬官屬名》。

晉官屬名四卷

《唐志》同。

晉過江人士目一卷　不著録。

見《唐志》。

晉永嘉流士十三卷　衛禹撰。不著録。

見《舊唐志》。《新唐志》二卷。

永嘉流人名　卷亡。不著録。

《世説·德行篇》注：“胡母輔之，字彦國，泰山奉高人。湘州刺史周鎮，字康時，陳留尉氏人。”《文學篇》注：“裴徽，字文季，河東聞喜人，仕至冀州刺史。王衍，字夷甫，第四女適裴遐。”《方正篇》注：“謝衷，字幼儒，陳郡人，歷吳國内史。梅陶，字叔眞。”《賞譽篇》注：“王澄第四子微。”《規箴篇》注：“王澄，父乂第三娶樂安任氏女，生澄。”《容止篇》注：“衛玠以永嘉六年五月至豫章，六月二十日卒。”《傷逝篇》注：“衛玠亡，葬南昌許徵墓東。”《賢媛篇》注：“李康，字元冑，江夏人，魏秦州刺史。”《儉嗇篇》注：“衛展，字道舒，河南安邑人，除江州刺史。”並引《永嘉流人名》。

王朝目録　卷亡。不著録。

《世説·品藻篇》注：“《王朝目録》曰：‘裴綽，字仲舒，楷弟也，名亞於楷,歷中書黃門侍郎。'"愚按《吳志·宗室孫匡傳》注曰"朗之名位見《三朝錄》",疑與《世說》注所引當是一書,然"王朝"、"三朝"未審孰是。

登城三戰簿三卷 不著錄。

見《唐志》。

魏官品令一卷 不著錄。

見《唐志》。

晉官品令 卷亡。不著錄。

《初學記·職官部》"三公緑緌綬";《北堂書鈔·設官部》司馬官、祕書郎、給事黃門、尚書僕射、五校尉、太子太師,"皇子為郡王","舉秀才、明經傳者入學宮","舉秀才,五策皆通,為郎中",與"秀才行義為一州之俊",並引《晉官品令》。或作《晉品令》,省"官"字。

陳百官簿狀二卷

《唐志》作《太建十一年百官簿狀》。

陳將軍簿一卷

《唐志》同。

新定官品二十卷 梁沈約撰。

《唐志》十六卷。

梁百官人名十五卷 不著錄。

見《唐志》。

梁尚書職制儀注四十一卷 無撰名。

《酉陽雜俎續集·貶誤篇》:"《梁職儀》曰:'八座尚書,以紫紗裹手版,垂白絲於首如筆。'"

令古今百官注十卷 郭演撰。

《唐志》同。

隋經籍志考證卷十一

儀注

漢舊儀 刊本或作《漢書儀》,誤。 **四卷** 衛敬仲撰。

《後漢書·儒林傳》:"衛宏,字敬仲,作《漢舊儀》四篇,以載西京雜事。"《唐志》四卷,《宋志》三卷。今存一卷,題《漢官舊儀》,蓋輾轉傳寫,與應劭《漢官儀》混淆爲一,遂增"官"字於書名中,非其舊也。

晉新定儀注四十卷 晉安成太守傅瑗撰。

《左傳·襄公》正義:"《魏晉儀注》曰:'寫章表別起行頭者,謂之跳出。'"《北堂書鈔·車部》:"《晉儀注》曰:'皇后乘油畫雲母安車,駕六馬,油畫雲母兩轓也。'"

晉尚書儀十卷

《唐志》有《晉尚書儀曹事》九卷。

晉尚書儀曹新定儀注四十一卷 徐廣撰。不著錄。

見《唐志》。

甲辰儀五卷 江左撰。

《藝文類聚·儲宮部》:"皇太子妃、公主、夫人逢持節使者、高車使者,住車相揖。"《北堂書鈔·禮儀部》、《太平御覽·皇親部》語同,並引《甲辰儀》。《唐志》作《甲辰儀注》。《唐六典》注祕書令史品第八引《魏甲辰儀》,輔國將軍品第三、游擊將軍品第四引《魏甲辰令》。

封禪儀六卷

《唐志》有令狐德棻《皇帝封禪儀》六卷。

宋儀注十卷又二十卷

《唐志》二卷。《南齊書·輿服志》云：“宋明帝泰始四年，更制五輅儀，修五冕，朝會饗獵，各有所服，事見《宋注》。”無“儀”字。

宋尚書儀注十八卷　本二十卷。

《唐志》三十六卷。

宋廢帝元徽儀注　卷亡。不著録。

《通典·樂門》：“牲出入奏《昭夏》。”引《宋廢帝元徽二年儀注》。“薦毛血奏《嘉薦》，降神及迎送奏《昭夏》，飲福酒奏《嘉胙》，就燎位奏《昭遠》，衆官出入奏《肅成》。”並引《元徽三年儀注》。

宋東宮儀記二十三卷　宋新安太守張鏡撰。

《南齊書·輿服志》：“《宋元嘉東宮儀記》云：‘中宮僕御重翟金根車。’”《通典·禮門》亦稱《元嘉中東宮儀記》。《初學記·服食部》：“《宋東宮儀記》云：‘掌侍臣常食飯二人。’”《太平御覽·服章部》：“張鏡《宋東宮儀》無“記”字。云：‘皇太子遠遊冠翠緌。’”《唐志》卷同。

徐爰家儀一卷

《唐志》同。《太平御覽·時序部》：“蜡本施祭，故不賀。其明日爲小歲賀，稱初歲福起，罄無不宜。正旦賀，稱元正守慶，百福維新。小歲之賀，既非大慶，禮止門内。”《服用部》：“婚迎車前用銅香爐二枚。”並引徐爰《家儀》。

東宮新記二十卷　蕭子雲撰。

《梁書·蕭子雲傳》：“子雲著《東宮新記》二十卷。”《唐志》作《東宮雜事》。《文選·新漏刻銘》注：“天監六年，上造新漏，以臺舊漏給官，漏銘云：‘咸和七年，會稽山陰令魏丕造。’即會稽内史王舒所獻漏也。”此作蕭子雲《東宮雜記》。又《梁書·王僧孺傳》：“尚書僕射王晏使僧孺撰《東宮新記》。”

齊永明儀注　卷亡。不著録。

《通典·樂門》："就埋位，《齊永明六年儀注》奏《隸幽》。"

梁東宮元會儀注　卷亡。不著録。

《通典·樂門》："梁天監六年，東宮新成，太子於崇正殿宴會，司馬褧議。《舊東宮元會儀注》：'宮臣先入，入時無樂，至上宮客入，方奏樂。'又議：'上宮元會，奏《大壯》武舞，《大觀》文舞。《舊東宮儀注》既不奏，問樂府有，恐是《舊儀注》闕。'"

陳元會儀注　卷亡。不著録。

《通典·樂門》："陳太建六年，徐陵、沈罕奏來年《元會儀注》。"

宋太廟烝嘗儀注　卷亡。不著録。

《宋書·禮志》："元嘉六年七月，太學博士徐道娛上議曰：'伏見《太廟烝嘗儀注》。'"

宋藉田儀注　卷亡。不著録。

《宋書·禮志》："大明四年，尚書右丞苟萬秋奏《藉田儀注》。"

梁五禮藉田儀注　卷亡。不著録。

《藝文類聚·禮部》、《初學記·禮部》："《梁五禮藉田儀注》曰：'其田東去宮八里，遠十六里，爲千畝，天子耒耜一具，九卿耒耜九具，立方壇以祠先農。'"

晉先蠶儀注　卷亡。不著録。

《宋書·禮志》："皇后安車駕六，以兩輗安車駕五爲副。"又曰："皇后乘油畫雲母安車，駕六騩馬。"《後魏書·禮志》刪"油畫"二字。又曰："皇后十二鑷，步搖，大手髻，衣純青之衣，帶綏佩。"《通典·樂門》云："車駕住吹小箛，發吹大箛，箛即笳也。"《初學記·樂部》同。《太平御覽·樂部》云："笳者，卷蘆葉吹之以作樂也。"《資産部》云："親蠶前二日，太祝令質明以牢祀，所謂先蠶也。"並引《晉先蠶儀注》。

晉元康儀 <small>卷亡。不著錄。</small>

《藝文類聚·禮部》、《初學記·中宮部》、《禮部》："《晉元康儀》曰：'皇后採桑壇在蠶宮西南。'"

皇后親蠶儀注 <small>卷亡。不著錄。</small>

《太平御覽·資產部》："《皇后親蠶儀注》曰：'皇后躬桑始將一條，執筐受桑；<small>《藝文類聚·禮部》、《初學記·禮部》亦引此三句。</small>將三條，女尚書跪白曰'可'，止。執筐者以桑授蠶母，蠶母以桑適金室也。'"

梁五禮先蠶儀注 <small>卷亡。不著錄。</small>

《藝文類聚·禮部》、《初學記·禮部》："《梁五禮先蠶儀注》曰：'親桑前二日，太祝令質明以太牢祀先蠶。'"此與《御覽·資產部》所引《晉先蠶儀注》同。

宋南郊親奉儀注 <small>卷亡。不著錄。</small>

《宋書·禮志》："大明四年正月，有司奏《南郊親奉儀注》。"

陳南北郊明堂儀注 <small>卷亡。不著錄。</small>

《通典·樂門》："陳宣帝太建五年，詔定《南北郊及明堂儀注》。"

梁吉禮儀注十卷 <small>明山賓撰。</small>

《唐志》："明山賓等《梁吉禮》十八卷，《梁吉禮儀注》四卷，又十卷。"

梁賓禮儀注九卷 <small>賀瑒撰。</small>

《梁書·賀瑒傳》："瑒撰《賓禮儀注》一百四十五卷。"《唐志》："賀瑒等《梁賓禮》一卷，《梁賓禮儀注》十三卷。"

案梁明山賓撰吉儀注二百六卷錄二卷 <small>隋亡。</small>

《梁書·明山賓傳》："山賓著《吉禮儀注》二百二十四卷。"

嚴植之撰凶儀注四百七十九卷錄四十九卷 <small>隋亡。</small>

《梁書·嚴植之傳》："植之撰《凶禮儀注》四百七十九卷。"《唐志》："嚴植之《梁皇帝崩凶儀》十一卷，《梁皇太子喪禮》五卷，

《梁王侯以下凶禮》九卷，《士喪禮儀注》十四卷。”

陸璉撰軍儀注一百九十卷録二卷　隋亡。

《唐志》：“陸璉《梁軍禮》四卷。”

司馬褧撰嘉儀注一百一十二卷録三卷　隋亡。

《梁書·司馬褧傳》：“褧撰《嘉禮儀注》一百一十二卷。”《唐志》：“司馬褧《梁嘉禮》三十五卷，又《嘉禮儀注》四十五卷。”《舊唐志》二十一卷。

存者惟士吉及賓合十九卷

愚按《隋志》所記梁五禮卷數與《梁書》不盡合，又《梁·徐勉傳》：“普通六年，上修五禮表曰：‘《嘉禮儀注》以天監六年五月七日上尚書，合十有二秩，百一十六卷，五百四十六條；《賓禮儀注》以天監六年五月二十日上尚書，合十有七秩，一百三十卷，五百四十五條；《軍禮儀注》以天監九年十月二十九日上尚書，合十有八秩，一百八十九卷，二百四十條；《吉禮儀注》以天監十一年十一月十日上尚書，合二十有六秩，二百二十四卷，一千五條；《凶禮儀注》以天監十一年十一月十七日上尚書，合四十有七秩，五百一十四卷，五千六百九十三條。大凡一百二十秩，一千一百七十六卷，八千一十九條。’”

梁儀注十卷　沈約撰。不著録。

見《唐志》。

梁祭地祇陰陽儀注二卷　沈約撰。不著録。

見《唐志》。

梁尚書儀曹儀注十八卷又二十卷　不著録。

見《唐志》。

梁天子喪禮七卷又五卷　不著録。

見《唐志》。

梁大行皇帝皇后崩儀注一卷　不著録。

見《唐志》。

梁太子妃薨凶儀注九卷 不著録。

見《唐志》。

梁諸侯世子卒凶儀注九卷 不著録。

見《唐志》。

梁陳大行皇帝崩儀注八卷 不著録。

見《唐志》。

皇典二十卷 梁豫章太守邱仲孚撰。

《梁書·邱仲孚傳》："仲孚爲左丞，撰《皇典》二十卷。"《唐志》
五卷。

政典十卷 何允撰。

《唐志》有何點理《禮儀注》九卷。

士喪儀注九卷 何允撰。梁有，隋亡。

《唐志》有何允《喪服治禮儀注》九卷。

雜儀注一百八十卷

《舊唐志》一百一卷，《新志》一百卷。

陳吉禮一百七十一卷

《唐志》："《陳吉禮儀注》五十卷，《陳雜吉儀注》三十卷。"

陳雜儀注六卷 不著録。

見《唐志》。

陳諸帝后崩儀注五卷 不著録。

見《唐志》。

陳雜儀注凶儀十三卷 不著録。

見《唐志》。

陳皇太后崩儀注四卷 儀曹撰。不著録。

見《唐志》。

陳皇太子妃薨儀注五卷 儀曹撰。不著録。

見《唐志》。

陳賓禮六十五卷

《唐志》有張彦《陳賓禮》六卷。

後魏儀注五十卷

《唐志》題常景撰。

北齊吉禮七十二卷 趙彦深撰。不著録。

見《新唐志》。《舊唐志》作"趙彦琛"。

北齊皇太后喪禮十卷 不著録。

國親皇太子序親簿一卷

《唐書·柳沖傳》："賈執作《姓氏英賢》，又著《百家譜傳》。其孫冠，冠撰《梁國親皇太子序親簿》四篇。"

隋朝儀禮一百卷 牛弘撰。

《隋書·禮儀志》："高祖命牛弘、辛彦之等採梁及北齊《儀注》，以爲五禮。"又曰："開皇初，因牛弘奏徵學者撰儀禮百卷，悉用東齊《儀注》以爲准，亦微採王儉禮。"又《牛弘傳》曰："奏敕修撰五禮，勒成百卷。"

隋吉禮五十四卷 高熲撰。不著録。

見《唐志》。

大漢輿服志一卷 魏博士董巴撰。

《左傳·桓公》正義："冕廣七寸，長二寸。"《文選·射雉賦》、《秋興賦》、《思玄賦》注、太沖《詠史詩》、傅長虞《贈何劭王濟詩》注、《後漢書·光武紀》、《明帝紀》注、《臧宮傳》、《宦者傳》注並引董巴《輿服志》。《宦者傳》注"禁門曰黃闥"，《初學記·職官部》同。《太平御覽·儀飾部》引巴《志》佩綏采組之制最爲詳悉，有注文徵引《漢官儀》，《初學記·服食部》同。巴以魏人及見胡廣、應劭之書，故秦御史服楚冠一事，巴稱太傅胡公説，見《御覽·服章部》。則知注文乃巴自撰。至所言"后謁廟服皆深衣製"，注引徐廣曰“深衣即單衣”，亦見《御覽·服章部》。徐廣晉人，此注當是《御覽》所增，否則胡廣之訛。又《御覽·服章部》：“爵弁所謂夏收殷冔者也。”注曰：“冔，兄羽反。”《初學記·服食部》作“虛宇反”，注各不同。《唐志》卷同。

魏晉謚議十三卷　何晏撰。

《唐志》有何晏《魏明帝謚議》二卷，又《晉謚議》八卷，《晉簡文謚議》四卷。

汝南君諱議二卷

《通志·校讎略》曰：“《隋志》所類無不當理，然亦有錯收者，《謚法》三部已見經解類矣，而《汝南君謚議》又見儀注，何也？”愚案《隋志》作《諱議》，不作《謚議》。錢氏《考異》曰：“《三國志·張昭傳》注云：‘汝南主簿應劭議宜爲君諱，論者互有異同，張昭著論非之。’漢人以郡守爲君也。”

決疑要注一卷　摯虞撰。

《南齊書·禮志》曰：“晉初，荀顗因魏代前事撰爲晉禮，參考今古，更其節文。羊祜、任愷、庾峻、應貞共刪集，成百六十五篇。後摯虞、傅咸纘續此製，未及成功。今虞之《決疑注》是遺事也。”《文選·西京賦》注引左墄、右平語。

車服雜注一卷　徐廣撰。

《宋書·徐廣傳》：“義熙初，奉詔撰《車服雜注》。”《晉書·廣傳》作《車服儀注》。《左傳·桓公》正義：“古者，貴賤皆執笏，即今手版也。”引廣《車服儀制》。《初學記·職官部》：“尚書令輒車墨耳後户。”《北堂書鈔·武功部》：“角，前世書記所不載，羌吹以驚中國之馬。”《設官部》：“三公安車駕三，特進架二。”並作廣《車服儀制》。《後漢書·明帝紀》注：“漢明帝案古禮，天子郊廟，衣畫而裳繡。”作廣《車服注》。《宋書·禮志》亦稱徐廣《車服注》，無“雜”字。《儒林傳》序注：“天子朝，冠通天冠。”作廣《輿服雜注》。《書鈔·衣冠部》公卿祭服、天子釋奠衣皆引《雜注》。《文選·東京賦》注：“輕車置弩於軾上，載以屬車。”《北堂書鈔·車部》：“軾車，前隱膝也。”並作廣《車服志》。

漢禮器制度　　卷亡。不著録。

《儀禮·士喪禮》疏引鄭注：“凌人曰：‘《漢禮器制度》：“大槃廣八尺，長一丈二尺，深三尺，漆赤中。”’”《續漢·禮儀志》注同。《周禮·天官》疏曰：“叔孫通前漢時作《漢禮器制度》，多得古之周制，故鄭君依而用之也。”《夏官》疏曰：“冕體，《周禮》無文，叔孫通作《漢禮器制度》取法於周，今還取彼以釋之。案彼文，凡冕以版廣八寸，長尺六寸。”《儀禮·冠儀》疏、《左傳·桓公》正義同引之。《續漢·禮儀志》曰：“太傅胡廣博綜舊儀，立漢制度。”《後漢書·儒林傳》序注：“天子出有大駕、法駕、小駕。”《續漢·百官志》注：“列侯功德優盛，賜特進。”並引胡廣《漢制度》。

古今輿服雜事二十卷　　梁周遷撰。

《文選·閒居賦》注：“步輿方四尺，素木爲之。”士衡《挽歌》注：“禮葬有魂車。”《初學記·武部》：“晉元皇制五牛之旗，設青左，黄在中。”並作周遷《輿服雜事記》。《藝文類聚·禮部》：“蠶始生，后食之，三灑而止。”作《古今輿服雜事》。《初學記·禮部》、《太平御覽·資産部》同。餘書引多省“古今”二字。《唐志》十卷。

晉鹵簿圖一卷

《唐志》有《大駕鹵簿》一卷。《史記·司馬相如傳》索隱引《中朝鹵簿圖》曰：“雲罕駕騶。”《隋書·禮儀志》：“四望車駕牛中道。”《太平御覽·車部》：“象平鼓吹，一部十三人。”《獸部》：“豹尾車駕，蘭臺符令史載自豹尾後。”並引《晉中朝大駕鹵簿》。又《隋·禮儀志》曰：“《晉氏鹵簿》：‘御史軺車行中道。’”

諸王國雜儀注十卷　不著録。

　　見《唐志》。

雜府州郡儀十卷　范汪撰。不著録。

　　見《唐志》。

喪服治禮儀注九卷　何允撰。不著録。

　　見《唐志》。

冠婚儀四卷　不著録。

　　見《唐志》。

婚儀祭儀二卷　崔皓撰。不著録。

　　見《唐志》。

魏氏郊丘三卷　不著録。

　　見《唐志》。

晉明堂郊社議三卷　孔晁等撰。不著録。

　　見《唐志》。

晉七廟議三卷　蔡謨撰。不著録。

　　見《唐志》。

晉雜議十卷　荀顗等撰。不著録。

　　見《唐志》。《隋志》刑法類有《晉雜議》,當是此書。

要典三十九卷　王景之撰。不著録。

　　見《唐志》。

祀典五卷　盧辯撰。不著録。

　　見《唐志》。

内外書儀四卷　謝玄撰。

　　《唐志》有謝允《書儀》二卷。

書儀二卷　蔡超撰。

書儀十卷　王宏撰。

　　《太平御覽・時序部》引《書儀》曰:"昔賈誼在湘東,六月三庚日，有鵂鳥來，南方毒惡，太陽銷鑠萬物，人因避之。”

書筆儀二十一卷　謝朓撰。

《唐志》二十卷。

弔答儀十卷　王儉撰。

《唐志》作《弔答書儀》。

皇室儀十三卷　鮑行卿撰。

《唐志》作鮑衡卿《皇室書儀》。《南史·鮑泉傳》：“時有鮑行卿，以博學大才稱，撰《皇室儀》十三卷。”

皇室書儀七卷　不著録。

見《唐志》。

吉書儀二卷　王儉撰。

《唐志》作《吉儀》。

女儀　卷亡。魏北京司徒崔浩撰。不著録。

《太平御覽·時序部》、《服章部》：“崔浩《女儀》曰：‘近古，婦以冬至日進履韈於舅姑。’”

書儀十卷　唐瑾撰。

《周書·唐瑾傳》：“瑾撰《新儀》十篇。”《唐志》有唐瑾《婦人書儀》八卷。案《隋志》別有無名氏《婦人書儀》八卷，疑《唐志》誤合。

饋餉儀　卷亡。盧公範撰。不著録。

《太平御覽·時序部》：“八月旦，上柏露囊。重陽日，上五色糕，佩茱萸囊。臘日，上頭膏面脂、口脂。”並引盧公範《饋餉儀》。又作《盧公家範》，則“範”字非人名。

隋經籍志考證卷十二

刑灋

律本二十一卷　杜預撰。

《晉書·杜預傳》：“預與賈充等定律令，既定，預爲之注解，乃奏之。”《通典·刑門》：“司馬文王秉魏政，命賈充、鄭沖、荀顗、荀勖、羊祜、王業、杜友、杜元凱、裴楷、周雄、郭頎、成公綏、柳軌、榮邵等定法律，就漢《九章》增十一篇，仍其族類，正其體號，改舊律爲《刑名》、《法律》，辨囚律爲《告劾》、《繫訊》、《斷獄》，分《盜律》爲《請賕》、《詐僞》、《水火》、《毀亡》，因事類爲《衛宮》、《違制》，撰《周官》爲《諸侯律》，合二十篇，六百三十條，二萬七千六百五十七言。”《唐六典》曰：“晉氏受命，命賈充等增損漢、魏律，爲一十篇：一《刑名》，二《法例》，三《盜律》，四《賊律》，五《詐僞》，六《請賕》，七《告劾》，八《捕律》，九《繫訊》，十《斷獄》，十一《雜律》，十二《户律》，十三《擅興律》，十四《毀亡》，十五《衛宮》，十六《水火》，十七《廐律》，十八《關市》，十九《違制》，二十《諸侯》，凡一千五百三十條。”《北堂書鈔·刑法部》、《藝文類聚·刑法部》：“杜預《律序》曰：‘律以正罪名，令以序事制，二者相須爲用也。’”《唐志》：“賈充、杜預《刑法律本》二十一卷。”

漢晉律序注一卷　晉僮長張斐撰。

《史記·平準書》索隱：“鈦狀如跟，著足下以代臏，至魏武改以代刖也。”《北堂書鈔·刑法部》：“贖罰誤者之試。”又曰：“鄭鑄《刑書》，晉作《執秩》。”《藝文類聚·刑法部》又云：“趙制《國律》，楚造《僕區》，並述法律之名，申韓之徒各自立制。"又曰："政事之經，萬機之緯。"《藝文類聚》同。《太平御覽·刑法部》："張湯制《越宮律》，趙禹作《朝會正見律》。"又曰："情者，心也，心戚則情動於中而形於外，故姦人則必心愧而面赤，内悼而色奪。"又曰："徒加不過六，囚加不過五，累笞不過千二百。"又曰："髡者，刑之威秋凋落之象。"並引張斐《律序》。又《書鈔·刑法部》："贖死金二斤，贖囚金四兩，諸侯不敬皆贖，論八議得減，皆收贖。"《御覽·刑法部》："鉗重二斤，翹長一尺五寸。"《廣韻》同。又曰："諸有所督罰，五十以上，鞭如令，平心無私而以辜死者，二歲刑。"又曰："吏犯不孝，雖遇赦，皆除名爲民。"又曰："除名比三歲刑。"又曰："其當除名，而所取飲食、所用之物，非以爲財利者，應罰金四兩以下，勿除名。"又曰："其年老小篤癃病及女徒皆收贖。"又曰："諸應收贖者，皆月入中絹一匹，老小女人半之。"並引《晉律》。又《書鈔》曰："梟斬者，令上不及天，下不及地也。"作《晉律注》。又《御覽》曰："髡鉗，五歲刑，笞二百（若詐僞、將吏越武庫垣、兵守逃歸家、兄弟保人之屬，并五歲刑也），四歲刑（若闌上殿門上變事、露泄選舉事、誤發密事、毆兄姊之屬，並四歲刑也），三歲刑（若僞造官印、戲殺人之屬，並三歲刑也），二歲刑（若挾天文圖讖之屬，並二歲刑也）。"此引《晉律》，每句下皆爲注文，而不著張斐注，未知是斐本注否。

雜律解二十一卷　張斐撰。

《唐志》："張斐《律解》二十卷。"《舊唐志》二十一卷。《一切經音義》："小曰鍾，大曰鍠。"二語引張斐《解晉律》。

魏晉律令　卷亡。不著錄。

《唐六典》："魏氏受命，乃命陳羣等採漢律爲《魏律》十八篇，增漢蕭何律《劫掠》、《詐僞》、《毀亡》、《告劾》、《繫訊》、《斷獄》、《請賕》、《驚事》、《償贓》等九篇也。"《通典·刑門》："魏文詔陳羣、劉劭等定《魏新律》十八篇,《州郡令》四十五篇,《尚書官令》、《軍中令》合百八十餘篇。"顏師古《匡謬正俗》:"問曰:'今官曹文案於紙縫上署記謂之歉縫者,何也?'答曰:'此語言元出《魏晉律令》。'"《太平御覽·刑法部》:"劉劭《律略》曰删舊科,採漢律,爲魏律,懸之象魏。"《時序部》引《魏武明罰令》,《兵部》引《魏武船戰令》、《步戰令》、《軍策令》、《内戒令》,《職官部》引《魏武選令》,《初學記·職官部》、《北堂書鈔·設官部》引晉官品令,《御覽·皇親部》引《晉服制令》。又《時序部》引有《祠令》,言"季夏土王日祀黄帝,迎氣日祀中霤,立秋祀白帝,立秋後祀靈星,季冬藏冰祭司寒之神"。又《車部》引《鹵簿令》,言天子玉輅、金輅、象輅,皇太子金輅,王公象輅,及指南車、記里車、辟惡安車、羊車、玉鉞車十餘事,皆不著明魏晉,附此存考。《唐志》有劉邵《律略論》五卷。

齊永明律八卷　宗躬撰。不著錄。

見《唐志》。《通典》曰:"齊武帝令删定郎王植之,集注張、杜舊律,合爲一書,凡千五百三十條,事未施行,其文殆滅。"《唐六典》曰:"宋及南齊律之篇目及刑名之制略同晉氏。"《南齊書·東昏侯紀》:"永泰元年冬,詔删省科律。"

晉宋齊梁律二十卷　蔡法度撰。

《唐志》作《條鈔晉宋齊梁律》二十卷。

梁律二十卷　梁義興太守蔡法度撰。

《梁書·武帝紀》:"天監二年夏,尚書删定郎蔡法度上《梁律》二十卷。"《通典》曰:"梁武時,蔡法度能言齊王植之律,於是使損益舊本,以爲梁律。天監初,又令王亮等定爲二十篇,凡定罪二千五百二十九條。"《唐六典》曰:"梁命蔡法度、沈約等十人增損晉律爲二十篇:一《刑名》,二《法例》,三《盜刼》,四《賊叛》，五《詐僞》，六《受賕》，七《告劾》，八《討捕》，九《繫囚》，十《斷獄》，十一《雜獄》，十二《户獄》，十三《擅興》，十四《毁亡》，十五《衞宮》，十六《水火》，十七《倉庫》，十八《厩律》，十九《關市》，二十《違制》。其刑名之制加晉律。"《陳書·沈洙傳》曰："梁代舊律，測囚之法，日一上，起自晡鼓，盡於二更。"《唐志》同卷。《酉陽雜俎·續集·黥篇》引《梁朝雜律》："凡囚未斷先刻面作刧字。"

後魏律二十卷

《通典》曰："後魏正平初，令胡方回、游雅改定律制，《唐六典》曰："太武帝命崔浩定刑名於漢魏以來律。" 凡三百七十條。文成帝太安中，人增律七十九章。孝文太和初，又令高閭修改舊文，隨例增減，凡八百三十二章。"《唐六典》曰："後魏初，命崔浩定令，後命游雅等成之，史失篇目。"

北齊律十二卷　目一卷。

《唐志》："趙郡、王叡《北齊律》二十卷。"《通典》曰："北齊文宣受禪後，議造齊律，積年不成，其決獄猶依魏舊式。武成河清三年，尚書令趙郡、王叡等奏上《齊律》十二篇。"《唐六典》曰："凡定罪九百四十九條，大抵採魏晉故事。至武帝，又造《刑書要制》，與律兼行。宣帝廣《刑書要制》爲《刑經聖制》，謂之法經。"

麟趾格四卷　文襄帝時撰。不著録。

見《唐志》。《北齊書·王渾傳》："渾删定《麟趾格》。"《崔暹傳》："暹主議《麟趾格》。"《封述傳》："天平中，增損舊事爲《麟趾新格》，其名法科條皆述删定。"

陳律九卷　范泉撰。

《陳書·高祖紀》："永定元年，立删定郎詔定律令。"《王沖傳》："沖參撰律令。"《沈洙傳》："梁代舊律，測囚之法，日一上，起自餔鼓，盡於二更。及比部郎范泉删定律令，以舊法測立時久,非人所堪。"《通典》曰:"陳武令删定郎范泉參定律令,又令徐陵等知其事,制律三十卷。"《唐六典》:"范泉、徐陵定律三十卷。"《唐志》:"范泉,九卷。"

周律二十五卷

《周書·武帝紀》:"保定三年二月,初頒新律。"《通典》曰:"周文秉西魏政令,有司斟酌今古變通,修撰新律。革命後,武帝保定三年,司憲大夫拓拔迪奏新律,謂之大律,《舊唐志》稱《周大律》。凡二十五篇。"《唐六典》曰:"後周命趙肅、拓拔迪定令,史失篇目。"《新唐志》:"趙肅等《周律》二十五卷。"

周大統式三卷

《周書·文帝紀》:"魏大統元年,太祖以戎役屢興,民吏勞弊,乃命所司斟酌今古,參考變通,可以益國利民便時適治者,爲二十四條新制,奏魏帝行之。七年,太祖奏行十二條制,恐百官不勉於職事,又下令申明之。十年,魏帝以太祖前後所上二十四條及十二條新制,方爲中興永式,乃命蘇綽更損益之,總爲五卷,頒於天下。於是搜簡賢才,以爲牧守令長,皆依新制而遣焉。"《唐六典》注曰:"綽損益爲五卷,謂之《大統式》。"《唐志》:"蘇綽,三卷。"

隋律十二卷

《通典》:"隋文帝初,令高熲等更定新律。後又敕蘇威、牛弘等更定新律,凡十二卷。"《唐六典》、《唐志》卷同。

隋大業律十一卷

《通典》曰:"煬帝敕修律令,三年,新律成,凡五百條,爲十八篇,謂之《大業律》。"《唐志》十八卷。

晉令四十卷

《唐六典》曰:"晉命賈充等撰《令》四十篇:一户,二學,三貢士,四官品,五吏員,六俸廩,七服制,八祠,九户調,十佃,十

一復除，十二關市，十三捕亡，十四獄官，十五鞭杖，十六醫藥
疾病，十七喪葬，十八雜上，十九雜中，二十雜下，二十一門下
散騎中書，二十二尚書，二十三三臺祕書，二十四王公侯，二
十五軍吏員，二十六選吏，二十七選將，二十八選雜士，二十
九官衛，三十贖，三十一軍戰，三十二軍水戰，三十三至三十
八皆軍法，三十九、四十皆雜法。”愚按《南齊書·輿服志》云：
“《晉服制令》，冠十三品。”《通典·禮門》云：“《晉喪葬令》：
‘長吏卒官，吏皆以喪服理事，若代者至，皆除之。’”《唐六典》
云：“《晉官品令》，游擊將軍四品。”《初學記》、《北堂書鈔》引《晉官品
令》，《御覽》引《晉服制令》。此《晉令》分篇之可見者，餘所引多統稱
《晉令》。《御覽》又引有《祠令》，或即八祠分篇。《唐志》卷同。

梁令三十卷　錄一卷。

《唐六典》曰：“梁初，命蔡法度撰《梁令》三十篇：一户，二學，
三貢士贈官，四官品，五吏員，六服制，七祠，八户調，九公田，
十醫藥疾病，十一復除，十二關市，十三劫賊水火，十四捕亡，
十五獄官，十六鞭杖，十七喪葬，十八雜上，十九雜中，二十雜
下，二十一宮衛，二十二門下散騎中書，二十三尚書，二十四
三臺祕書，二十五王公侯，二十六選吏，二十七選將，二十八
選雜士，二十九軍吏，三十軍賞。”《梁書·武帝紀》：“天監二
年，蔡法度上《梁令》三十卷。”《唐志》卷同。《唐六典》雜號將軍、
寧遠將軍並引《梁官品令》。

梁科三十卷

《梁書·武帝紀》：“天監二年，蔡法度上《梁科》四十卷。”《南史》
同。《唐六典》曰：“梁易故事爲《梁科》三十卷。”《唐志》二卷。

北齊令五十卷

《唐六典》曰：“北齊趙郡王叡等撰《令》五十卷，取尚書二十八
曹爲其篇。”《唐志》八卷。

北齊權令二卷

《通典》曰："北齊河清中,有司奏上《齊律》,其不可爲定法者別爲《權令》二卷,與之並行。"

陳令三十卷　范泉撰。

《唐志》同。

陳科三十卷　范泉撰。

《通典》曰："陳武帝令徐陵等制《科》三十卷。"《唐志》卷同。

隋開皇令三十卷　目一卷。

《唐六典》曰："隋開皇命高熲等撰《令》三十卷:一官品上,二官品下,三諸省臺職員,四諸寺職員,五諸衛職員,六東宮職員,七行臺諸監職員,八諸州郡縣鎮戍職員,九命婦品員,十祠,十一户,十二學,十三選舉,十四封爵俸廩,十五考課,十六宮衛軍防,十七衣服,十八鹵簿上,十九鹵簿下,二十儀制,二十一公式上,二十二公式下,二十三田,二十四賦役,二十五倉庫廐牧,二十六關市,二十七假寧,二十八獄官,二十九喪葬,三十雜。"《太平御覽·車部》引《鹵簿令》。《唐志》:"牛弘等《隋開皇令》三十卷。"《舊唐志》作"斐正等"。

漢建武律令故事二卷　梁有,隋亡。

《唐六典》曰："編録當時制敕,永爲法則,以爲故事,漢建武有《律令故事》上中下三篇,皆刑法制度也。"《唐志》三卷。

晉故事三十卷　賈充等撰。不著録。

《唐六典》曰："晉賈充等撰律令,兼删定當時制誥之條,爲《故事》三十卷,《通典》卷同。與《律令》並行。"

集定張杜律注二十卷　齊孔稚圭等撰。不著録。

《南齊書·孔稚圭傳》:"江左相承用晉世張、杜律二十卷。世祖留心法令,詔獄官詳正舊注。先是七年,删定郎王植撰定律章,表奏之曰:'臣尋《晉律》,文簡辭約,旨通大綱,事之所

質,取斷難釋。張斐、杜預同注一章,而生殺永殊。自晉泰始
以來,惟斟酌參用。是則吏挾威福之勢,民懷不懟之怨。陛
下發德音,删正刑律,敕臣集定張、杜二注。謹削其煩害,録
其允衷。取張注七百三十一條,杜注七百九十一條。或二家
兩釋,於義乃備者,又取一百七條;其注相同者,取一百三條,
集爲一書,凡一千五百三十二條,爲二十卷。請付外詳校。'
至九年,稚圭上表曰:'臣與公卿八座共删注律:司徒臣子良
創立條緒,臣宋躬、臣王植等抄撰同異。其中洪疑大議,聖照
玄覽,斷自天筆。就成《律文》二十卷,《録序》一卷。'"

漢朝議駁三十卷　應劭撰。

《後漢書·應劭傳》:"初,安帝時河間人尹次、潁川人史玉皆
坐殺人當死。次兄初及玉母軍,並詣官曹,求代其命,因縊而
物故。尚書陳忠以罪疑從輕,議活次、玉。劭後追駁之,據正
典刑,有可存者。劭凡爲《駁議》三十篇,皆此類也。"《文心雕
龍·議對篇》曰:"漢世善駁,則應劭爲首。"《唐志》卷同,又故
事類有劭《漢朝駁》,無"議"字。三十卷,自是重出。

律略論五卷　應劭撰。梁有,隋亡。

《唐志》作"劉邵",《太平御覽·刑法部》引劉劭《律略》。

晉雜議十卷

《唐志》入故事類。

晉彈事十卷

《唐志》九卷。

南臺奏事二十二卷

《唐志》重出,刑法類二十二卷,故事類九卷。《玉海》曰:"順
帝永建元年,初令尚書三公入奏事。"《通志·校讎略》曰:"按
《漢朝駁議》、《諸王奏事》、《魏臣奏事》、《魏臺訪議》、《南臺奏
事》之類,隋人編入刑法者,以隋人見其書也,若不見其書,即

其名以求之，安得有刑法意乎？《唐志》見其名爲奏事，直以爲故事也，編入故事類，是之謂見名不見書。"愚按《唐志》《諸王奏事》、《魏臣奏事》、《魏臺訪議》入故事類，《漢朝駁議》、《南臺奏事》則兩類重出。又《諸王奏事》非《隋志》所載。

漢名臣奏事三十卷

《唐志》二十九卷，又有陳壽《漢名臣奏事》三十卷。《史記·惠景侯者年表》集解引杜業奏，《漢書·揚雄傳》注張衡奏，《初學記·天部》蔡邕奏，《政禮部》唐林奏，《服食部》大司空朱游奏，《藝文類聚·祥瑞部》丞相薛宣對，《北堂書鈔·設官部》張禹奏、翟方進奏，《後漢書·張衡傳》注蔡邕言渾天，《蔡邕傳》注張文上疏，《文選·晉紀總論》注陳風對問，《太平御覽·皇親部》杜業奏，《職官部》丞相薛宣奏，又曹褒上書，又張禹奏，《禮儀部》黃瓊上言，《百穀部》丞相薛宣奏，《資産部》太尉屬應劭、司農屬孫嵩、司空掾孔伅等議，唐武后《臣軌》上引，並稱《漢名臣奏》。《隋志》總集類重出。《玉海》引《中興書目》言《孔光奏》一卷，《唐林奏》一卷，今《孔光奏》未見。

魏主奏事十卷

《文選·古詩十九首》注："出不由里門面大道者名曰第。"《太平御覽·居處部》云："侯食邑不滿萬戶不得作第，其舍在里中不稱宅。"並引《魏王奏事》。《史記·韓信》、《盧綰傳》集解："《魏武帝奏事》云：'今邊有小警，輒露檄插羽，飛羽檄之意也。'"《漢書·高帝紀》注、《後漢書·光武紀》、《西羌傳》注、《文選·關中詩》注並引之。

漢諸王奏事十卷　不著錄。

見《唐志》故事類。

魏武制度　卷亡。不著錄。

《太平御覽·居處部》："《魏武制度奏》曰：'三公列侯，門施外内塾，方三十畝。'"

魏名臣奏事四十卷　<small>目一卷。陳壽撰。</small>

《唐志》入故事類，三十卷，脱陳壽名。《魏志·明紀》注引散騎常侍何曾表三，《少帝紀》注太尉華歆表，《公孫度傳》注中領軍夏侯獻表，《張魯傳》注董昭表，《王朗傳》注朗節省奏，《蘇則傳》注文帝令問雍州刺史張既並既答，《崔林傳》注安定太守孟達薦王雄表，又侍中辛毗奏，《高柔傳》注柔上殺鹿疏，《徐邈傳》注黄門侍郎杜恕表，《毋邱儉傳》注雍州刺史張既表，《初學記·歲時部》大司農董遇議，《藝文類聚·禮部》蔣濟奏，《樂部》王朗表，《北堂書鈔·儀飾部》中書監劉放奏，《太平御覽·時序部》太尉司馬懿奏，《地部》執金吾龐延奏，《職官部》黄門杜恕奏，《禮儀部》秦靜議、高堂隆議，《服用部》高堂隆奏，《獸部》郎中黄觀上疏，並引《魏名臣奏》。《隋志》總集類又有陳長壽《魏名臣奏》三十卷，當是重出，"長"字誤增。

魏臺雜訪議三卷　<small>高堂隆撰。</small>

《唐志》儀注、故事兩類重出。《宋書·禮志》曰："前後但見讀春夏秋冬四時令，至於服黄之時，獨闕不讀，不解其故。"《文選》謝惠連《擣衣詩》注："玉簪以玉爲笄也。"《後漢書·牟長傳》注："物故之義，高堂隆答曰：'物，無也。故，事也。'"<small>《史記·匈奴傳》索隱同。</small>《藝文類聚·歲時部》："王肅對用未社丑臘義。"《初學記·歲時部》："高堂隆對用未祖丑臘義。"<small>《御覽·時序部》同。</small>《服食部》："弁柢有笄無纓。"《太平御覽·時序部》："華歆常以臘日宴子弟，王朗慕之，其法由來漸矣。"並引《魏臺訪議》。

魏廷尉決事十卷

《唐志》二十卷，又故事類重出。《北堂書鈔·酒食部》："張杜私賣胡餅。"<small>《御覽·飲食部》亦引之。</small>《太平御覽·文部》："廷尉上

廣平趙禮冒名渡津，議一歲半刑。"《刑法部》："河內太守上民
張大有狂病發，殺母弟，應梟首，遇赦不除，梟首如故。"《器物
部》："廷尉上民傅晦詣民籍牛場上盜黍，爲牛所覺，斧擲斫晦
腳，物故，監議：'晦既夜盜，牛本無殺意，宜減死一等。'"並引
《廷尉決事》。

晉駮事四卷

《唐志》同。

廷尉駮事十一卷　不著錄。

見《唐志》。

後魏職令　卷亡。不著錄。

《太平御覽·職官部》："光祿少卿第四品，用肅勤明敏兼識古
典者；宗正少卿第四品，用懿清沖和識參教典者；廷尉少卿
第四品，用思理平斷明刑識法者；鴻臚少卿第四品，用雅學詳
明當樞達理者；司徒少卿第三品，用勤有能幹者；太府少卿
第四品，用勤篤有幹細務無滯者。"並引《後魏職令》。

隋經籍志考證卷十三

雜傳

三輔決録七卷 漢太僕趙岐撰,摯虞注。

《後漢書·趙岐傳》:"岐著《三輔決録》,傳於時。"章懷注引《決録》序曰:"三輔者,本雍州之地,世世徙公卿、吏二千石及高貲者以陪諸陵。五方之俗雜會,非一國之風,不但繫於《詩·秦》、《豳》也。其爲士好高尚義,貴於名行。其俗失則趨勢進權,唯利是視。余以不才,生於西土,耳聞故老之言,目見衣冠之疇,心識其賢愚。嘗以玄冬,夢黃髮之士,姓玄名明,字子真,與余寤言,言必有中,善否之間,無所依違,命操筆者書之。近從建武以來,暨於斯。其人既亡,行乃可書,玉石朱紫,由此定矣,故謂之'決録'矣。"《晉書·摯虞傳》:"虞注解《三輔決録》。"《史通·書志篇》曰:"譜牒之作盛於中古,漢有趙岐《三輔決録》,晉有摯虞《族姓記》;江左有兩王《百家譜》,中原有《方司殿格》。蓋氏族之事,盡在是矣。"《補注篇》曰:"若摯虞之《三輔決録》,陳壽之《季漢輔臣》,周處之《陽羨風土》,常璩之《華陽士女》,文言美詞列於章句,委曲叙事存於細書。"愚按岐撰《決録》,据其自序並昔人徵引逸篇,其書不類譜牒。至摯虞之注與陳壽等三書,亦不相侔,《史通》所考未精也。《文選·王文憲集序》注引《決録》曰:"長安劉氏,惟有孟公,談者取則。"《後漢書·蘇竟傳》注引摯虞注曰:"惟有孟公論可觀者。班叔皮《與郭季通書》言:'劉孟公藏器於身,用心篤固,實瑚璉之器,宗廟之寶也。'"《曹世叔妻傳》注引

《決録》曰："齊相子穀,頗隨時俗。"摯虞注曰："曹成,壽之子也,司徒掾察孝廉爲長,母爲太后師,徵拜中散大夫,子穀即成之子也。"此岐《録》與虞《注》,大抵簡者爲録,詳者爲注。又岐《録》多取韻語,如《顏氏家訓·勸學篇》所引"堂堂乎張,京兆田郎",及《書證篇》"前隊大夫范仲公,鹽豉蒜果共一箭",《後漢書·隗囂傳》注"平陵之王,惠孟鏘鏘,激昂嚚、述,困於東平",《北堂書鈔·藝文部》"五經紛綸井大春",《太平御覽·人事部》"道德彬彬馮仲文",此即《史通》所謂文言美句也。但諸書徵引《録》與《注》,不盡分晰,惟《初學記·獸部》引"五門子孫,凡民之伍,_{注曰:"門今在河南四十里,馬氏兄弟五人共居此,作客舍,主養豬賣豚。"}民爲語曰'苑中三公,鉅下二卿。五門嗂嗂,但聞豚聲'",此於虞注別作細書,最爲分明。《御覽·資産部》、《人事部》並引之,而俱作大字,又不增"注曰"二字,即易混讀,但《初學記》以"民爲語曰"五句並入細書,亦恐有誤。至如《文選·蕭揚州薦士表》注引竇攸知鼮鼠事,與《竇氏家傳》同;《太平廣記·神部》引何比干天賜策事,與《何氏家傳》同。《舊唐志》七卷,《新唐志》十卷。

海内先賢傳四卷　魏明帝時撰。

《舊唐志》四卷,《新唐志》五卷。《世説·德行篇》注:"潁川先輩爲海内所師者,定陵陳稚叔、潁川荀淑、長社鍾皓。"《北堂書鈔·政術部》:"陳寔爲海内高名,在位之臣歸以公相位。"並引《海内先賢傳》,其書所紀多東漢先賢。《太平御覽·職官部》引董卓議廢帝,盧植正色不順事,稱《魏明帝先賢傳》,省"海内"二字。

海内士品一卷

無撰名,《唐志》魏文帝三卷。《藝文類聚·服飾部》、《北堂書鈔·儀飾部》、《太平御覽·服用部》並引《海内士品》曰："徐孺子嘗事江夏黃公,卒,孺子往,會葬無行資,賫磨鏡具,賃磨取資,然後得達,祭畢而還。"

四海耆舊傳一卷

《新唐志》著題韋氏,《舊唐志》作李氏。《羣輔録》注公沙孚事引《北海耆舊傳》。"北"字疑誤。

海内先賢行狀三卷

《唐志》著題李氏。《世説・德行篇》注引荀淑、鍾皓、陳紀三事,稱《先賢行狀》,他書所引亦多省"海内"二字,惟《太平御覽・人事部》引王烈、戴良、徐孺子、仇覽四事,稱《海内先賢行狀》,《職官部》引故宗正南陽劉奉先爲督郵事,稱《漢魏先賢行狀》。

徐州先賢傳一卷

《金樓子・説蕃篇》曰:"劉義慶爲荆州刺史,在州八年,撰《徐州先賢傳》奏上之。"《新唐志》:"王義度《徐州先賢傳》九卷,又一卷。"愚按《唐志》"王義度"乃臨川王劉義慶,誤删"臨川劉"三字,又訛"慶"作"度",《隋志》、《舊唐志》並脱落撰名。《初學記・地部》:"范蠡扁舟浮五湖。"《文選》謝靈運《廬陵王墓詩》注云:"楚老者,彭城之隱人也。"並引《徐州先賢傳》。

徐州先賢傳贊九卷　劉義慶撰。

《唐志》八卷。《太平御覽・人事部》:"徐盛,瑯琊莒人也,客居吳,以敦直勇氣聞,孫權每選出戰者,盛常在前。"此引劉義慶《徐州先賢贊》。

兗州先賢傳一卷

《舊唐志》有仲長統《兗州山陽先賢讚》一卷,《新唐志》作《山陽先賢傳》,無"兗州"二字。据《元和姓纂》稱:"晉太宰參軍長仲毅著《山陽先賢傳》。"則《唐志》"仲長統"誤。

海岱志二十卷　齊前將軍記室崔慰祖撰。

《南齊書・文學傳》:"崔慰祖著《海岱志》,起太公,迄西晉人物,爲四十卷,半未成。臨卒,與從弟緯書云:'常欲更注遷、固二史，採《史》、《漢》所泥《南史》作"漏"。二百餘事，在廚籚，可檢寫之，以存大意。《海岱志》良未周悉，可寫數本付護軍諸從事人一通，及友人任昉、徐寅、劉洋、裴揆。'"句下《南史》有"令後世知吾微有素業也"句。《唐志》十卷。

交州先賢傳三卷　晉范瑷撰。

《唐志》四卷。

益部耆舊傳十四卷　陳長壽撰。

《晉書·陳壽傳》："壽撰《益部耆舊傳》十篇。"《唐志》亦作"陳壽"，《隋志》誤作"長壽"。常璩《西州後賢志》曰："益部自建武後，蜀郡鄭伯邑、太尉趙彥信及漢中陳申伯、祝元靈、廣漢王文表，皆以博學洽聞，作《巴蜀耆舊傳》。陳壽以爲不足經遠，乃並巴漢撰爲《益部耆舊傳》十篇。散騎常侍文立表呈其傳，武帝善之。"又《序志後語》曰："陳君承祚，別爲《耆舊》，始漢及魏，煥乎可觀。"《漢中士女志》曰："有陳術，字申伯，作《耆舊傳》。"陳壽《蜀志·李譔傳》亦云："陳術，字申伯，博學多聞，著《益部耆舊傳》及《志》。"《梓潼士女志》曰："依《漢書》國志，陳君所載凡士女二百四十八人。"愚案裴松之、顏師古注史皆引陳壽《益部耆舊傳》，他書所引，多不著名。無引陳術者，其書所載列女，《水經·江水》注"僰道張真妻，黄氏女"，《初學記·服食部》"揚子拒妻劉懿公女"，《太平御覽·地部》"犍爲符和氏女，名光雄"，《人事部》蜀郡史賢妻張昭儀、廣漢德陽王上妻袁氏女、犍爲王鳳珪妻陳氏女、犍爲南安周繕紀妻曹氏女、廣漢新都使敬妻王氏女、蜀郡廣都公乘士會妻張氏女、廣漢廖伯妻殷氏女，及閬中三貞共引十二事，餘所載多漢魏耆舊，不能具録。

益州耆舊傳雜記二卷　不著録。

見《新唐志》，無撰人名。《蜀志·劉焉傳》注、《先主傳》注、《楊洪傳》注、《楊戲傳》注，並引《益州耆舊雜記》。《初學記·

人部》"張松爲人短小,而放蕩不理節操"二語,稱《益部雜記》,省"耆舊"二字。

續益部耆舊傳二卷

《梓潼士女志》:"常寬續陳壽《耆舊》作《梁益篇》。"

諸國清賢傳一卷

《唐志》"清"作"先"。

魯國先賢傳二卷　晉大司農白褒撰。

《通志·氏族略》曰:"晉有白褒,兩《唐志》十四卷。《舊唐志》雜傳類總目稱《褒先賢耆舊》三十九家,乃因白褒而誤,割裂爲書名也。"《藝文類聚·職官部》:"申公爲《詩》,號《魯詩》。"《雜文部》:"孔翊爲洛陽令,得屬託書,皆投水中。"《初學記·人事部》:"魯有恭士,名氾,行年七十,其恭益甚。"《北堂書鈔·帝王部》:"帝思舊恩,同席書封陽都侯。"《設官部》:"孔仲淵爲司空,以地震免。"《太平御覽·封建部》:"桓帝詔曰:'鮑吉與朕有龍潛之舊,其封西鄉侯。'"《職官部》:"二世問諸臣盜賊,賜叔孫通衣帛,拜爲博士。"《兵部》:"黃伯仁龍馬頌。"《人事部》:"東門奐貪濁,謠曰:'東門奐,取吳半。'"《珍寶部》:"叔孫通爲奉常,賜金五百斤。"並引《魯國先賢傳》。"傳"或作"志"。《太平寰宇記·河南道》鹿門有兩井引白褒《魯記》。

楚國先賢傳贊十二卷　晉張方撰。

《新唐志》無"贊"字,《舊唐志》作"先賢志",題楊方撰。愚按《文選》應璩《百一詩》注引"應休璉作《百篇詩》,譏切時事",《藝文類聚·禮部》引先王日祭、月享、時類歲祀語,並稱張方《楚國先賢傳》,楚國,《類聚》作"魯國",乃刊誤。無稱楊方者。《世說·德行篇》注:"百里奚字井伯,楚人,仕虞。晉欲假道,奚諫不聽,乃去。"《初學記·居處部》:"熊宜僚隱居市南,不屈於時。"《太平御覽·鱗介部》:"宋玉對楚王曰:'神龍朝發崑崙之墟,暮宿於孟諸。'"据此所記,乃上及春秋戰國,裴松之、章懷注史所引,則皆漢魏晉時事。

汝南先賢傳五卷　魏周斐撰。

《唐志》同。《史通·外篇》注作《汝南先賢行狀》。《世説》注諸書所引,皆稱"傳",惟《太平御覽·人事部》引胡定在喪雪覆其屋事作"行狀"。

陳留耆舊傳二卷　漢議郎圈稱撰。

《唐志》:"圈稱《陳留風俗傳》三卷。"地理類又見。無"耆舊"之目。《隋志》則地理類作《風俗傳》,此作《耆舊傳》。据《元和姓纂》,祇言圈稱著《風俗傳》,然風俗宜入地理,《唐志》雜傳類係重出,《隋志》耆舊名疑有誤。《史通·雜述篇》曰:"若圈稱《陳留耆舊》、周斐《汝南先賢》、陳壽《益部耆舊》、虞預《會稽典録》,此之謂郡書者也。"四語配詞,則《陳留風俗》乃不與《益部耆舊》犯複。

陳留耆舊傳一卷　魏散騎侍郎蘇林撰。

《唐志》三卷。《魏志·高柔傳》注引高靖高祖父固、固子慎、慎子式事,《後漢書·吳祐傳》注:"太守冷宏舉祐孝廉。"又:"祐處同僚無私書之問,上司無牋檄之敬。"《初學記·居處部》:"范丹學通三經,嘗自賃灌園。"並引《陳留耆舊傳》,不著蘇林名。惟《太平御覽·職官部》引"仇香年四十召爲縣主簿",稱蘇林《廣舊傳》,"廣舊"當是"耆舊"之訛。而不著陳留地名。

陳留先賢像贊一卷　陳英宗撰。

《唐志》作《先賢傳像讚》。

陳留志十五卷　東晉剡令江敞撰。

《舊唐志》作江微,《新唐志》作《陳留人物志》。《續漢·郡國志》注所引皆記地理;《世説·賞譽篇》注清河太守阮武,《賢

媛篇》注衛尉卿阮共，《水經・渠》注開封令阮簡，《文選・求
立太宰碑》注齊國內史阮略，《史記・留侯世家》商山四皓，並
引《陳留志》，多記人物。《初學記・人部》引雍邱婁、望平邱
李銓事，皆著江微名。《太平御覽・人事部》同引之。

濟北先賢傳一卷

《唐志》同。《後漢書・吳祐傳》注：“戴宏爲郡督郵，府君異其
對，教署主簿。”此引《濟北先賢傳》。《羣輔録》曰：“盧范昭、
戴祈、剛徐晏、盧夏隱、劉夏隱，右濟北五龍，見《濟北英賢
傳》。”

廬江七賢傳二卷

《唐志》一卷。《藝文類聚・寶玉部》：“陳翼爲魯陽尉，號魯陽
金尉。”《獸部》：“陳眾辟州從事，號白馬從事。”《太平御覽・
兵部》：“陳翼對漢武：‘鄉名不覽，佩刀生毛。’”《學部》：“文黨
投斧高木，至長安受經。”並引《廬江七賢傳》，“七賢”二字
未詳。

東萊耆舊傳一卷　王基撰。

《唐志》同。

襄陽耆舊記五卷　習鑿齒撰。

《唐志》作《耆舊傳》，《宋志》作《記》。《郡齊讀書後志》曰：
“《記》五卷，前載襄漢人物，中載山川城邑，後載牧守。觀其
記録，叢雜非傳體也，名當從《隋志》。”愚按《續漢・郡國志》
注“蔡陽有松子亭，下有神陂”，引《襄陽耆舊傳》。《文選・南
都賦》注同引之，則稱《耆舊記》。劉昭生處梁代，其所見在
《隋志》前，則知稱傳之名，其來已久。《三國志》注多省文稱
《襄陽記》，《水經》注、《後漢書》注亦同省文。其載董恢教費禕對孫權
語，“臣松之案：《漢晉春秋》所載，不云董恢所教，辭亦小異，
二書俱出習氏，而不同若此”。

會稽先賢傳七卷　<small>謝承撰。</small>

《初學記·人事部》：“陳業送郡守蕭府君喪，揚波出尸，業兄渡海傾命，骨爛不辨，業割血洒骨。”《設官部》：“沈勳拜尚書令，名冠百僚。”《太平御覽·職官部》：“茅開爲督郵平決，厭衆心。”《人事部》：“闞澤夢見名字炳照在月中。”又：“淳于長通年十七，鄉黨號曰聖童。”《服用部》：“董昆爲大農孥，坐無完席。”並引《會稽先賢傳》。《唐志》卷同。

會稽先賢像讚五卷

《舊唐志》入集部，作《先賢讚》四卷；《新唐志》雜傳記類作《先賢傳像讚》四卷，並題“賀氏撰”。《北堂書鈔·設官部》三引《會稽先賢讚》，皆言董昆清貧守約署上計吏一事。

會稽後賢傳記二卷　<small>鍾離岫撰。</small>

《元和郡縣志》：“鍾離岫撰《會稽後賢傳》。”無“記”字，《唐志》同。《通志·氏族略》曰：“鍾離岫楚人。”《世説·方正篇》注：“孔羣有智局，仕至御史中丞。”《品藻篇》注：“丁潭與孔愉齊名，仕至光禄大夫。”《初學記·職官部》：“孔坦遷廷尉卿，躬執辭狀，小大以情。”《藝文類聚·鱗介部》：“孔愉封餘不亭侯，鑄印龜首迴屈。”《太平御覽·人事部》：“吴求謝貞女充後宮，女炙面服醇醯取黄瘦，得免。”《服用部》：“丁潭以光禄大夫還第，詔賜床帳席褥。”並引《會稽後賢傳》。

廣州先賢傳七卷　<small>陸允撰。不著録。</small>

見《舊唐志》，允名，《新唐志》作“允志”。《初學記·人事部》引羅威事母至孝，異果珍味隨時進前事，稱陸徹《廣州先賢傳》，“徹”與“允”字以相似易訛。<small>“允”避廟諱作“允”，原字與“徹”近似。[1]</small>《太平御覽·人事部》引“太守終寵下車，尹牙以德進幹

<small>[1]　“允”，原當作“胤”，章宗源避雍正諱改。“胤”與“徹”形近，故云。</small>

任喉舌”,又“徐徵爲人短小果敢”二事,稱陸允《廣州先賢傳》,他所引多不著名。

廣州先賢傳七卷　劉芳撰。不著録。

見《新唐志》。

青州先賢傳　卷亡。不著録。

《後漢書·史弼傳》注:“陶邱洪文冠當代,舉孝廉,不行,辟太尉府。”《藝文類聚·人部》:“陳仲舉昂昂如千里驥,周孟玉瀏瀏如松下風。”並引《青州先賢傳》。

會稽典録二十四卷　虞豫撰。

《晉書·虞預傳》:“預著《會稽典録》二十篇。”《史通·採撰篇》曰:“郡國之記,譜牒之書,務欲矜其州里,誇其士族,如江東五儁始自《會稽典録》,潁川八龍出於《荀氏家傳》。苟不別加研覆,何以詳其是非?”《雜述篇》曰:“若圈稱《陳留耆舊》、周斐《汝南先賢》、陳壽《益部耆舊》、虞預《會稽典録》,此之謂郡書者也。”愚按《吳志·虞翻傳》注引山陰朱育對太守濮陽興,述初平末年王府君問士於虞仲翔,仲翔具答,其言會稽人士最詳。至江東五儁,逸篇中未見徵引。

吳先賢傳四卷　吳左丞相陸凱撰。

《新唐志》:“陸凱《吳國先賢傳》五卷。”

吳國先賢讚三卷　不著録。

見《舊唐志》,《新志》作“像讚”,俱無撰名。

吳都錢塘先賢傳五卷　梁吳均撰。不著録。

見《唐志》。《梁書·吳均傳》:“均著《錢塘先賢傳》五卷。”

南海先賢傳　卷亡。不著録。

《北堂書鈔·政術部》:“劉盛作令,布被菜食,州郡表列,授九真太守。”《設官部》:“董政字伯和,南海人,有令姿,舉孝廉。”並引《南海先賢傳》。

武昌先賢志三卷 郭緣生撰。

兩《唐志》皆作《先賢傳》。《太平御覽·人事部》：“郭緣生《武昌先賢傳》曰：‘郭翻字長翔，爲人非己耕不食，非妻織不衣。’”

武陵先賢傳 卷亡。不著錄。

《水經·延江水》注：“潘京爲郡主簿答太守趙偉：《續漢·郡國志》注作“趙厥”。‘郡本名義陵，光武時改名武陵焉。’”《北堂書鈔·設官部》：“王坦爲中庶子，有鵉來翔，坦被令爲賦。”《藝文類聚·歲時部》：“潘京爲州辟，進謁，舉板答曰：‘今爲忠臣，不得復爲孝子。’”並引《武陵先賢傳》。

東陽朝堂像讚一卷 晉南平太守留叔先撰。

《唐志》作“畫讚”。

豫章烈士傳二卷 徐整撰。

《初學記·人事部》：“舒令施陽爲人沈重謐靜，清白絕俗。”《北堂書鈔·政術部》：“孔恂爲別駕從事，言車屏星不可去；《通典·職官門》注同。羊茂爲功曹，病，被不覆軀。”《設官部》：“周騰爲侍御史，桓帝當郊，騰曰：‘中宿及策馬星悉不動，上明不出。’”《太平御覽·資產部》：“施陽經江夏，遇賊，刼陽物，賊聞知陽，悉還其物。”並引《豫章烈士傳》。

豫章舊志三卷 晉會稽太守熊默撰。

《唐志》有徐整撰八卷，無熊默。《續漢·郡國志》注引新吳、上蔡、永修縣，江淮南昌縣，建城縣葛鄉，昌邑城慨口四事，又匡俗事，以《世說·規箴篇》注、《水經·廬江》注所引爲詳。《後漢書·馮衍傳》注：“周生豐爲豫章太守，清約儉惠。”《藝文類聚·祥瑞部》：“太守孔竺臨郡，三月白雀出南宮；夏侯嵩臨郡，六年白雀見女羅。”《鳥部》：“太守李儀臨郡，二年白鳥見南昌。”並引《豫章舊志》。王象之《輿地碑記目》一卷。

豫章耆舊傳 卷亡。不著錄。

《北堂書鈔·歲時部》："龍碩字顯，先大皇幸尋陽，遊獵諸郡，碩作章陳理，侯駕於道叩頭，流血成冰。"引《豫章耆舊志》。《太平御覽·天部》："太守陳蕃臨郡，二年甘露降。"引《豫章耆舊傳》。案《書鈔》作"志"，疑係《豫章舊志》，誤增"耆"字。《御覽》雖稱"傳"，然陳蕃事正與孔竺、夏侯嵩事相類，恐係一書。

零陵先賢傳一卷

《唐志》同。《三國志》注所引《零陵先賢傳》皆記劉、曹時事；《藝文類聚·祥瑞部》引周不疑作《白雀頌》，亦係魏人；惟《水經·湘水》注鄭產爲白土嗇夫上言除民口錢事，乃漢末先賢。

長沙舊傳讚三卷　晉臨川王郎中劉彧撰。

《水經·洛水》注："祝良爲洛陽令，祈雨感應。"《北堂書鈔·禮儀部》、《太平御覽·天部》同。"桓楷爲趙郡太守，路有遺囊，行人莫取。"《初學記·天部》、《藝文類聚·天部》文虔補戶曹掾，零雨廢民業，虔在社齋戒，夢見白頭翁事，並引《長沙耆舊傳》。《隋志》脱去"耆"字。《新唐志》四卷，《舊唐志》三卷，並訛作《舊邦傳讚》。劉彧，《舊唐志》作"劉成"。

會稽太守像讚二卷　賀氏撰。不著錄。

見兩《唐志》，《舊志》入集部。

荆州先賢傳三卷　高範撰。不著錄。

《北堂書鈔·政術部》："周瑜以龐統有重名，召爲功曹。"又："呂乂爲尚書令，節儉自守。"又："費禕使吳，應機輒對。"《太平御覽·地部》："羅獻守巴東，對吳人曰：'城中土一撮不可得。'"並作《荆州先德傳》。《書鈔·政術部》："董正舉孝廉，負笈單步上還舉板。"《藝文部》："龐士元師事司馬德操，與共談，移日忘飱。"《樂部》："羅獻守巴東，賦詩使人歌，以慰城中人。"《藝文類聚·儀飾部》："羅獻以泰始三年假節增鼓吹榮戟。"《御覽·人事部》："馬氏五常，白眉最良。"俱並引《荆州先賢傳》。

廣陵烈士傳一卷　<small>華隔撰。不著録。</small>

見《唐志》。《北堂書鈔·設官部》:"劉儁爲郡主簿,郡將爲賊所得,儁乞代之。"<small>《御覽·職官部》同。</small>《太平御覽·人事部》:"劉瑜舉方正,人呼爲長鬚方正。"又:"吳武篤學好古,師事陳仲弓。"並引《廣陵烈士傳》。

蜀文翁學堂像題記二卷

《元和郡縣志·劍南道》:"成都文翁學堂,李膺記曰:'堂構制雖古而巧異特奇,壁上悉圖古之聖賢,梁上則刻文宣及七十弟子。齊永明劉瑱更圖焉。朱齡石平譙縱,勒宋武檄文於石壁之上,代王更以丹青增飾古畫,仍加豆盧辨、蘇綽之像。'"《藝文類聚·禮部》、《太平御覽·禮儀部》:"任豫《益州記》曰:'文翁學堂在大城南,昔經火災,蜀郡太守高勝脩復繕立,皆圖畫聖賢古人之像。'"王象之《輿地碑記目》曰:"漢文翁學生題名可見者凡一百十二人,碑在益州。"《唐志》:"《益州文翁學堂圖》一卷。"歐陽修《集古録跋》:<small>"文翁學生題名凡一百有八人,文學祭酒、典學從事各一人,司儀、主事各二人,左生七十三人,右生三十人。"董迫《廣川書跋·〈周公禮殿記〉跋》曰:"文翁講堂石室,左温故,右時習。"又曰:"太守陳留高朕原注《隸釋》作"朕"。修立,增二石室。昔人疑朕非臣下制名可稱,流俗謂爲高勝,余嘗至其處,求字畫得之,實爲朕字。"</small>

漢末名士録　<small>卷亡。不著録。</small>

《魏志·袁紹傳》注:"胡母班八人,世謂之八厨。"<small>《後漢書·袁紹傳》注同。</small>《劉表傳》注:"表與汝南陳翔等爲八友。"《荀攸傳》注:"袁術數何顒三罪。"並引《漢末名士録》。

逸人高士傳八卷　<small>習鑿齒撰。不著録。</small>

見《唐志》。《太平御覽·禮儀部》:"習鑿齒《逸民高士傳》曰:'董威輦不知何許人,忽見於洛陽白社中。'"

江表傳二卷　虞溥撰。不著錄。

見《唐志》，又雜史類重出五卷。《晉書・虞溥傳》："溥撰《江
表傳》，子勃上於元帝，詔藏於祕書。"《魏志・三少帝紀》注
云："鄱陽内史虞溥著《江表傳》，粗有條貫。"邵博《聞見後錄》
曰："予官長安時，或云鄠杜民家有《江表傳》，因爲外臺言之，
亟委官以取，民驚懼，焚之，世今無此書矣。"愚按此書逸篇，
裴松之徵引最多，皆述魏蜀吳事，而吳事尤詳。

聖賢高士傳贊三卷　嵇康撰，周續之注。

《晉書・嵇康傳》："康撰上古以來高士爲之傳贊，欲友其人於千
載也。"《宋書・周續之傳》："續之常以嵇康《高士傳》得出處之
美，因爲之注。"《南史》同。《唐志》作《上古以來聖賢高士傳》。

高士傳六卷　皇甫謐撰。

今存本三卷。

逸士傳一卷　皇甫謐撰。

《晉書・皇甫謐傳》："謐撰《逸士傳》。"《魏志・武紀》注引汝
南王儁事，《荀彧傳》注："許子將言：'慈明外朗，叔慈内潤。'"
《世説・品藻篇》注尤詳。《文選・反招隱詩》注、《演連珠》注、《七
啟》注、《陶徵士誄》注、《郭有道碑文》注，並引《逸士傳》巢父
一事。《世説・排調篇》注同。《唐志》卷同。

桂陽先賢畫讚一卷　吳左中郎張勝撰。

《唐志》五卷。《水經・汝水》注："張熹爲平輿令，天旱禱雩感
舊。"《北堂書鈔・酒食部》："程曾七歲母亡，隣人哺之，知有
肉，吐不食。"《藝文類聚・百穀部》："成武丁爲郡主簿，能達
鳥鳴。"《太平御覽・兵部》："成武丁疾終，其友從臨武縣來，
道與相逢。"《人事部》："朱陽羅陵果而好義。"《藥部》："蘇耽
種藥後園梅樹下，可治百病。"並引《桂陽先賢傳》。蘇耽種藥事，
《類聚》作《先賢記》。張熹禱雩事，《書鈔》作《先賢傳》。朱陽羅陵事，《御覽》再見

作"傳"。

逸民傳七卷 <small>張顯撰。</small>

《水經·潁水》注:"卞隨投洞水而死。"《太平御覽·逸民部》:"曹子臧以國致成公爲君,周黨徵議郎,以病辭。"並引張顯《逸民傳》。《唐志》作"逸人",三卷。

逸人傳 <small>卷亡。孫盛撰。不著錄。</small>

《初學記·人事部》引孫盛《逸人傳》丁蘭刻木事。<small>《御覽·人事部》同。</small>

高士傳二卷 <small>虞槃佐撰。</small>

《唐志》同。《通志·校讎略》曰:"虞槃佐作《孝子傳》,又作《高士傳》。高士與孝子自殊,如何《唐志》因所作之人而合爲一?"《太平御覽·逸民部》皇甫士安、朱沖、劉兆、伍朝、郭文舉共五事,<small>伍朝事原注曰:"王隱,《晉書》同。"</small>引虞槃佐《高士傳》。《人事部》:"宋少文清心簡務,宋高祖聽其高談,曰不知體倦,乃覺心明。"此稱虞敬叔《高士傳》。《文選·蕭公行狀》注:"何點當躡草屬時乘柴車。"此作虞孝敬《高士傳》。

至人高士傳讚二卷 <small>晉廷尉卿孫綽撰。</small>

《水經·潁水》注稱孫綽之叙《高士傳》。《文選》太冲《詠史詩》注引孫綽《嵇中散傳》。

續高士傳七卷 <small>周弘讓撰。</small>

《新唐志》八卷。

高隱傳十卷 <small>阮孝緒撰。</small>

《梁書·阮孝緒傳》:"孝緒著《高隱傳》,上自炎黃,終於天監之末,斟酌分爲三品,凡若干卷。"《南史·孝緒傳》曰:"言行超逸、名氏勿傳爲上篇,始終不耗、姓名可錄爲中篇,持冠人世、栖心塵表爲下篇。"

高士傳 <small>卷亡。魏隸撰。不著錄。</small>

《藝文類聚・人部》引魏隸《高士傳》廣成子、黃帝小童、善卷、伯成子高、魯連、閭邱先生、田生、鄭仲虞、韓福、班嗣、尚子平、巢父、許由、壤父、子支伯、披裘公、段干木、莊周十八事。

真隱傳二卷 袁淑撰。不著錄。

《宋書・隱逸傳》序曰:"陳郡袁淑集古來無名高士以爲《真隱傳》。"《藝文類聚・人部》鶡冠子、鬼谷先生,《太平御覽・逸民部》蘇門先生、鄭長者、南公、六國時野老、獻魚楚人、河上丈人、狐邱先生,"客有候孔子者,孔子曰:'宵兮泛兮吾不測也。'"共引《真隱傳》十事。《唐志》二卷。

高僧傳六卷 虞孝敬撰。

《唐志》入子部道家。

止足傳十卷

《唐志》有宗躬《止足傳》,又齊竟陵文宣王子良《止足傳》,皆十卷。

孝子傳讚三卷 王韶之撰。

《唐志》:"《傳》十五卷,《讚》三卷。"《藝文類聚・鳥部》:"李陶母終,羣鳥銜塊助成墳。"《初學記・天部》:"竺彌父生時畏雷,每天陰輒至墓悲哭。"《北堂書鈔・衣冠部》:"竺彌父母亡,冬不衣襦袴。"《太平御覽・人事部》、《刑法部》:"周青女姑誣青害殺公姑,縣刑青於市,血緣幡竿上天。"並引王韶之《孝子傳》。"韶",《初學記》作"歆"。

孝子傳十卷 晉輔國將軍蕭廣濟撰。

《世説・德行篇》注王祥,《初學記・人事部》閔損、鄧展勤、殷惲、杜孝,《藝文類聚・人部》媯皓,《產業部》郭原平,《獸部》蕭固,《鳥部》蕭芝,《鱗介部》陳元,《太平御覽・地部》三州人,《兵部》魏陽,《人事部》五郡孝子、邢渠、隗通、辛繒、文讓、申屠君、遊宿、倉舒、王驚、伏恭、朱百年、郭世道、何子平、施延,並引蕭廣濟《孝子傳》。《唐志》十五卷。

孝子傳十卷　宋員外郎鄭緝之撰。

《世説·德行篇》注:"吳隱之遭母喪,每哭,韓康伯母輒輟事流涕。"《法苑珠林·忠孝篇》:"丁蘭妻誤燒木母面,即夢見母痛。隣人用刀斫,木母流血,蘭造服行喪。"又:"吳逵兄弟嫂從十有三喪,逵晝備,晝夜作磚,暮年辦七墓十三棺。"又:"蕭固遭喪,六年雉鵲遊狎,麋鹿入其門墻。"並引鄭緝之《孝子傳》。《唐志》作"傳讚"。

孝子傳八卷　師覺授撰。

《南史·孝義傳》:"宋師覺授,南陽涅陽人也,以琴書自娛。於路忽見一人持書一函,題曰'至孝師君苦前',俄而不見。捨車奔家,聞家哭聲,一叫而絕,良久乃蘇。後撰《孝子傳》八卷。"《元和姓纂》言覺授入《宋書·孝義傳》,蓋誤以《南史》爲《宋書》。《初學記·人事部》:"趙徇年五六歲時,得甘美物,先以哺父,父殁,思慕不異成人。"《藝文類聚·人部》:"程曾年七歲喪母,祖母嚼肉食之,覺有味便吐去。"《鳥部》:"吳叔和母殁,負土成墳,有赤鳥巢門。"《災異部》:"魏連事父至孝,拜昌邑令,大蝗連熟。"《太平御覽·時序部》王祥,《兵部》仲由子、子崔,《人事部》老萊子、閔損、北宮女、嬰兒子,並引師覺授《孝子傳》。《唐志》卷同。愚按《元和姓纂》覺授一名昺,姓帥,在入聲質部,据此則"師"乃"帥"字之誤,然諸書皆作"師"。

孝子傳三卷　宋躬撰。

《法苑珠林·忠孝篇》吳中書郎盛沖、廬陵王虛之、吳郡陳遺,《初學記·服食部》《太平廣記·感應類》並引陳遺事。《藝文類聚·人部》吳坦之、張景允、華寶、何子平,《太平御覽·地部》宗承,《人事部》邱傑、韓靈珍、夏侯訢、韋俊、伍襲、繆裝、紀邁、王靈芝、賈恩、孫棘、郭巨、桑虞,並引宋躬《孝子傳》。《舊唐志》十卷,

《新唐志》二十卷,"宋"作"宗"。

孝子傳三卷 徐廣撰。不著錄。

見《唐志》。《史通·雜述篇》曰:"若劉向《列女》、梁鴻《逸人》、趙采《忠臣》、徐廣《孝子》,此之謂別傳者也。"

孝子傳略二卷 無撰名。

《唐志》有亡名《雜孝子傳》二卷。按《初學記》諸書所引《孝子傳》有不著名者,疑是省文,未必即此二卷之句。

孝子傳 卷亡。周景式撰。不著錄。

《藝文類聚·山部》:"管寧避地遼東,過海遇風,船人皆叩頭悔過,寧自思咎失,言嘗入厠不冠而已,即便悔言,風尋息。"《御覽·地部》、《居處部》同。《木部》:"古有兄弟意欲分異,出見三荊同株,接葉連陰,嘆曰:'木猶欣聚,況兄弟哉。'遂還相爲雍和矣。"《初學記·人事部》、《御覽·人事部》、《木部》同。《太平御覽·獸部》:"余嘗至綏安縣,逢途逐猴,猴母負子沒水,水雖深而清,乃以戟刺之,自脇以下斷,脊尚連,抄著船中,子隨其旁,以手捫子而死。"三事,並引周景式《孝子傳》。《初學記·獸部》:"蝯,寓屬也,或黃或黑,通臂好吟,雌爲人所得,終不徒生。"此稱周索氏《孝子傳》。《御覽·獸部》亦引此事,祗稱《孝子傳》,不著撰名。

孝子圖 卷亡。劉向撰。不著錄。

《文苑英華》許南容、李令琛對策並言:"梁鴻作《逸人傳》,劉向修《孝子圖》。"《法苑珠林·忠孝篇》"郭巨,河內溫人,父歿,供養母,妻生男,慮防供養,乃抱兒掘地,欲埋之,於土中得一釜黃金,有券云:'賜孝子郭巨。'"又:"丁蘭刻木作母,供養如生,隣人所假借,母顏和即與,不和則不與。"又:"董永父終,自賣於富公以供喪事,道逢一女,願爲永妻,助償債。"又:"大舜至孝,父目失明,在家貧厄,近市而居。舜父夜臥,夢見一鳳凰,自名爲雞,口銜米以哺己。視《黃帝夢書》,言子孫當

有貴者，舜前舐之，目霍然開見。"舜父一事，《珠林》原本似有訛舛，文句
多有不可通，今約略其易明者錄之。四事，並稱劉向《孝子傳》。《太平
御覽·人事部》引郭巨、董永二事，作劉向《孝子圖》。洪氏
《隸續》載《武梁祠畫像記》中有董永事。

孝子傳三十卷 <small>梁武帝撰。不著錄。</small>

見《新唐志》。

孝德傳三十卷 <small>梁元帝撰。</small>

《梁書·元帝紀》："帝著《孝德傳》三十卷。"《藝文類聚·人
部》引梁元《孝德傳》有《皇王篇》贊、《天性篇》贊，<small>《初學記·人事
部》引《天性篇》贊</small>。又引《傳》序曰："天經地義，聖人不加，原始要
終，莫踰孝道。"《金樓子·著書篇》曰："《孝德傳》三秩，金樓
合眾家《孝子傳》成此。"《太平御覽·逸民部》："繆斐避地海
濱，不以遯世爲悶，浣衣濯冠以候導氣。"《學部》："張楷喪親
哀毀，每讀《詩》至《素冠》棘人，未嘗不淹泣焉。"《太平廣記·
神類》："魏陽雍種菜得白璧。"共引《孝德傳》三事。

孝友傳八卷 <small>無撰名。</small>

《唐志》題申秀《孝友傳》八卷。《後魏書·韓顯宗傳》："顯宗
撰《孝友傳》十卷。"

忠臣傳三十卷 <small>梁元帝撰。</small>

《梁書·元帝紀》："帝著《忠臣傳》三十卷。"《金樓子·著書
篇》曰："《忠臣傳》三秩，金樓自爲序。"《藝文類聚·人部》引
《忠臣傳》有《記託篇》贊、<small>《初學記·人事部》作《受託篇》</small>。《諫爭篇》
贊、<small>《初學記》同</small>。《執法篇》贊、《死節篇》序，又《諫爭篇》序，又
《傳》總序曰："孝子、烈女、逸民，咸有別傳，至於忠臣，曾無述
製，今將發篋陳書，備加論討。"又元帝《上忠臣傳表》、王筠
《答湘東王示忠臣傳牋》。《初學記·文部》："劉宏與晉武帝
同年，少同硯書。"引《忠臣傳》一事。

顯忠録二十卷 梁元帝撰。

《後魏書·清河王懌傳》："懌以忠而獲謗，乃鳩集古昔忠烈之士，爲《顯忠録》二十卷，以見意焉。"《韓子熙傳》："清河之忠誠款篤，形於文翰，搜括史傳，撰《顯忠録》，區目之篇分卷二十。"《唐志》題"元懌《顯忠録》"，《隋志》作"梁元帝"，誤。

英藩可録二卷 張萬賢撰。

《唐志》題"殷系《英藩可録事》"。原注："一云張萬賢撰。"

高才不遇傳四卷 後齊劉晝撰。

《北齊書·劉晝傳》："晝撰《高才不遇傳》三篇。"《北史》曰："晝求秀才十年不得，發憤著《高才不遇傳》。"《後漢書·鄭玄傳》注引晝論鄭玄曰："辰爲龍，巳爲蛇，歲至龍蛇賢人嗟，玄以讖合之，蓋謂此也。"《唐志》卷同。

丹陽尹傳十卷 梁元帝撰。

《梁書·元帝紀》："帝著《丹陽尹傳》十卷。"《金樓子·著書篇》曰："《丹陽尹傳》一秩，金樓爲尹京時自撰。"《藝文類聚·職官部》："《丹陽尹傳》序曰：'左氏云大夫受郡，《漢書》云尹者正也。廣漢和顏接下，子高自輔經術，孫寶行嚴霜之誅，袁安留冬日之愛。每念忝位京河，茲焉四載。入安石之門，思勤王之政，坐真長之室，想清談之風。求瘼餘晨，頗多暇景。今綴采英賢爲《丹陽尹傳》。'"《唐志》卷同。

良吏傳十卷 鍾岏撰。

《梁書·鍾嶸傳》："嶸兄岏，字長岳，官至府參軍、建康令，著《良吏傳》十卷。"《元和郡縣志》亦言鍾岏著《良吏傳》。《唐志》卷同。《太平御覽·職官部》王堂爲汝南太守，桓虞爲南陽郡守，高玩除南陽令，司馬儁補洛陽令，陳登爲東陽長，袁彭爲南陽太守，吳隱之轉廣州刺史，鄭純爲永昌太守，並引鍾岏《良吏傳》。

正始名士傳三卷　　袁敬仲撰。

《世說·文學篇》曰：“袁彥伯作《名士傳》成，見謝公，謝公笑曰：‘我嘗與諸人道江北事，特作狡獪耳。’彥伯遂以著書。”注曰：“宏以夏侯太初、何平叔、王輔嗣爲正始名士，阮嗣宗、嵇叔夜、山巨源、向子期、劉伯倫、阮仲容、王濬沖爲竹林名士，裴叔則、樂彥輔、王夷甫、庾子嵩、王安期、阮千里、衛叔寶、謝幼輿爲中朝名士。”《方正篇》注引：“夏侯玄被收，鍾毓爲廷尉，執玄手曰：‘太初何至於此？’玄正色曰：‘雖復刑餘之人，不可得交。’孝標按郭頒爲《魏晉世語》，事多詳覈。孫盛之徒皆采以著書，並云玄距鍾會。而袁宏《名士傳》最後出，不依前史，以爲鍾毓，可爲謬矣。”《玉海》：“《中興書目》曰：‘《正始名士傳》三卷：其中卷竹林名士、三逸，上卷增荀粲，下卷增阮修。’”《宋志》二卷。愚按《水經·清水》注引共伯山仙一事，《文選》顏延年《五君詠》注：“阮籍爲步兵校尉，劉伶爲建威參軍，阮咸官止始平太守。”又：“阮咸哀樂至到過絕於人。”沈休文《遊沈道士館詩》注：“王烈服食養性。”《褚淵碑文》注：“山濤淳深慎默，莫見其際。”並稱袁彥伯《竹林名士傳》，《世說》注所引袛稱《名士傳》。宏字彥伯，《隋志》作“敬仲”，蓋誤以“袁宏”爲“衛宏”。

江左名士傳一卷　　劉義慶撰。

《世說·賞譽篇》注：“杜乂清標令上，謝鯤通簡有識。”《品藻篇》注：“王承言理比南陽樂廣。”又：“劉真長曰：‘杜宏治膚清，衛叔寶神清。’”《容止篇》注：“杜宏治可方衛玠。”共引《江左名士傳》五事。

竹林七賢論二卷　　戴逵撰。

《羣輔錄》曰：“《竹林七賢》，袁宏、戴逵爲傳，孫統爲贊。”《世說》注引《竹林七賢論》二十餘事，《藝文類聚》諸書亦引之，或作《七賢

傳》。《任誕篇》注引"阮籍、劉伶共飲步兵廚中，並醉而死"，孝
標謂"此好事者爲之言，籍景元中卒，而劉伶太始中尚在"。
《太平御覽·人事部》："袁宏《七賢》序曰：'阮公璨傑之量，不
移於俗，然獲免者，豈不以虛中舉節動無過則乎？中散遺外
之情，最爲高絕，不免世禍，將舉體秀異，直致自高，故傷之者
至也。山公中懷體默，易可因任，平施不撓，在眾樂同，遊刃
一世，不亦宜乎？'"《唐志》卷同。《史通·雜述篇》稱戴逵《竹林名士》，
"名士"宜作"七賢"。

七賢傳五卷　孟氏撰。

《唐志》作"孟仲暉七卷"。

文士傳五十卷　張隱撰。

《新唐志》作"張騭"，《舊唐志》作"張隱《文林傳》"。鍾嶸《詩
品》曰："張騭文士，逢文即書。"《玉海》："《中興書目》五卷，載
六國文人，起楚芉原，終魏阮瑀。《崇文目》十卷，終謝靈運。"
《文選》注、《後漢書》注諸所徵引《文士傳》，或作"張騭"，或又
作"隱"。《魏志·王粲傳》注曰："張騭假僞之辭，不覺其虛之
自露也。凡騭虛僞妄作，不可覆疏。"

列士傳二卷　劉向撰。

《後漢書·申屠剛傳》注羊角哀、左伯桃，《文選》盧子諒《覽古
詩》注朱亥，鄒陽《獄中上書》注徐衍、鮑焦，《藝文類聚·天
部》荆軻，《人部》田光、《服飾部》魏公子無忌，《鳥部》同。《木部》
延陵季子，《北堂書鈔·武功部》專諸，《衣冠部》馮諼，《太平
御覽·居處部》慶忌、《兵部》莫耶，《人事部》干將子、孔融，並
引《列士傳》。或作"烈士"。《唐志》卷同。

陰德傳二卷　宋光禄大夫范晏撰。

《太平御覽·禮儀部》引范晏《陰德傳》陳翼殯長安魏少公事，
與《盧江七賢傳》所載同，而語較詳。《唐志》卷同。

悼善傳十一卷

《唐志》有《悼善列傳》四卷。

雜傳三十六卷　任昉撰。本一百四十七卷,亡。

《梁書·任昉傳》:"昉撰《雜傳》二百四十七卷。"《唐志》:"一百二十
卷。"《文選·王文憲集序》注:"任昉《雜傳》魏德公謂郭林宗
曰:'經師易獲,人師難遭。'"

東方朔傳八卷

《漢書·東方朔傳》曰:"凡劉向所録朔書俱是矣,世所傳他事
皆非也。"注曰:"謂如《朔別傳》皆非實事。"愚按《藝文類聚》
諸書引《朔別傳》類皆奇言譎語,惟《文選·報任少卿書》注引
朔對武帝刑不上大夫之言最爲莊論。《太平御覽·兵部》引
朔上書,《人事部》朔形容公孫丞相倪大夫等語,與《漢書》本
傳同。《世説·規箴篇》注引朔南陽步廣里人,本傳稱平原厭
次人,此可考異。《唐志》卷同。

毌邱儉記三卷

《魏志·明帝紀》注:"《毌邱儉志記》云:'時以儉爲宣王副
也。'"《唐志》卷同。

管輅傳三卷　管辰撰。

《魏志·管輅傳》注"弟辰撰《輅別傳》,有辰序",言臣松之取
閻纘伯纘所補綴遺脱數事,又云:"前長廣太守陳承祐口授城
門校尉華長駿語云:'昔其父爲清河太守時,召輅作小吏,駿
常與同載周旋,具知其事。云諸要驗,三倍於傳。辰既短才,
又年眇小,又多在田舍,故益不詳。'"《世説》注諸書皆引《輅
別傳》。《唐志》一卷。

李固別傳七卷　不著録。

見《唐志》。《太平御覽·職官部》:"益州及司隸辟固,皆不
就。"《人事部》:"固被誅,弟子郭亮詣闕上書,乞收固屍。"《禮

儀部》：“梁冀誅固，露屍四衢。”並引《固別傳》。

梁冀傳二卷 不著錄。

見《唐志》。《通典·職官門》：“元嘉二年，加冀禮儀。”引《梁冀別傳》。

何顒傳一卷 不著錄。

見《唐志》。《太平御覽·人事部》、《疾病部》引《何顒別傳》：“顒有人倫鑒，謂張仲景將爲名醫，卒如其言。”

曹瞞傳一卷 不著錄。

見《唐志》。《魏志·武紀》注稱吳人作《曹瞞傳》，愚案傳名曹瞞，又係吳人所作，其言操少好飛鷹走狗，游蕩無度，又佻易無威重，好音樂，及遣華歆入宮收伏后事，語皆質直，不爲魏諱，故《世説》注、《文選》注《爲袁紹檄豫州》注引操破梁孝王棺事。所引皆稱操名，《藝文類聚》、《太平御覽》所引亦或稱操。惟《魏志》注多稱太祖，自係裴松之所改，他書亦有稱曹公，稱太祖，然不盡改其舊。非吳人原本。

《荀彧別傳》，	《荀勗別傳》，	《鄭玄別傳》，
《邴原別傳》，	《程曉別傳》，	《孫資別傳》，
嵆喜爲康傳，	《吳質別傳》，	《潘尼別傳》，
《潘岳別傳》，	《劉廙別傳》，	《郭泰別傳》，
《盧諶別傳》，	謝鯤爲《樂廣傳》，	《任嘏別傳》，
鍾會爲其母傳，	又生母傳，	何劭爲《王弼傳》，
《華佗別傳》，	《趙雲別傳》，	《費褘別傳》，
《孫惠別傳》，	陸機《顧譚傳》，	《虞翻別傳》，
《陸機、雲別傳》。		

已上見《三國志》注。

楊孚《董卓傳》， 《鍾離意別傳》。

已上見《續漢志》補注。

《郗鑒別傳》，　　《王乂別傳》，　　《桓彝別傳》，
《王丞相別傳》，　《阮光祿別傳》，　《劉尹別傳》，
《范宣別傳》，　　《王獻之別傳》，　《王恭別傳》，
《司馬徽別傳》，　《向秀別傳》，　　《衛玠別傳》，
《顧和別傳》，　　《王含別傳》，　　《孫放別傳》，
《庾翼別傳》，　　《桓溫別傳》，　　《顧凱之別傳》，
《王長史別傳》，　《王中郎傳》，　　《郗超別傳》，
《王胡之別傳》，　《王司徒傳》，　　《鍾雅別傳》，
《陸玩別傳》，　　《江惇傳》，　　　《殷浩別傳》，
《王珉別傳》，　　《王敦別傳》，　　《謝鯤別傳》，
《王述別傳》，　　《謝玄別傳》，　　《樊英別傳》，
《左思別傳》，　　《郭璞別傳》，　　《諸葛恢別傳》，
《周顗別傳》，　　《孔愉別傳》，　　《蔡司徒別傳》，
《王彪之別傳》，　《羅府君別傳》，　《祖約別傳》，
《阮孚別傳》，　　《羊曼別傳》，　　《王劭、王薈別傳》，
《石勒傳》，　　　《王彬別傳》，　　《王舒傳》，
《王澄別傳》，　　《王邃別傳》，　　《卞壼別傳》，
《虞光祿傳》，　　《郗愔別傳》，　　《陳逵別傳》，
《賀循別傳》，　　《桓沖別傳》，　　《桓豁別傳》，
《周處別傳》，　　《賈充別傳》，　　《郗曇別傳》，
《范汪別傳》，　　《蔡充別傳》，　　《司馬晞傳》，
《王雅別傳》，　　《荀粲別傳》，　　《司馬無忌傳》，
《高坐別傳》，　　《佛圖澄別傳》，　《支遁傳》。
已上見《世説》注。
《明先生別傳》，　《陳寔別傳》。
已上見《文選》注。
《李郃傳》，　　　《夏仲御別傳》，　《孟嘉別傳》，

《葛仙公別傳》，　　《劉根別傳》，　　《陳武別傳》，

《孫登別傳》，　　　《王廙別傳》，　　　《許遜別傳》，

《郭翻別傳》，　　　《諸葛恪別傳》，　　《許邁別傳》，

《曹肇曹毗傳》，　　《蔡琰別傳》，　　　《王蘊別傳》，

《王濛別傳》，　　　《張載別傳》，　　　《禰衡別傳》，

《張華別傳》，　　　《蒲元傳》，　　　　《羅含別傳》，

《裴楷別傳》，　　　《婁承先傳》，　　　《馬融別傳》，

《胡綜別傳》，　　　《衝波傳》，　　　　《杜蘭香別傳》，

《孔融別傳》，　　　《荀采傳》，　　　　《魯女生別傳》，

《陶侃傳》，　　　　《董正別傳》，　　　《王威別傳》。

已上見《藝文類聚》。

《王䝙別傳》，　　　《桓階別傳》，　　　《傅宣別傳》，

《孟宗別傳》，　　　《許肅別傳》，　　　《庾袞別傳》，

袁宏《山濤別傳》，　《趙穆別傳》。

已上見《初學記》。

《庾亮別傳》，　　　《顔含別傳》，　　　《王湛別傳》，

《傅咸別傳》，　　　《王允別傳》，　　　《盧植別傳》，

《葛洪別傳》，　　　《鄒衍別傳》，　　　《蔡邕別傳》，

《孫略別傳》，　　　《邊讓別傳》，　　　《杜祭酒別傳》，

《吳猛別傳》。

已上見《北堂書鈔》。

《石虎別傳》，　　　《雷煥別傳》，　　　《徐邈別傳》，

《羊祜別傳》，　　　《張純別傳》，　　　《桓石秀別傳》，

《祖逖別傳》，　　　《江祚別傳》，　　　《陸續別傳》，

《管寧別傳》，　　　《何晏別傳》，　　　《傅䝙別傳》，

《何禎別傳》，　　　《趙至別傳》，　　　《智瓊傳》，

《潘勗別傳》，　　　《諸葛亮別傳》，　　《張衡別傳》，

《曹植別傳》，　　　《李陵別傳》，　　　《王祥別傳》，

《江濛別傳》，　　　《趙岐別傳》，　　　《李燮別傳》，

《潘京別傳》，　　　《曹肇傳》，　　　　《楊彪別傳》，

《張蕪別傳》，　　　《馬鈞別傳》，　　　《賈逵別傳》，

《桓譚別傳》，　　　《徐延年別傳》。

已上見《太平御覽》。凡別傳一百八十四家，《隋》、《唐志》皆不著録，無從考其卷數。据昔人徵引撰名可見者，嵇喜爲康、鍾會爲母、謝鯤爲樂廣、何劭爲王弼、楊孚爲董卓、曹毗爲杜蘭香、袁宏爲山濤。其逸篇多者，《華陀》、《趙雲》、《虞翻》、《鍾離意》、《鄭玄》、《邴原》、《荀彧》、《孫資》、《蔡邕》，《三國志》注諸書所見篇目，《太平御覽》備彙其全，《初學記》等亦或各互見，又如《蔡邕》、《郭泰》、《鍾離意》、《鄭玄》、《董卓別傳》，《後漢書》注亦引之，今録從簡略，故不重載。《水經·清水》注稱孫綽別作《登傳》，此他書所未見。《藝文類聚·舟車部》："孔子使子貢，久而不來，占之遇鼎。顏回曰：'鼎無足，乘舟而來矣。'"《御覽·禮儀部》："宰我謂：'三年之喪，日月既周，星辰既更，於期可矣。'顏淵曰：'子雖美辨，豈能破堯舜之法，除周公之禮哉？'"二事並引《衝波傳》，"衝波"二字未詳其義。《後漢書》注引《蔡邕別傳》言："邕作《漢記十意》，有《律曆意》、《禮意》、《樂意》、《郊祀意》、《天文意》、《車服意》。"是史志之新名，可補《史通·書志篇》之闕。

雜傳四十卷　賀蹤撰。本七十七卷，亡。

雜傳十一卷　無撰名。

《唐志》有《雜傳》六十九卷。《舊唐志》六十五卷。又四十卷，又九卷，俱無撰名。

雜傳十九卷　陸澄撰。

《南齊書·陸澄傳》："澄所撰有《雜傳》。"

桓玄傳二卷　不著錄。

見《唐志》。

元晏春秋三卷　皇甫謐撰。

《晉書·皇甫謐傳》：“謐撰《元晏春秋》，重於世。”《唐志》二卷。《史記·匈奴傳》索隱引士安讀《漢書》，不詳撐犁孤塗之言。《北堂書鈔·武功部》：“謐年十七，未通經史，編荊爲盾，執枝爲戈。”《藝文類聚·菓部》、《初學記·服食部》：“謐與衛倫言及於味。”《太平御覽·人事部》云：“十二月乙丑夕，夢至京師。”《學部》云：“十七年，余長七尺四寸。”《疾病部》：“夏四月，余瘧於河南。”並引《元晏春秋》，觀此書體例，似用編年法，如後世年譜之類。

孔子弟子先儒傳十卷

《唐志》：“《孔子弟子傳》五卷。”別有《先儒傳》五卷，列次鍾岏《良吏傳》下，當即一書而誤分爲二。

諸葛亮隱没五事一卷　郭沖撰。不著錄。

見《唐志》。《魏志》注引郭沖五事。

李氏家傳一卷

《世説·賞譽篇》注：“《李氏家傳》云：‘膺岳峙淵清，峻貌貴重，華夏稱曰：“潁川李府君，顒顒如玉山。”’”《太平廣記·名賢類》又引有《李膺家録》。

揚雄家牒　卷亡。不著錄。

《藝文類聚·禮部》、《太平御覽·禮儀部》：“《揚雄家牒》曰：‘子雲以天鳳五年卒，弟子侯芭負土作墳，號曰玄塚。’”《史通·雜述篇》曰：“若《揚雄家牒》、《殷敬世傳》、《孫氏譜記》、《陸宗系歷》，此之謂家史者也。”

桓氏家傳一卷

《北堂書鈔·設官部》：“延康元年，初置散騎之官，遷桓範爲散騎侍郎。”又：“魏太子始立，桓範以文學舉爲舍人。”《太平御覽·職官部》：“桓範爲交州刺史謝表。”並引《桓氏家傳》。

王朗王肅家傳一卷

《魏志·王朗傳》注朗除會稽秦始皇舊祀，又朗與沛國名士劉陽交二事，引《朗家傳》。

太原王氏家傳二十三卷

《唐志》二十一卷。無“太原”二字。《世説·品藻篇》注：“王禕之少知名，仕至中書郎，未三十而卒，贈散騎常侍。”此作《王氏世家》。據《晉書》，禕之固太原王氏。

褚氏家傳一卷　褚覬等撰。

《唐志》：“褚結撰，褚陶注。”《舊唐志》入譜牒類。《世説·賞譽篇》注：“《褚氏家傳》曰：‘陶聰惠絶倫，年十三，作《鷗鳥》、《水碓》二賦。仕至中尉。’”《史記·孝武紀》索隱：“韋稜之云：‘褚少孫，宣帝代爲博士，號爲先生，續太史公書。’”此作《褚覬家傳》。

薛常侍家傳一卷

《唐志》二卷。

江氏家傳七卷　江祚等撰。

《舊唐志》江統撰，《新唐志》江饒撰。愚按《藝文類聚·職官部》、《北堂書鈔·設官部》並引《江氏家傳》，言“江統，庚子嵩雅敬君德，東海王越請君爲別駕”，與君書稱統爲君，則傳非統所撰。《太平御覽·人事部》引：“江蕤年十三棄五木之戲。”《方術部》：“江統諫愍懷禁土之令。”《工藝部》：“江偉善書，人得其手疏，莫不藏之。”《飲食部》：“江蕤年七歲葬父，有酒肉，斂容不食。”又：“江統上疏諫西園賣醯菜。”共引《家傳》五事。

庾氏家傳一卷　庾斐撰。

《唐志》："《漢南庾氏家傳》三卷，庾守業撰。"

裴氏家傳四卷 裴松之撰。

《世説·文學篇》注："裴榮有風姿才氣，撰《語林》數卷，號曰《裴子》。"《任誕篇》注："裴頠娶王戎長女。"並引《裴氏家傳》。《梁書·裴子野傳》："子野《續裴氏家傳》三卷。"《唐志》："松之《裴氏家記》三卷。"

裴氏家記 卷亡。傅暢撰。不著錄。

《蜀志·孟光傳》注：傅暢《裴氏家記》載裴潛弟儁、儁子越事。

虞氏家記五卷 虞覽撰。

《藝文類聚·居處部》："虞潭爲右衛將軍，起堂養親，作詩言志。"《北堂書鈔·政術部》："虞潭爲南康內史，年荒，出私米賑敝。"《太平御覽·禮儀部》："虞潭母大夫人薨，給輼輬車，謁者送喪，禮儀光備。"並引《虞氏家記》。《唐志》作《家傳》。

曹氏家傳一卷 曹毗撰。

《唐志》同。《太平御覽·職官部》："《曹氏傳》曰：'左擁起於碎吏，武帝以爲殿中侍御史。'"

王氏江左世家傳二十卷 王褒撰。

《世説·品藻篇》注引《王氏世家》王禕之事，乃太原王氏，其稱"世家"，又與此相合。

崔氏五門家傳二卷 崔氏撰。

《北堂書鈔·設官部》："崔瑗上疏曰：'察舉孝廉限年三十，恐失賢才之士也。'"《太平御覽·職官部》："崔寔除五原太守，民號曰神惠。"又："崔瑗爲汲令，開溝澮，造稻田，民賴其利。"《人事部》《座右銘》並引《崔氏家傳》。無"五門"二字。《唐志》作《崔氏世傳》七卷，題崔鴻撰。愚按崔瑗爲汲令事，《御覽·人事部》又載之，題崔鴻《崔氏家傳》，則《隋志》注"崔氏撰"當改"崔鴻"。

明氏世録六卷　<small>梁信武記室明粲撰。</small>

《舊唐志》五卷,《新唐志》六卷。

陸史十五卷

失撰名,《唐志》題陸煦撰。

諸王傳一卷　<small>不著録。</small>

見《唐志》。

暨氏家傳一卷

《唐志》同。

爾朱家傳二卷　<small>王氏撰。</small>

《唐志》王劭《爾朱氏家傳》二卷。

令狐氏家傳一卷

失撰名,《唐志》令狐德棻撰。

新舊傳四卷

子部雜家亦載之。

何氏家傳三卷

《後漢書·何敞傳》注引《何氏家傳》,載:"何比干爲丹陽都尉,獄無冤囚。正和三年三月,天大陰雨,有老嫗求寄避雨。雨止,出門謂比干曰:'公有陰德,天賜君策,子孫佩印綬,當如此算。'本始元年,自汝陰徙平陵,世爲名族。"《三輔決録》亦載此事。《魏志·劉劭傳》注引:"何禎識胡康性質不端,必有負敗,後果以過見譴。"<small>臣松之案魏朝自微而顯者,不聞胡康,疑是孟康。</small>此題《廬江何氏家傳》。《唐志》有《何妥家傳》二卷。

袁氏家傳　<small>卷亡。不著録。</small>

《世説·文學篇》注:"袁喬有文才。"《言語篇》注:"喬父瓌,光禄大夫,喬歷尚書郎、益州刺史。"《任誕篇》注:"袁耽魁梧爽朗,仕至司徒從事中郎。"《北堂書鈔·設官部》:"袁勗爲參軍,督刑獄,多所赦免。"並引《袁氏家傳》。

袁氏世紀　<small>卷亡。不著録。</small>

《魏志·袁涣傳》注引《袁氏世紀》載袁涣爲太祖所嚴憚，及涣四子侃、寓、奥、準事。<small>《世説·文學篇》注亦引袁準事。</small>

荀氏家傳十卷　<small>荀伯子撰。不著録。</small>

見《唐志》。<small>《舊唐志》入譜牒類。</small>《魏志·荀攸傳》、《荀彧傳》注引《荀氏家傳》。《世説·德行篇》注荀巨伯、《排調篇》注荀隱，亦引之，而云：“世有此書，尋之未得。”然《文選·與鍾大理書》注荀宏，元長《曲水詩序》注荀勗，《安陸王碑》注荀彧，《通典·職官門》注荀爽白衣登三公，《藝文類聚·禮部》荀爽對策之言，《太平御覽·禮儀部》引之尤詳，是知此書至宋尚存。

嚴氏家傳　<small>卷亡。不著録。</small>

《北堂書鈔·設官部》：“《嚴氏家傳》曰：‘嚴奏爲大皇車騎掾，委以書記。’”<small>按此與《御覽·職官部》《殷氏家傳》所載殷泰相類，必有一誤。</small>

殷氏家傳三卷　<small>殷敬撰。不著録。</small>

見《新唐志》。<small>《舊唐志》作殷敬等撰。</small>《藝文類聚·人事部》：“殷襃爲滎陽令，廣築學館，民知禮讓。”《北堂書鈔·政術部》：“殷襃穿渠入河，民賴其利。”<small>《御覽·地部》、《職官部》同。</small>《太平御覽·職官部》：“殷亮講學勝，賜重席至八九。”又：“殷泰爲大皇車騎掾，委以書記。”《人事部》、《資産部》：“殷襃見鄭廉，拜其父於市，廉由是顯名。”《百穀部》：“殷讜遭世喪亂，埋穀數百石，後爲賊所執，具以穀告之。”並引《殷氏家傳》。又“殷亮到陽城，遇兩虎爭一羊，亮按劍斬羊腹，虎各得其半去”一事，《御覽·人事部》再引之，或稱《商氏世傳》，“殷亮”作“商亮”，蓋宋人避宣祖諱，如殷芸《小説》改稱“商芸”之類，特《御覽》體例未及畫一，故殷、商並稱。

敦煌張氏家傳二十卷　<small>張太素撰。不著録。</small>

見《唐志》。《藝文類聚·菓部》：“扶風孟佗以葡萄酒遺張讓，即擢涼州刺史。"《太平御覽·人事部》："張禧除敦煌令,有鶴負矢,禧留養瘡,愈,飛去。月餘,啣赤玉珠樹二枝,置禧廳前。"並引《敦煌張氏家傳》。

邵氏家傳十卷 不著錄。

見《唐志》。《北堂書鈔·設官部》："邵疇爲郡功曹,詔圖形明堂。"《太平御覽·職官部》："邵訓爲陳留太守,詔賜刀劍衣物。"《人事部》："虞都尉邵夫人義姬少而寡,獨處一室,非祭祀墳墓不出。"又："邵孝信爲執法都尉,露板諫吳主遊獵。"《文部》："邵仲金好賑施,臨卒,取其貸錢書券焚之。"《方術部》："邵信臣東向漱酒,滅南陽之火,雨中酒香。"《火部》："邵貞性詳審,或落生炭於君履,君不迴顧。"並引《邵氏家傳》。《吳志·孫皓傳》注引稱《會稽邵氏家傳》。

陶氏家傳 卷亡。不著錄。

《藝文類聚·地部》："陶汪爲宣城内史,廣開學舍,百姓歌之。"《北堂書鈔·設官部》："陶覆之爲太常丞,凡宗廟疑議多所決定。"又："陶侃遷太子中庶子,善談論,尤明《詩》、《易》。"又："陶遽爲龍陽長,杜絶請謁,計日受俸。"又："陶清爲荆州刺史,旌顯所知三十餘人,皆當世異行。"《太平御覽·職官部》："陶猷爲右軍長吏,每當朝日,宿興就路,輒先眾僚。"<small>陶覆之、陶侃事,並同《書鈔》。</small>並引《陶氏家傳》。

嵇氏世家 卷亡。不著錄。

《北堂書鈔·設官部》："《嵇氏世家》曰:'嵇倉爲中書郎,書檄雲集,初不立草。'"<small>《太平御覽·職官部》、《文部》同。</small>

陳氏家傳 卷亡。不著錄。

《太平寰宇記·河南道》："《陳氏家傳》曰:'紀、諶以下八十六墓三十六碑,並在長葛縣陘山之陽,又有廟存。'"

竇氏家傳 卷亡。不著錄。

《藝文類聚·獸部》:"《竇氏家傳》曰:'竇攸治《爾雅》,舉孝廉為郎。世祖大會靈臺,得鼠,身如豹文,羣臣莫知。唯攸對曰:"名鼮鼠,見《爾雅》。"詔諸侯子弟從攸受《爾雅》。'"《三輔決錄》同。

沈氏家傳　卷亡。不著錄。

《太平寰宇記·江東南道》:"《沈氏家傳》曰:'後漢沈戎居郡烏程縣餘不鄉。'"

祖氏家傳　卷亡。不著錄。

《元和姓纂》:"《祖氏家傳》曰:'祖崇之娶東陽无旋女。'"

孫氏世錄　卷亡。不著錄。

《文選·為蕭揚州薦士表》注:"《孫氏世錄》曰:'孫康家貧,常映雪讀書,清介,交遊不雜。'"

孔氏家傳五卷

《世説·言語篇》注、《後漢書·孔融傳》注、《太平御覽·人事部》並引《孔融家傳》,皆記融事。《藝文類聚·雜器物部》引融"坐上客常滿,樽中酒不空"語,《北堂書鈔·酒食部》:"融每旦以饘一盛、魚一首以祭。"並作《孔融別傳》。

謝車騎家傳　卷亡。不著錄。

《世説·言語篇》注:"《謝車騎家傳》曰:'玄神理明俊,善微言。叔父太傅嘗問:"武帝任人,至於賜予不過斤,合當有旨不?"玄答:"有辭致也。"'"

顧愷之家傳　卷亡。不著錄。

《世説·夙悟篇》注:"張敷滔然有大成之量,仕至著作郎,二十三卒。"《藝文類聚·人部》:"顧愷之見謝萬,謂曰:'仙者之乘,或羊或鹿,使君當乘何物?'使君曰:'卿輩即轅中客也。'"並引《顧愷之家傳》。

顏延之家傳　卷亡。不著錄。

《藝文類聚‧雜文部》：“《顏延之家傳》銘曰：‘曠彼琅邪，實惟海宇。誰其來遷，時惟遠祖。青州隱秀，爰始真居。内辭鼎府，外秉邦閭。建節中平，分竹黄初。形清齊石，政偃營區。葛嶧明懿，平陽聰理。式薦公庭，或登宰士。列美霸朝，雙風千里。華萼之茂，於昭不已。’”

琅邪王氏録 卷亡。不著録。

《文選‧王文憲集序》注：“《琅玡王氏録》曰：‘其先出自周王子晉，秦有王翦、王離，世爲名將。’”

童子傳二卷 王瑒之撰。

《金樓子‧聚書篇》曰：“隱士王瑒之經餉書如《童子傳》之例是也。”《初學記‧人事部》：“近代有樂安、任瑕者，十二就師，學不再問，一年通三經。”《太平御覽‧人事部》：“魯國孔林十歲詣臺，魯相劉公稱其辯。”並引王瑒之《童子傳》。

幼童傳十卷 劉昭撰。

《梁書‧劉昭傳》：“昭著《幼童傳》十卷。”《初學記‧天部》：“晉明帝年數歲，對元帝問‘長安近日近’語。”《人事部》：“梁國楊氏子九歲，答孔君平楊梅孔雀語。”《北堂書鈔‧天部》：“潁川庚天祐三歲在牕下戲，霹靂擊簷樹，此兒晏然。”《後漢書‧蔡琰傳》注：“邕夜鼓琴，絃絕，琰曰：‘第二絃。’邕故斷一絃，問之，琰曰：‘第四絃。’並不差繆。”《太平御覽‧人事部》：“漢昭帝年五六歲，壯大，武帝云：‘類我。’甚奇之。”又：“魏太祖年十歲，浴於譙水，有蛟來逼，擊蛟退，畢浴而還。”又：“秦舞陽年十二，人犯必殺之，莫敢忤視。”又：“張元年八歲，齲齒，答狗寶戲語。”又：“謝瞻五歲，能屬文，通玄理。”並引劉昭《幼童傳》。

懷舊志九卷 梁元帝撰。

《梁書‧元帝紀》：“帝著《懷舊志》。”《周書‧顏之儀傳》：“父協爲湘東王府記室參軍，梁元帝後著《懷舊志》，稱贊其美。"
《南史·齊蕭賁傳》："賁讀湘東王檄，至'偃師南望，無復儲胥
露寒；河陽北臨，或有穹廬氊帳'，迺曰：'聖制此句，非爲逼
似，如體目朝廷，非關序賊。'王聞之大怒，收付獄，以餓終。
又著《懷舊傳》"傳"字疑。以謗之，極言詆毀。"《藝文類聚·人
部》："元帝《懷舊志》序曰：'中年承乏，攝牧神州，蔭真長之弱
柳，觀茂宏之舞鶴，長安羣公爲其延譽，扶風長者刷其羽毛。
日月不居，零露相半。獨軫魂交，情深宿草。故備書爵里，陳
懷舊焉。'"《唐志》卷同。

知己傳一卷　盧思道撰。

《唐志》同。胡應麟《甲乙剩言》曰："余從都下得隋盧思道《知
己傳》二卷，上自伊尹，下至六代。由君相父子妻子友朋以及
鬼神禽畜涉於知己者，皆録第。諸葛孔明與先主最相知，以
爲有'君自取之'一語，爲大不知己，不録，蓋有激乎其言之
也。"按此則是書明時尚存，《宋史·志》不載，自屬闕漏，但應
麟謂此書惟志有之，自唐以下不復有也，亦失考。

全德志一卷　梁元帝撰。

《梁書·元帝紀》："帝著《全德志》。"《金樓子·著書篇》曰：
"《全德志》一秩一卷，金樓自撰。"《藝文類聚·人部》："元帝
《全德志》序曰：'老子言全德歸厚，莊子言全德不刑，《呂覽》
稱全德之人，故以全德創其名也。此志陸大夫爲首，伊人有
學有辯，不夭不貧，既令公侯距掌，復使要荒躔角，入室生光，
豈非盛矣。若乃河宗九策，事等神鉤，陽雍雙璧，理歸玄感。
南陽樊重，高閣連雲；北海公沙，門人成市；咨此八龍，各傳
一藝；夾河兩郡，家有萬石。人生行樂，止足爲先。寧與孟嘗
聞琴承睫淚下，中山聽樂悲不自禁，同年而語也。'"又："論
曰：'物我俱忘，無貶廊廟之器。動寂同遣，何累經綸之才。

或出或處，並以全身爲貴。優之游之，咸以忘懷自適。若此
眾君子，可謂得之矣。'"《唐志》卷同。

同姓名録一卷　<small>梁元帝撰。</small>

今存。

列女傳十五卷　<small>劉向撰，曹大家注。</small>

今存七卷，《續傳》一卷。

列女傳七卷　<small>趙母注。</small>

《唐志》同。

列女傳頌一卷　<small>曹植撰。</small>

《唐志》同。《文選·新刻漏銘》注："曹植《列女傳頌》曰：'尚
卑貴禮，來世作程。'"

列女傳序讚一卷　<small>孫夫人撰。不著録。</small>

見《唐志》。<small>《舊唐志》集部重出。</small>

列女後傳十卷　<small>項原撰。</small>

《唐志》作"項宗"。《後漢書·曹娥傳》注曰："娥投衣於水，祝
曰：'父屍所在，衣當沈。'衣隨流至一處而沈，娥隨衣而没。
'衣'字或作'瓜'，見項原《列女傳》。"無"後"字。《藝文類聚·食
物部》："吳光禄勳孟宗母。"《太平御覽·地部》吳郡許昇妻吕
縈，《人事部》劉仲敬妻桓氏、曹文叔妻夏侯氏、吳沈伯陽妻顧
照君、丹陽華穆妻劉桃樹、吳孫奇妻范姬、珠崖二義、酒泉龐
孝婦趙娥、潁川孫氏女河、會稽翟氏女素，《百穀部》東平衡農
妻，共十二事引《列女後傳》，皆不著項原名。

列女傳六卷　<small>皇甫謐撰。</small>

《晉書·皇甫謐傳》："謐撰《列女傳》。"《藝文類聚·人部》會
稽翟索及婢青遭賊害事，<small>《初學記·人部》亦引之。</small>《太平御覽·人
事部》衛義姬、邵陽任延壽妻、長安大昌里人妻，共引皇甫謐
《列女後傳》。<small>《初學記》無"後"字。</small>又《御覽·人事部》漢中趙嵩妻

張氏、丹陽羅勤女靜、蜀景奇妻羅氏、犍爲相登妻周氏、廣漢馮季宰妻李氏、廣漢王輔妻彭氏、沛國劉長卿妻桓氏、沛國公孫去病妻戴氏、梁夏文生妻劉娥、天水姜叙母楊氏、下邳陳悝妻、歷陽留子直妻、戎士陳南妻。

列女傳八卷 　劉熙撰。不著錄。

見《新唐志》。

列女傳七卷 　綦母邃撰。

《唐志》同。《元和姓纂》云：“江左有綦母邃爲邵陽太守。”

女記十卷 　杜預撰。

《晉書·杜預傳》：“預撰《女記讚》。”《史通·外篇》曰：“杜元凱撰《列女記》，博採經籍前史，顯錄古老明言，而事有可疑，猶闕而不載。斯豈非理存雅正，心嫉邪僻者乎？”《太平御覽·人事部》漢安國侯王陵母、淑昷二寡婦、陳侯氏女緱玉、光武帝姊新野公主，共引杜預《女記》四事。《新唐志》作《列女記》。《舊志》無“列”字。

后妃記四卷 　虞通之撰。不著錄。

見《唐志》。

妬記二卷 　虞通之撰。

《宋書·后妃傳》：“宋世諸主莫不嚴妬，太宗每疾之。湖熟令袁慆妻以妬忌，賜死，使近世虞通之撰《妬婦記》。”《南史·王藻傳》亦載此言。《世説·賢媛篇》注桓溫妻南郡主，《輕詆篇》注王丞相曹夫人，《藝文類聚·人部》謝太傅劉夫人、京邑士人婦、泰元中荀婦庾氏、諸葛元直妻劉氏，《菓部》武陰女嫁阮宣，並引《妬記》。《太平御覽》所引略同。《唐志》卷同。《郡齋讀書志》曰：“古有《妬記》，久已亡之。”

名僧傳三十卷 　釋寶唱撰。

《唐志》入子部道家。

眾僧傳二十卷　裴子野撰。

《梁書·裴子野傳》："子野撰《眾僧傳》二十卷。"《隋志》子部雜家重出。《唐志》子部道家有子野《名僧録》十五卷。

高僧傳十四卷　僧惠皎撰。不著録。

見《大藏目録》。《唐志》同。

續高僧三十二卷　僧道宗撰。不著録。

見《新唐志》。《舊唐志》三十卷,作"道宣",《大藏目録》亦作"道宣"。

薩婆多部傳五卷　釋僧祐撰。

《唐志》道家有《薩婆多師資傳》四卷。

梁故草堂法師傳一卷

無撰名,《唐志》道家有陶弘景《草堂法師傳》一卷,蕭回理《草堂法師傳》一卷。《文選·北山移文》注:"梁簡文帝《草堂傳》曰:'汝南周顒以蜀草堂寺林壑可懷,乃於鍾嶺雷次宗學館立寺,因名草堂,亦號山茨。'"

尼傳二卷　皎法師撰。

《大藏目録》有《比邱尼傳》四卷,僧寶唱撰。《唐志》同。

列仙傳讚三卷　劉向撰。郭璞續,孫綽讚。

今存二卷。

神仙傳十卷　葛洪撰。

今存。

養性傳二卷

《唐志》入子部道家。

漢武内傳三卷

今存。

王喬傳一卷

《唐志》同。《太平御覽·時序部》:"漢永和元年十二月夜,王喬墓上採薪者見人冠衣,曰:'我王喬也,汝莫取我墓樹。'忽不見。"此稱蔡邕《王喬録》。

太元真人東鄉司命茅君内傳一卷

《唐志》："李遵撰。"《藝文類聚》、《太平御覽》引之，或稱茅君，或稱茅盈，亦著李尊撰名。

清虚真人王君内傳一卷　　弟子華存撰。

《唐志》同。《太平御覽·地部》有《太素真人王君内傳》。

清虚真人裴君内傳一卷

《舊唐志》題鄭子雲撰，《新唐志》作鄭雲千十卷。《御覽·道部》引之。

正一真人三天法師張君内傳一卷

《唐志》題王葳撰。

太極左仙公葛君内傳一卷

《唐志》題吕先生撰《靈佑宫》。《道藏目録》有《太極葛仙公傳》一卷。

仙人馬君陰君内傳一卷

《唐志》題趙昇等撰。《御覽·地部》引《陰君内傳》。

紫陽真人周君傳一卷　　華嶠撰。不著録。

見《唐志》。《藝文類聚·靈異部》、《太平御覽·道部》引《真人周君傳》。

關令内傳一卷

《唐志》題鬼谷先生撰，四皓注。《藝文類聚》、《太平御覽》多引之，或稱《尹喜内傳》。

南岳夫人内傳一卷

《唐志》作《紫虚元君南岳夫人》，題范邈撰。《藝文類聚·菓部》引之。

紫虚元君魏夫人内傳一卷　　項宗撰。不著録。

見《唐志》。

仙人許遠遊傳一卷

《唐志》有王羲之《許先生傳》一卷。已上自《王喬傳》,《新唐志》並入子部道家。

李先生傳　卷亡。不著錄。

《太平御覽·天部》:"李先生名廣,字祖和,南陽人。劉備遣軍欲取先生,先生起霧半天,備騎自相殺。"又《菜部》:"郭翻於羊渚遇神人,付書一牒,曰:'問李先生當知我。'"並引《李先生傳》。

顏脩內傳　卷亡。不著錄。

《太平御覽·地部》:"《顏脩內傳》曰:'橋順字仲產,有二子:曰璋,曰琮,師事仙人盧子基於棲霞谷。'"

靈人辛元子自序一卷

《唐志》入子部道家。

集仙傳十卷

《太平廣記》引之。

洞仙傳十卷

《唐志》題見素子撰,入子部道家。《太平廣記》引之。

蘇君記一卷　周季通撰。

《唐志》入子部道家。

嵩高寇天師傳一卷

《唐志》宋都能《嵩高少室寇天師傳》三卷,入子部道家。

華陽子自序一卷

《唐志》茅處元撰,入子部道家。

道學傳二十卷

《舊唐志》作《學道傳》,《新唐志》作《馬樞學傳》,脫落"道"字。入子部道家。《太平御覽·人事部》、《道部》引《道學傳》共數十事。《文選》江文通《雜體詩》注:"夏禹撰真靈之玄要,集天官之寶書,封以金英之函,檢以玄都之印。"與《御覽·道部》所引同。《初學記·道釋部》:"茅山南洞有崇元觀、金陵觀、玄曜觀、玄明觀。"此事《御覽》所無。

宣驗記十二卷　劉義慶撰。

《太平御覽》、《廣記》並引《宣驗記》。"宣"又作"冥"。《初學記·鳥部》、《藝文類聚·鳥部》引鸚鵡救火天神嘉感一事,與《御覽·羽族部》同。

冥祥記十卷　王琰撰。

《唐志》入子部小説。《太平廣記》多引《冥祥記》。《御覽·兵部》引何敬叔奉佛製旃檀像,《蟲豸部》"沙門安能門見蜈蚣三尺,自屋墮地,旋迴而去"二事。

感應傳八卷　王延秀撰。

《唐志》入子部小説。

古異傳三卷　宋永嘉太守王壽撰。

《唐志》入子部小説。

甄異傳三卷　晉西戎主簿戴祚撰。

《唐志》入子部小説。《太平御覽·地部》歷陽謝允,《服用部》沛郡秦拊,《疾病部》吳興張安,《器服部》吳縣張君才,《木部》沛國張伯遠,《果部》吳縣張牧,《太平廣記·夢類》劉沙門,並引《甄異傳》。《藝文類聚·樂部》:"吳郡陳緒家有神寄住。"《菓部》:"譙郡夏侯規亡後見形還家。"《御覽·服用部》:"樂安章沈病死,將殯而蘇。"《妖異部》:"徐州人吳清殺雞,置雞頭在拌中,忽然而鳴。"並作《甄異記》。

述異記十卷　祖沖之撰。

《唐志》入子部小説。《初學記·人部》:"苻健皇始四年有長人見,身長五丈。"《武功部》:"豫章人漆澄乘船釣魚,有物出水,麤鱗,黑色,長十丈。"《太平御覽·人事部》:"晉玄興末,魏郡陳氏女,名琬,值卢循之亂被害。"又:"陳留周氏婢名興,入山取樵,見髑髏目中生草,拔之。"並引祖沖之《述異記》。任昉亦有《述異記》,故諸書所引其不著名祖沖之者不採入。

異苑十卷　宋給事劉敬叔撰。

今存。

搜神記三十卷　干寶撰。

今存。

搜神後記十卷　陶潛撰。

今存。

列異傳三卷　魏文帝撰。

《隋志》序曰:"魏文帝作《列異》,以序鬼物奇怪之事。"《後漢書·光武紀》注:"秦文公置旄頭騎。"《初學記·服食部》:"吳選曹令史劉卓病,夢人以白越單衫與之。"並引魏文帝《列異傳》。他書所引多不著魏文名,《魏志·華歆傳》注引歆爲諸生寄宿事,"臣松之案《晉陽秋》魏舒少時寄宿事,亦如之"。

録異傳　卷亡。不著録。

《初學記·禮部》:"會稽賀瑀曾得疾死,三日蘇。"《書鈔·禮儀部》語小異。《北堂書鈔·儀飾部》:"吳郡吳泰筮會稽盧氏失博山香爐。"又:"嘉興倪彥思忽見鬼魅入其家。"《衣冠部》:"馬成病死,一日半復得生。"《酒食部》:"周時尹氏貴盛,會食數千人。"《藝文類聚·天部》:"大雪積地,洛陽令案行至袁安門,見安僵卧。"《初學記·天部》亦引之。《寶玉部》:"隗炤善《易》,臨終書板授其妻。"《御覽·方術部》、《珍寶部》並同。並引《録異傳》。《太平御覽》所引亦皆敘鬼物事,惟尹氏、袁安二事與《録異》似不相涉。袁安事《汝南先賢傳》亦載之,隗炤事《晉書·藝術傳》取之,《史記·秦本紀》正義引秦置旄頭騎事,稱《録異傳》。《御覽·時序部》同。《藝文類聚·獸部》作《列異傳》。《初學記·

人部》：“廬陵商人過彭澤湖，見青洪君乞如願事。”稱《録異傳》。《御覽·人事部》同作“傳”。《御覽·時序部》作《録異記》。

靈鬼志三卷　荀氏撰。

《世説·方正篇》注明帝初謠歌，《容止篇》注明帝末謠歌，《傷逝篇》注文康鎮武昌民謡，《忿狷篇》注桓石民爲荆州鎮民謡，並引《靈鬼志·謡徵》，似《謡徵》乃志中分篇。《太平御覽·兵部》：“泰元中，有道人從外國來，多術法。嘗行見一人擔小籠子，語擔人欲寄君擔。”《方術部》亦引之。《人事部》：“濡須口有大舶覆在水中，漁人夜宿其傍，聞絃管之音。”《方術部》：“石虎時，有道人驅驢於深山中，爲鬼所奪。”《疾病部》：“滎陽郡有廖姓，累世爲蠱。”《雜物部》：“有鄒姓坐齋中，忽有人通刺詣之，題云舒甄仲。”《獸部》：“陳安嘗乘一駿馬死，雙赤蛇出其鼻。”此所引《靈鬼志》皆記怪異，惟《兵部》引關中歌陳安曰：“隴上健兒字陳安，面狹頭細腹中寬，丈八蛇矛左右盤。”《藝文類聚·軍器部》、《北堂書鈔·武功部》並同。此與志鬼不類。

志怪二卷　祖台之撰。

《晉書·祖台之傳》：“台之撰《志怪》，書行於世。”《唐志》四卷，入子部小説。《史通·雜述篇》曰：“若祖台《志怪》，干寶《搜神》，劉義慶《幽明録》，劉敬叔《異苑》，此之謂雜記者也。”

志怪四卷　孔氏撰。

《文苑英華·顧況〈戴氏廣異記序〉》稱孔慎言《神怪志》。《世説·方正篇》注：“盧充與崔少府女幽婚。”《巧藝篇》注：“荀勗以寶劍付妻。”又：“荀勗畫巧妙之極。”《排調篇》注：“干寶母葬寶父，推婢藏中，經十年，開墓而蘇。”《初學記·州郡部》：“義興白額獸、溪渚蒼蛟，並周處爲三害。”《世説·自新篇》“白額獸”作“邪足虎”。《鳥部》：“楚文王好田，有一人獻一鷹，能制大鵬鶵。”《藝文類聚·木部》：“會稽盛逸晨興見柳樹上有人，長二尺餘，以舌餂葉露。”《太平御覽·鱗介部》：“會稽史謝宗赴吳中，有女子來船，欲市佳絲，因求寄載。船人掩之，得一物，大如枕。”又：“沙門竺僧瑤得神符，治廣陵王家女病邪。”並引孔氏《志怪》，不著慎言名。《唐志》亦稱孔氏，入子部小説。

志怪　卷亡。曹毗撰。不著録。

《初學記·地部》、《太平御覽·地部》並引曹毗《志怪》，言：“漢武鑿昆明池，極深，悉是灰墨，無復土。東方朔曰：‘可問西域人。’至後漢明帝時，外國遣人入洛，試問之，答曰：‘經云：“天地大刼將盡，則刼燒。”此刼燒之餘。’”

神録五卷　劉之遴撰。

《唐志》入子部小説。

齊諧記七卷　宋散騎侍郎東陽无疑撰。

今存。

續齊諧記一卷　吳均撰。

今存。

幽明録二十卷　劉義慶撰。

此書見引甚多。“幽明”或作“幽冥”。《史通》言唐修《晉書》多取《幽明録》。今考《太平御覽》所引，如《人事部》石勒問佛圖澄擒劉曜兆，謝安石夢乘桓溫輿行見白雞而止，魏武帝夢三馬食一槽，王茂宏夢人以百萬錢買大兒長豫，此類皆《晉書》所取資。《唐志》三十卷，入子部小説。

補續冥祥記一卷　王曼穎撰。

《唐志》十一卷，入子部小説。

漢武洞冥記一卷　郭氏撰。

今存。

嘉瑞記三卷　陸瓊撰。

《陳書·陸瓊傳》：“初，瓊父雲公奉梁武帝敕，撰《嘉瑞記》。

瓊述其旨而續之,自永定迄於至德,勒成一家之言。"

祥瑞記十卷

無撰名,《唐志》子部雜家有顧野王《祥瑞圖》十卷。別有《符瑞圖》十卷,"祥"作"符",字訛。

符瑞記十卷　許善心撰。

《唐志》子部雜家有許善心《皇隋瑞文》十四卷。

靈異記十卷

《隋書·許善心傳》:"煬帝嘗言及高祖受命之符,因問鬼神之事,敕善心與崔祖璿撰《靈異記》十卷。"按此與《志》相符,《志》脱撰名。

研神記十卷　蕭繹撰。

《唐志》同。

旌異記十五卷　侯君素撰。

《北史·李文博傳》:"同郡侯白,字君素,著《旌異記》十五卷。"《隋書》附《陸爽傳》。《太平御覽·釋證部》引侯君素《旌異記》高齊初,沙門寶公從林慮山向白鹿山,因迷失道,趨見石趙時佛圖澄法師所造靈隱寺事。《太平廣記·釋證類》同。《唐志》入子部小説。

近異録二卷　劉質撰。

《唐志》入子部小説。

鬼神列傳一卷　謝氏撰。

《太平御覽·兵部》引謝氏《鬼神列傳》:"下邳陳超爲鬼君弼所逐。"《唐志》入子部小説。

志怪記三卷　殖氏撰。

《北堂書鈔·帝王部》"客星通座",又"宗正卿會稽謝謨夜飲,忽見人被髮求飲"二事,並引《志怪記》,而不著殖氏。又《衣冠部》建康小吏曹著爲廬山使君所迎配以文婉事,稱《志怪録》。《太平御覽·人事部》“石季倫母喪，王戎入臨殯，見鬼攘臂行搯鑿”，《禮儀部》“陶侃微時遭喪，逢老公指牛眠處作墓”二事，並稱《志怪集》。

周氏冥通記一卷

靈佑宫《道藏目録·洞真部》：“《周氏冥通記》四卷。”

集靈記二十卷　顏之推撰。

《唐志》十卷，入子部小説。《太平御覽·服用部》引《集靈記》琅邪王謂亡後數年見形於妻事。

冤魂志三卷　顏之推撰。

今存本稱《還冤志》。

皇隋靈感志十卷　王劭撰。不著録。

《唐志》入子部小説。《北史·王劭傳》：“劭採民間歌謠，引圖書讖緯，依約符命，据摭佛經，撰爲《皇隋靈感志》《隋書·劭傳》作《開皇隋靈感志》。三十卷。”

漢時阮倉作列仙圖

後漢光武詔南陽撰作風俗，故沛、三輔有耆舊、節士之序

《文苑英華·策問》：“‘京兆耆舊之篇，起於何代？陳留神仙之傳，創自何人？’許南容對：‘京兆耆舊，光武創其篇；陳留神仙，阮倉述其事。’李令琛對：‘京兆耆舊之篇，創於光武；陳留神仙之傳，起自阮倉。’”

二十五史藝文經籍志考補萃編總目